Falando com Estranhos

Falando com Estranhos

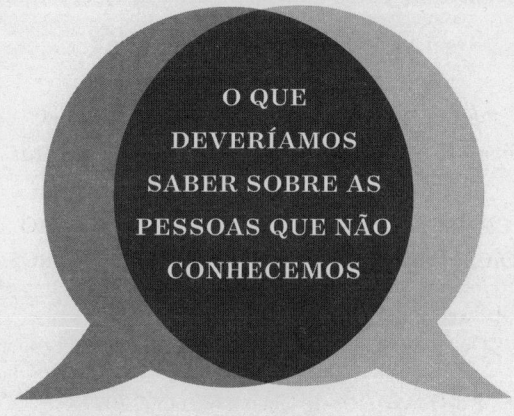

O QUE DEVERÍAMOS SABER SOBRE AS PESSOAS QUE NÃO CONHECEMOS

Malcolm Gladwell

SEXTANTE

Título original: *Talking to Strangers*

Copyright © 2019 por Malcolm Gladwell
Copyright da tradução © 2019 por GMT Editores Ltda.

Todos os direitos reservados. Nenhuma parte deste livro pode ser utilizada ou reproduzida sob quaisquer meios existentes sem autorização por escrito dos editores.

Crédito do poema "The Addict", de Anne Sexton, p.230-231: reproduzido sob premissão de SLL/Sterling Lord Literistic, Inc. Copyright por Linda Gray Sexton e Loring Conant, Jr. 1981

tradução: Ivo Korytowski
preparo de originais: Melissa Lopes
revisão: Ana Grillo, Juliana Souza e Milena Vargas
diagramação: Valéria Teixeira
capa: Matt Dorfman
adaptação de capa: Ana Paula Daudt Brandão
impressão e acabamento: Lis Gráfica e Editora Ltda.

CIP-BRASIL. CATALOGAÇÃO NA PUBLICAÇÃO
SINDICATO NACIONAL DOS EDITORES DE LIVROS, RJ

G452f   Gladwell, Malcolm

Falando com estranhos: o que deveríamos saber sobre as pessoas que não conhecemos/ Malcolm Gladwell; tradução de Ivo Korytowski. Rio de Janeiro: Sextante, 2019.
320 p.; 16 x 23 cm.

Tradução de: Talking to strangers
ISBN 978-85-431-0895-7

1. Comportamento humano – Aspectos sociais.
2. Comportamento humano Aspectos psicológicos. 3. Relações humanas. I. Korytowski, Ivo. II. Título.

CDD: 158.27
19-60243   CDU: 316.47

Todos os direitos reservados, no Brasil, por
GMT Editores Ltda.
Rua Voluntários da Pátria, 45 – Gr. 1.404 – Botafogo
22270-000 – Rio de Janeiro – RJ
Tel.: (21) 2538-4100 – Fax: (21) 2286-9244
E-mail: atendimento@sextante.com.br
www.sextante.com.br

Para Graham Gladwell,
1934–2017

SUMÁRIO

NOTA DO AUTOR, 9

INTRODUÇÃO
"Saia do carro!", 11

PARTE I — ESPIÕES E DIPLOMATAS:
DOIS ENIGMAS, 21

CAPÍTULO UM
A vingança de Fidel Castro, 23

CAPÍTULO DOIS
Conhecendo o Führer, 31

PARTE II — O PRESSUPOSTO DA VERDADE, 47

CAPÍTULO TRÊS
A Rainha de Cuba, 49

CAPÍTULO QUATRO
O Louco Santo, 76

CAPÍTULO CINCO
Estudo de caso: O menino no chuveiro, 89

PARTE III — TRANSPARÊNCIA, 117

CAPÍTULO SEIS
A falácia de Friends, 119

CAPÍTULO SETE
Uma (breve) explicação do caso Amanda Knox, 136

CAPÍTULO OITO
Estudo de caso: A festa da fraternidade, 150

PARTE IV — LIÇÕES, 185

CAPÍTULO NOVE
KSM: O que acontece quando o estranho é um terrorista?, 187

PARTE V — ACOPLAMENTO, 207

CAPÍTULO DEZ
Sylvia Plath, 209

CAPÍTULO ONZE
Estudo de caso: Os experimentos de Kansas City, 233

CAPÍTULO DOZE
Sandra Bland, 244

AGRADECIMENTOS, 268
NOTAS, 269

NOTA DO AUTOR

Há muitos anos, quando meus pais vieram me visitar em Nova York, decidi acomodá-los no hotel Mercer. Foi uma pequena travessura. O Mercer é chique e exclusivo, o tipo de lugar onde os famosos se hospedam. Meus pais – principalmente meu pai – eram indiferentes a esse tipo de coisa. Ele não assistia à televisão, não ia ao cinema nem ouvia música popular. Devia achar que a *People* era uma revista sobre antropologia. As áreas de conhecimento dele eram específicas: matemática, jardinagem e a Bíblia.

Cheguei ao hotel para levar os dois para jantar fora e perguntei ao meu pai como tinha sido seu dia. "Maravilhoso!", disse ele. Tinha passado a tarde conversando com um homem no lobby. Fazer isso era típico do meu pai. Ele gostava de falar com estranhos.

– Sobre o que vocês conversaram? – indaguei.

– Jardinagem! – respondeu meu pai.

– E qual era o nome dele?

– Ah, não faço ideia. Mas o tempo todo as pessoas vinham até ele, tiravam fotos e pediam para ele assinar pedaços de papel.

Se por acaso alguma celebridade de Hollywood estiver lendo isto e se lembrar de ter conversado com um senhor inglês barbudo muito tempo atrás no lobby do hotel Mercer, por favor, entre em contato comigo.

E para todos os demais, aqui vai uma lição. Às vezes as melhores conversas são aquelas em que os estranhos continuam sendo estranhos.

INTRODUÇÃO

"Saia do carro!"

1.

Em julho de 2015, uma jovem afro-americana chamada Sandra Bland foi de carro de Chicago, onde morava, até uma cidadezinha uma hora a oeste de Houston, no Texas. Estava indo fazer uma entrevista de emprego na Universidade Prairie View A&M, onde se formara alguns anos antes. Ela era alta e tinha uma presença marcante, com uma personalidade que combinava com seu tipo físico. Fizera parte da sororidade Sigma Gamma Rho e havia tocado na banda marcial. Também fora voluntária numa organização para idosos. Regularmente postava vídeos curtos e inspiradores no YouTube identificados como "Sandy Speaks", que costumavam começar com "Bom dia, meus lindos Reis e Rainhas".

> Estou acordada hoje simplesmente louvando a Deus, dando graças ao Seu nome. Agradecendo-Lhe não apenas por ser meu aniversário, mas pelo crescimento, pelas diversas coisas que Ele fez em minha vida neste último ano. Apenas rememorando meus 28 anos de vida e tudo que Ele tem me revelado. Embora eu tenha cometido alguns erros, definitivamente tenha feito besteira, Ele continua me amando, e quero que meus Reis e Rainhas saibam que Ele continua amando vocês também.

Bland conseguiu o emprego em Prairie View. Ficou eufórica. Planejava conciliar o trabalho com um mestrado em ciência política. Na tarde de 10 de julho, ela deixou a universidade para fazer compras de supermercado e, ao dobrar à direita para a rodovia que circunda o campus, foi parada por um policial. Seu nome era Brian Encinia: branco, cabelos escuros curtos, 30 anos. Ele foi educado – pelo menos no início. Informou que ela não sinalizara a mudança de pista. Fez algumas perguntas. Ela respondeu. Então Bland acendeu um cigarro e Encinia pediu que ela o apagasse.

A interação entre eles foi registrada pela câmera de vídeo do painel do carro dele e pelo celular dela, e já foi vista milhões de vezes no YouTube.

Bland: Estou no meu carro. Por que tenho que apagar o cigarro?
Encinia: Bem, você pode sair do carro agora.
Bland: Eu não tenho que sair do meu carro.
Encinia: Por favor, saia do veículo.
Bland: Só porque estou...
Encinia: Saia do veículo.
Bland: Você não tem o direito de exigir isso. Não, você não tem esse direito.
Encinia: Saia do veículo.
Bland: Você não tem o direito. Você não tem o direito de fazer isso.
Encinia: Eu tenho o direito, sim, agora saia ou vou tirar você.
Bland: Eu me recuso a falar com você a não ser para me identificar. [*ruído*] Estou sendo retirada do carro porque não dei seta?
Encinia: Saia ou vou tirar você. Estou dando uma ordem legal. Saia do carro agora ou eu mesmo vou tirar você.
Bland: E eu vou ligar para o meu advogado.
Encinia: Vou arrancar você daí. [*Enfia o braço dentro do carro*]
Bland: Ok, você vai me arrancar do carro? Ok, tudo bem.
Encinia: [*chamando reforço*] 2547.
Bland: Vamos fazer isto.
Encinia: Sim, vamos. [*Tenta puxar Bland*]
Bland: Não toque em mim!
Encinia: Saia do carro!
Bland: Não toque em mim! Não toque em mim! Não estou presa e você não tem o direito de me retirar do meu carro.
Encinia: Você está presa!
Bland: Estou presa? Por quê? Por quê? Por quê?
Encinia: [*Para o rádio*] 2547 Condado FM 1098. [*inaudível*] Mande outra unidade. [*Para Bland*] Saia do carro! Saia do carro agora!
Bland: Por que estou sendo detida? Você está tentando me dar uma multa porque eu não...

Encinia: Eu disse saia do carro!

Bland: Por que estou sendo detida?

Encinia: Estou dando uma ordem legal. Vou arrastar você desse carro.

Bland: Você está ameaçando me arrastar para fora do meu próprio carro?

Encinia: Saia do carro!

Bland: E depois você vai me [*inaudível*]?

Encinia: Vou acertar você! Saia! Agora! [*Pega a arma imobilizadora e aponta para Bland.*]

Bland: Uau. Uau. [*Bland sai do carro.*]

Encinia: Saia. Agora. Saia do carro agora!

Bland: Você está fazendo tudo isso só porque não dei seta?

Bland foi presa e encarcerada. Três dias depois, suicidou-se em sua cela.

2.

O caso de Sandra Bland aconteceu em meio a um estranho período na vida pública americana. Esse período começou em agosto de 2014, quando um negro de 18 anos chamado Michael Brown foi morto a tiros por um policial em Ferguson, no Missouri. Brown acabara de, supostamente, furtar um maço de charutos de uma loja de conveniência. Os anos seguintes viram um caso após o outro envolvendo a violência da polícia contra negros. Houve revoltas e protestos por todo o país. Surgiu o Black Lives Matter (Vidas Negras Importam), movimento de luta por direitos civis. Por um tempo, os americanos só falavam sobre isso. Em Baltimore, um jovem negro chamado Freddie Gray foi detido por portar um canivete e entrou em coma no compartimento traseiro da van da polícia. Perto de Minneapolis, um jovem negro chamado Philando Castile teve o carro parado por um policial e inexplicavelmente levou sete tiros enquanto procurava seus documentos. Na cidade de Nova York, um negro chamado Eric Garner foi abordado por um grupo de policiais – sob a suspeita de estar vendendo cigarros ilegalmente – e estrangulado até a morte na luta subsequente. Em North Charleston, na Carolina do Sul, um negro chamado Walter Scott foi parado por causa de um defeito na luz traseira do veículo, saiu correndo do carro e foi fuzilado pelas costas por um policial branco. Scott foi morto em 4 de abril de 2015. Sandra Bland havia dedicado a ele um episódio de "Sandy Speaks".

> Bom dia, meus lindos Reis e Rainhas... Não sou racista. Cresci em Villa Park, em Illinois. Eu era a única menina negra entre as líderes de torcida... Povo negro, vocês não terão sucesso neste mundo enquanto não aprenderem a interagir com gente branca. Quero que os brancos entendam que os negros estão fazendo o máximo que podem... E não tem como não ficarmos furiosos quando vemos situações em que fica claro que a vida do negro não importou. Para aqueles que questionam por que ele estava fugindo, bem, pelas notícias que temos visto ultimamente, você pode ficar parado, se entregar à polícia e ainda assim ser morto.

Três meses depois, ela também estava morta.

Falando com estranhos é uma tentativa de entender o que de fato aconteceu próximo à rodovia naquele dia no interior do Texas.

Por que escrever um livro sobre uma abordagem policial mal executada? Porque o debate gerado por aquela sequência de casos foi profundamente insatisfatório. Um lado levou a discussão para a questão do racismo – olhando para o caso a uma altura de 3 mil metros. O outro lado examinou cada detalhe de cada caso com uma lupa. Como era a *personalidade* do policial? O que ele fez, exatamente? Um lado viu a floresta, mas não as árvores. O outro viu as árvores, mas não a floresta. Cada lado estava certo à sua maneira. O preconceito e a incompetência contribuem muito para explicar a disfunção social nos Estados Unidos. Mas o que você faz com qualquer um desses diagnósticos além de prometer, com toda a sinceridade, esforçar-se mais da próxima vez? Existem maus policiais. Existem policiais preconceituosos. Os conservadores preferem a primeira interpretação; os liberais, a última. No fim, os dois lados se anulam mutuamente. Policiais continuam matando pessoas, mas essas mortes já não dominam o noticiário. Talvez você nem se lembre mais de Sandra Bland. Nós esquecemos essas controvérsias após um intervalo razoável e partimos para outras coisas.

Eu não quero partir para outras coisas.

3.

No século XVI, houve quase 70 guerras envolvendo as nações e os Estados da Europa. Os dinamarqueses combateram os suecos. Os poloneses combateram os Cavaleiros Teutônicos. Os otomanos combateram os venezianos. Os espanhóis combateram os franceses – e assim por diante. Se havia um padrão no conflito incessante, era que as batalhas envolveram, em sua esmagadora maioria, vizinhos. Você lutava contra as pessoas do outro lado da fronteira, que sempre estiveram ali. Ou lutava contra alguém dentro de suas próprias fronteiras: a Guerra Otomana de 1509 se deu entre dois irmãos. Na maior parte da história humana, os encontros – hostis ou não – raramente foram entre povos estranhos. As pessoas que você encontrava e combatia muitas vezes acreditavam no mesmo Deus que você, construíam seus prédios e organizavam suas cidades da mesma maneira que você, travavam suas guerras com as mesmas armas, de acordo com as mesmas regras.

No entanto, o conflito mais sangrento do século XVI não se enquadrou em nenhum desses padrões. Quando o conquistador espanhol Hernán Cortés encontrou o soberano asteca Montezuma II, nenhum dos lados conhecia qualquer coisa sobre o outro.

Cortés desembarcou no México em fevereiro de 1519 e aos poucos abriu caminho para o interior, avançando sobre a capital asteca de Tenochtitlán. Quando Cortés e seu exército chegaram, ficaram estupefatos. Tenochtitlán era extraordinária – bem maior e mais impressionante do que qualquer das cidades que Cortés e seus homens tinham conhecido na Espanha. Uma cidade sobre uma ilha, ligada à terra firme por pontes e cruzada por canais. Possuía amplos bulevares, aquedutos elaborados, mercados vibrantes, templos construídos com estuque branco brilhante, jardins públicos e até um zoológico. Era impecavelmente limpa – o que, para alguém criado na imundície das cidades europeias medievais, deve ter parecido algo quase milagroso.

"Quando vimos tantas cidades e aldeias construídas na água e outras grandes cidades em terra seca, ficamos espantados e dissemos que aquilo era como os encantamentos descritos em *Amadís*", recordou Bernal Díaz del Castillo, um dos oficiais de Cortés. "E alguns de nossos soldados se perguntaram se as coisas que víamos não seriam um sonho. [...] Não sei como descrever aquilo, vendo coisas de que nunca se ouviu falar, nunca foram vistas antes, nem sequer sonhadas."

Os espanhóis foram saudados nos portões de Tenochtitlán por um grupo de chefes astecas, depois levados até Montezuma. Ele era uma figura de grandeza quase surreal, transportado numa liteira enfeitada com ouro e prata e adornada com flores frescas e pedras preciosas. Um dos cortesãos avançava à frente do cortejo, varrendo o chão. Cortés desceu do seu cavalo. Montezuma foi abaixado de sua liteira. Cortés, sendo espanhol, avançou para abraçar o líder asteca – apenas para ser impedido pelos acompanhantes de Montezuma. Ninguém *abraçava* Montezuma. Em vez disso, os dois homens fizeram uma reverência um para o outro.

– Vós sois ele? Vós sois Montezuma?

Montezuma respondeu:

– Sim, sou ele.

Nenhum europeu jamais pusera os pés no México. Nenhum asteca jamais conhecera um europeu. Cortés nada sabia sobre os astecas, apenas ficara atônito com sua riqueza e a cidade extraordinária que haviam construído. Montezuma nada sabia sobre Cortés, exceto que havia se aproximado do reino asteca com grande audácia, munido de armas estranhas e animais grandes e misteriosos – cavalos – que os astecas nunca tinham visto.

Não é de admirar que o encontro entre Cortés e Montezuma tenha fascinado os historiadores por tantos séculos. Naquele momento – 500 anos atrás –, quando exploradores começaram a atravessar oceanos e realizar expedições ousadas para territórios até então desconhecidos, uma espécie inteiramente nova de encontro emergiu. Cortés e Montezuma quiseram conversar, embora nada soubessem um sobre o outro. Quando Cortés indagou a Montezuma "Vós sois ele?", não disse essas palavras especificamente. Cortés falava somente espanhol. Teve que levar dois intérpretes consigo. Um deles era uma índia chamada Malinche, que havia sido capturada pelos espanhóis alguns meses antes. Ela sabia a língua asteca nauatle e maia, a língua do território mexicano onde Cortés iniciara sua jornada. Cortés também tinha em seu comboio um sacerdote espanhol chamado Gerónimo del Aguilar, que sofrera um naufrágio no Iucatã e aprendera maia em sua permanência por lá. Assim, Cortés falava com Aguilar em espanhol. Aguilar traduzia em maia para Malinche. E Malinche traduzia o maia em nauatle para Montezuma – e quando Montezuma respondeu "Sim, sou ele", a longa cadeia de tradução funcionou ao contrário. O tipo de interação simples, cara a cara, com que ambos conviveram por toda a vida subitamente tornou-se complicado. Cortés foi conduzido a um dos palácios de Montezuma – um lugar que Aguilar descreveu depois como tendo "inúmeros aposentos, antecâmaras, corredores esplêndidos, colchões com mantos amplos, travesseiros de couro e fibras de árvores, bons cobertores e túnicas de peles brancas admiráveis". Após o jantar, Montezuma reuniu-se com Cortés e seus homens e fez um discurso. Imediatamente, a confusão começou. Da forma como os espanhóis interpretaram as observações de Montezuma, o rei asteca estava fazendo uma concessão espantosa: acreditava que Cortés fosse um deus,* a materialização de uma velha profecia segundo a qual uma divindade exilada um dia retornaria do leste. E estava, portanto, submetendo-se a Cortés. Dá para imaginar a reação do conquistador espanhol: aquela cidade magnífica agora era efetivamente sua.

Mas foi realmente o que Montezuma quis dizer? O nauatle, a língua dos astecas, possuía um tom reverencial. Uma figura real como Montezuma falaria numa espécie de código, de acordo com uma tradição cultural em que os poderosos projetavam seu status por meio de uma elaborada falsa humildade. A palavra em nauatle para *nobre*, observa o historiador Matthew Restall, é quase idêntica à palavra para *criança*. Quando um soberano como Montezuma falava de si mesmo como pequeno e fraco, estava na verdade sutilmente chamando a atenção para o fato de que era estimado e poderoso.

Restall escreve:

> A impossibilidade de traduzir adequadamente aquela língua é óbvia. O falante era com frequência obrigado a dizer o oposto do que de fato tinha em mente. O sentido real ficava embutido no uso da linguagem reverencial. Despojada dessas nuances na tradução e distorcida pelo uso de vários intérpretes, [...] não apenas era improvável que uma fala de Montezuma fosse entendida de forma precisa, como era provável que seu

---

* A ideia de que Montezuma considerou Cortés um deus foi completamente desmentida pela historiadora Camilla Townsend, entre outros. Townsend argumenta que se tratou provavelmente de um mal-entendido, resultante do fato de que a índia nauatle usou a palavra *teotl* para se referir a Cortés e seus homens, que o espanhol traduziu como *deus*. Mas Townsend argumenta que usaram aquela palavra somente porque eles "tinham que chamar os espanhóis de algo e não estava claro o que aquele algo deveria ser. [...] No universo nauatle como existira até aquele momento, uma pessoa sempre era rotulada pela aldeia ou cidade-estado de onde vinha ou, mais especificamente, pelo papel social que desempenhava (um coletor de impostos, príncipe, servo). Aquelas pessoas novas não se enquadravam em nada."

sentido seria deturpado. Neste caso, o discurso de Montezuma não era sua rendição; era a aceitação da rendição dos espanhóis.

Você deve se lembrar, graças às aulas de história no colégio, de como terminou o encontro entre Cortés e Montezuma. O soberano asteca foi feito refém por Cortés, depois assassinado. Os dois lados entraram em guerra. Cerca de 20 milhões de astecas pereceram, quer diretamente pelas mãos dos espanhóis, quer indiretamente pelas doenças trazidas com eles. Tenochtitlán foi destruída. A incursão de Cortés no México marcou o início de uma era de expansão colonial catastrófica. E também introduziu um padrão novo e nitidamente moderno de interação social. Hoje em dia o tempo todo entramos em contato com pessoas cujas crenças, perspectivas e antecedentes são diferentes das nossas. O mundo moderno não são dois irmãos brigando pelo controle do Império Otomano. São Cortés e Montezuma batalhando para se entenderem mutuamente por meio de vários níveis de intérpretes. *Falando com estranhos* discute por que somos tão ruins nesse ato de interpretação.

Cada um dos capítulos deste livro é dedicado a compreender um aspecto diferente do problema com pessoas desconhecidas. Os exemplos foram tirados dos noticiários. Talvez você tenha ouvido falar de alguns deles. Na Universidade Stanford, no norte da Califórnia, um estudante do primeiro ano chamado Brock Turner conheceu uma mulher em uma festa e terminou a noite sob custódia da polícia. Na Universidade Estadual da Pensilvânia, Jerry Sandusky, o ex-treinador assistente do time de futebol americano, foi considerado culpado de pedofilia, e o presidente da instituição, além de dois de seus principais auxiliares, considerados cúmplices de seus crimes. Você lerá sobre uma espiã que passou anos nos mais altos níveis do Pentágono sem ser descoberta, sobre o homem que derrubou o gestor de fundos hedge Bernie Madoff, sobre a falsa condenação da estudante americana Amanda Knox e sobre o suicídio da poeta Sylvia Plath.

Em todos esses casos, as partes envolvidas dependiam de um conjunto de estratégias para traduzir as palavras e intenções umas das outras. E, em cada um deles, algo deu muito errado. Neste livro, quero entender essas estratégias – analisá-las, criticá-las, pesquisar sua origem, descobrir como corrigi-las. Ao final, retornarei a Sandra Bland, porque existe algo no encontro à margem da rodovia que deveria nos assombrar. Pense em quão *difícil* foi. Sandra Bland não era alguém que Brian Encinia conhecesse da vizinhança. Aquilo teria sido fácil: *Sandy! Tudo bem? Da próxima vez tome mais cuidado.* Em vez disso, você tem Encinia do Texas e Bland de Chicago, um homem e uma mulher, um branco e uma negra, um policial e uma civil, um armado e outra desarmada. Eram estranhos um para o outro. Se fôssemos mais ponderados como sociedade – se estivéssemos dispostos a nos engajarmos num exame de consciência sobre como abordamos e interpretamos as pessoas que não conhecemos –, ela não teria acabado morta numa cela de prisão do Texas.

Mas, para começar, tenho duas perguntas – dois enigmas sobre estranhos –, começando com uma história contada anos atrás por um homem chamado Florentino Aspillaga em uma sala de interrogatórios na Alemanha.

PARTE I
ESPIÕES E DIPLOMATAS: DOIS ENIGMAS

CAPÍTULO UM

A vingança de Fidel Castro

1.

O posto final de Florentino Aspillaga foi em Bratislava, na antiga Tchecoslováquia. Foi em 1987, dois anos antes da queda da Cortina de Ferro. Aspillaga dirigia uma firma de consultoria chamada Cuba Tecnica, que supostamente estava ligada ao comércio internacional. Mas não estava. Era uma empresa de fachada. Aspillaga era um agente do alto escalão do Diretório Geral de Inteligência de Cuba.

Em 1985 Aspillaga havia sido nomeado agente secreto do ano pelo serviço de espionagem cubano. Recebeu uma carta de elogio escrita à mão pelo próprio Fidel Castro. Havia servido seu país com distinção em Moscou, Angola e Nicarágua. Era um astro. Agora dirigia a rede de agentes secretos cubanos infiltrados em Bratislava.

No entanto, em algum ponto de sua carreira no serviço de inteligência cubano, ele se desiludiu. Assistira a um discurso de Fidel em Angola celebrando a revolução comunista ali e tinha ficado estarrecido com a arrogância e o narcisismo do líder cubano. Na época de seu destacamento em Bratislava, em 1986, seu desapontamento havia se fortalecido.

Ele planejou sua deserção para 6 de junho de 1987. Foi uma ironia sutil. O dia 6 de junho era o aniversário da fundação do Ministério do Interior cubano – o órgão todo-poderoso que administrava os serviços de espionagem do país. Se você trabalhasse para o Diretório Geral de Inteligência, normalmente celebraria aquele dia. Haveria discursos, recepções, cerimônias em homenagem ao aparato de espionagem de Cuba. Aspillaga queria que sua traição *doesse* em Fidel.

Aspillaga encontrou-se com a namorada, Marta, num parque no centro de Bratislava. Era uma tarde de sábado. Ela também era cubana, uma entre os milhares que atuavam como trabalhadores visitantes em fábricas tchecas. Como acontecia com todos os cubanos na mesma situação, o passaporte dela era mantido nos escritórios do governo cubano em Praga. Aspillaga teria que "contrabandeá-la" pela fronteira. Ele tinha um Mazda fornecido pelo governo. Removeu o estepe do porta-malas, fez um furo no assoalho para que houvesse uma entrada de ar e pediu que ela ficasse lá dentro.

Naquela altura, a Europa Oriental ainda estava isolada do resto do continente. As viagens entre o Leste e o Oeste eram altamente restritas. Mas Bratislava ficava a uma pequena distância de carro de Viena, e Aspillaga já fizera a viagem antes. Ele era bem conhecido na fronteira e portava um passaporte diplomático. Os guardas permitiram sua passagem.

Em Viena, ele e Marta abandonaram o Mazda, pegaram um táxi e se apresentaram nos portões da embaixada dos Estados Unidos. Como era noite de sábado, os funcionários mais graduados estavam em casa. Mas Aspillaga não precisou se esforçar muito para chamar a atenção do guarda: "Sou um oficial do Serviço Secreto Cubano. Sou *comandante* da inteligência."

No ramo da espionagem, a aparição de um membro do serviço de inteligência de um país na porta do serviço de inteligência de outro país é chamada de *walk-in*. E a aparição de Florentino "Tiny" Aspillaga em Viena foi um dos grandes *walk-ins* da Guerra Fria. O que ele sabia sobre Cuba – e sua aliada próxima, a União Soviética – era tão bombástico que, após sua deserção, por duas vezes seus ex-empregadores do serviço de espionagem cubano o rastrearam e tentaram assassiná-lo. Nas duas vezes, ele escapou. Aspillaga foi localizado apenas uma vez depois, por Brian Latell, que chefiou o escritório latino-americano da CIA por vários anos.

Latell recebeu a dica de um agente infiltrado que vinha agindo como intermediário de Aspillaga. Encontrou-se com o intermediário num restaurante em Coral Gables, nas proximidades de Miami. Ali recebeu instruções para encontrar Aspillaga em outro local, mais perto de onde ele estava morando sob uma nova identidade. Latell alugou uma suíte num hotel relativamente desconhecido e ficou esperando a chegada de Tiny.

"Ele é mais novo do que eu. Tenho 75 anos. Ele agora deve estar se aproximando dos 70", disse Latell, recordando o encontro. "Mas tivera problemas de saúde terríveis. Sim, porque ser um desertor, viver com uma identidade nova, é dureza."

Mesmo em seu estado decadente, porém, era óbvio o que Aspillaga devia ter sido quando jovem, segundo Latell: carismático, esguio, com certa teatralidade – um gosto por riscos e gestos grandiosos. Quando chegou à suíte do hotel, Aspillaga carregava uma caixa. Colocou-a na mesa e virou-se para Latell:

"Estas são as memórias que escrevi pouco depois de desertar", explicou. "Quero que fiquem com você."

Dentro da caixa, nas páginas das memórias de Aspillaga, havia uma história que não fazia sentido.

2.

Após sua surpreendente aparição na embaixada dos Estados Unidos em Viena, Aspillaga foi enviado de avião para um centro de interrogatório numa base do Exército americano na Alemanha. Naquela época, o serviço secreto americano funcionava na Seção de Interesses dos Estados Unidos em Havana, sob a bandeira suíça. (A delegação cubana tinha um esquema similar nos Estados Unidos.) Antes que seu interrogatório começasse, Aspillaga disse que tinha um pedido: queria que a CIA trouxesse um dos ex-chefes da unidade de Havana, um homem que o serviço secreto cubano conhecia como "*el Alpinista*".

O Alpinista havia servido a agência no mundo inteiro. Após a queda do Muro de Berlim, arquivos recuperados da KGB e da polícia secreta alemã--oriental revelaram que as duas instituições haviam ministrado para seus agentes um curso sobre o Alpinista. Seus métodos de espionagem eram infalíveis. Certa vez, agentes secretos soviéticos tentaram recrutá-lo, literalmente colocando sacos de dinheiro diante dele. Ele recusou, zombou deles. O Alpinista era incorruptível. Falava espanhol feito um cubano. Era o ídolo de Aspillaga, que queria encontrá-lo pessoalmente.

"Eu estava em missão em outro país quando recebi uma mensagem para ir correndo até Frankfurt", recorda o Alpinista. (Embora há muito aposentado da CIA, ele ainda prefere ser identificado só pelo codinome.) "Era em Frankfurt que ficava nosso centro de processamento de desertores. Alguém me contou que um sujeito havia entrado na embaixada em Viena. Saíra de carro da Tchecoslováquia com sua namorada no porta-malas do carro, entrara e insistia em falar comigo. Achei a história meio maluca."

O Alpinista foi direto para o centro de interrogatório.

"Encontrei quatro oficiais do serviço secreto sentados na sala de estar", relembra. "Disseram que Aspillaga estava no quarto com sua namorada, como vinha fazendo constantemente desde que chegara ao refúgio. Então entrei e falei com ele, que estava magricela, malvestido, como os europeus orientais e os cubanos tendiam a ser na época. Um pouco desleixado. Mas logo ficou evidente que era um sujeito bem esperto."

Ao entrar, o Alpinista não contou a Aspillaga quem era. Estava tentando ser cauteloso. Aspillaga era uma incógnita. Mas foi uma questão de minutos até Aspillaga deduzir. Houve um momento de choque e risos. Os dois homens se abraçaram, ao estilo cubano.

"Conversamos cinco minutos antes de entrarmos em detalhes. Sempre que você está interrogando um desses sujeitos, precisa que prove suas credenciais", disse o Alpinista. "Assim, basicamente perguntei o que ele poderia me contar sobre a operação [do serviço secreto cubano]."

Foi aí que Aspillaga revelou sua bomba, a notícia que o trouxera de trás da Cortina de Ferro para os portões da embaixada americana. A rede de espiões que a CIA dispunha dentro de Cuba, cujos relatórios para seus oficiais teoricamente ajudavam a moldar a compreensão dos Estados Unidos sobre seu adversário, estava repleta de traidores. Aspillaga mencionou um agente e revelou: "É um agente duplo. Trabalha para Cuba."

As pessoas na sala ficaram perplexas. Não faziam ideia. Mas Aspillaga prosseguiu. Mencionou outro espião. "Ele é um agente duplo também."

Depois outro e mais outro. Dispunha de nomes, detalhes, tudo. *Aquele camarada que você recrutou no navio na Antuérpia. O carinha gorducho de bigode? Ele é um agente duplo. Aquele outro sujeito, que manca e trabalha no Ministério da Defesa? É um agente duplo.* Continuou assim até ter listado dezenas de nomes – praticamente o rol inteiro de agentes secretos americanos em Cuba. Estavam todos trabalhando para Havana, alimentando a CIA com informações manipuladas pelos próprios cubanos.

"Fiquei ali sentado tomando notas", relatou o Alpinista. "Tentei não demonstrar nenhuma emoção. É isso que nos ensinam. Mas meu coração estava acelerado."

Aspillaga estava falando sobre o pessoal do Alpinista, os espiões com quem este trabalhara quando foi destacado para Cuba como um agente secreto jovem e ambicioso. Ao chegar pela primeira vez a Havana, o Alpinista fizera questão de atuar agressivamente com suas fontes, tentando extrair as informações.

"O fato é que, se você tem um agente que está no escritório do presidente de qualquer país mas não consegue se comunicar com ele, esse agente é inútil", contou o Alpinista. "Minha ideia era: vamos nos comunicar e obter algo de valor, em vez de aguardar seis meses ou um ano até ele se estabelecer em outro lugar."

Mas agora toda a atividade se mostrara um embuste.

"Devo admitir que eu sentia tanta aversão por Cuba que tinha grande prazer em enganá-los", confessou ele, pesaroso. "Mas a verdade é que não era eu que estava enganando. Sofremos um golpe."

O Alpinista embarcou num avião militar e voou com Aspillaga direto para a Base da Força Aérea Andrews, perto de Washington, onde foram recebidos pelos "figurões" da divisão latino-americana.

"Na seção cubana, a reação foi de surpresa e horror", lembra ele. "Eles simplesmente não conseguiam acreditar que tinham sido gravemente tapeados por tantos anos."

A coisa piorou. Quando Fidel Castro ficou sabendo que Aspillaga contara à CIA sobre a traição de seus agentes, decidiu passar sal na ferida. Primeiro reuniu todo o elenco de agentes impostores da CIA e desfilou-os por Cuba numa excursão triunfante. Depois exibiu na televisão cubana um documentário impressionante em 11 partes intitulado *La guerra de la CIA contra Cuba*. O documentário revelou que o serviço secreto cubano havia filmado e registrado *tudo* que a CIA vinha fazendo em seu país por pelo menos 10 anos – como se estivesse criando um reality show. *No limite: Edição Havana*. O vídeo era de uma qualidade surpreendente. Havia closes e tomadas de ângulos cinematográficos. O áudio era cristalino: os cubanos deviam ter obtido informações antecipadas de cada local de encontro secreto e enviado seus técnicos ali para grampear o lugar e gravar o som.

Na tela, identificados pelos nomes, estavam agentes da CIA supostamente sob grande disfarce. Havia filmagem sobre cada engenhoca avançada da CIA: transmissores ocultos em cestas de piquenique e pastas. Havia explicações detalhadas de quais bancos de parque os agentes da CIA usavam para se comunicar com suas fontes e a informação de que os agentes vestiam camisas de diferentes cores para enviar sinais secretos aos seus contatos. Um longo movimento de *travelling* mostrava um agente da CIA metendo dinheiro e instruções dentro de uma grande "rocha" de plástico. Outro captava um agente da CIA escondendo documentos secretos para seus agentes dentro de um carro batido num ferro-velho em Pinar del Río. Num terceiro, um agente da CIA procurava um pacote na grama alta à beira da estrada enquanto sua mulher esperava impaciente no carro.

O próprio Alpinista havia sido filmado e aparecido no documentário.

"O ângulo das imagens mostradas naquela série de TV", disse o Alpinista, "dava a entender que alguém tinha ficado com uma câmera nos ombros seguindo os agentes aonde quer que eles fossem."

Quando o chefe do escritório do FBI em Miami soube do documentário, ligou para uma autoridade cubana e solicitou uma cópia. Um conjunto de fitas de vídeo foi prontamente enviado, devidamente dubladas em inglês. O serviço de inteligência mais sofisticado do mundo havia sido feito de bobo.

3.

É isso que não faz sentido na história de Florentino Aspillaga. Uma coisa seria Cuba ter ludibriado um grupo de idosos que vivem reclusos, como fazem os golpistas. Mas os cubanos enganaram a CIA, uma organização que leva muito a sério o problema de interpretar estranhos.

Havia arquivos detalhados sobre cada um daqueles agentes duplos. O Alpinista diz que os checava minuciosamente. Não havia sinais de perigo óbvios. Como todo serviço de inteligência, a CIA tinha uma divisão – a contrainteligência – encarregada de monitorar as próprias operações em busca de sinais de traição. O que haviam achado? Nada.*

---

* A CIA segue a prática regular de submeter seus agentes a testes de polígrafo (detector de mentiras), para se proteger do tipo de traição que Aspillaga vinha descrevendo. Sempre que um dos espiões cubanos da agência deixava a ilha, a CIA o encontrava secretamente num quarto de hotel e aplicava o teste. Às vezes os cubanos passavam no teste. O chefe da divisão do polígrafo deu sua aprovação pessoalmente a seis agentes cubanos que acabaram se revelando agentes duplos. Outras vezes, os cubanos falhavam no teste. Mas o que acontecia nesses casos? Os dirigentes da seção cubana ignoravam aquilo. Um dos

Rememorando o episódio anos depois, tudo que Latell pôde fazer foi dar de ombros e dizer que os cubanos deviam ser realmente muito bons.

"Fizeram um serviço primoroso", comentou ele.

> Veja bem, Fidel Castro selecionou os agentes duplos que iria cooptar. Selecionou-os com verdadeiro brilhantismo. [...] Alguns deles foram treinados em farsa teatral. Um deles posava de ingênuo, sabe. [...] Era um agente secreto astuto e bem treinado. [...] Ele é tão pateta... Como pode ser um agente duplo? Fidel orquestrou tudo aquilo. Quer dizer, Fidel é o maior ator de todos.

O Alpinista, por sua vez, afirmou que a espionagem da seção cubana da CIA era apenas descuidada. Ele havia trabalhado antes na Europa Oriental, enfrentando alemães orientais, e ali, segundo ele, a CIA havia sido bem mais meticulosa.

Mas qual foi o desempenho da CIA na Alemanha Oriental? *Tão ruim quanto o desempenho da CIA em Cuba.* Após a queda do Muro de Berlim, o chefe de espionagem alemão-oriental Markus Wolf escreveu em suas memórias que, no fim da década de 1980,

> estávamos na posição invejável de saber que nenhum agente da CIA havia trabalhado na Alemanha Oriental sem ter se transformado em um agente duplo ou trabalhado para nós desde o princípio. Por ordens

---

antigos operadores de polígrafo da CIA, John Sullivan, lembra-se de ter sido convocado para uma reunião depois que seu grupo deu sinal vermelho para um número excessivo de espiões cubanos. "Eles nos atacaram", contou Sullivan. "Fomos repreendidos sem dó nem piedade. [...] Todos aqueles oficiais disseram: 'Vocês não sabem o que estão fazendo', etc. e tal. 'Madre Teresa seria reprovada por vocês.' Foram bem grosseiros." Mas dá para culpá-los? Os oficiais do serviço secreto optaram por substituir um método de interpretar os estranhos (submetendo-os a um polígrafo) por outro: o próprio julgamento. O que é perfeitamente lógico.

O polígrafo é, no mínimo, uma arte inexata. O oficial poderia ter anos de experiência com o agente: já o havia encontrado, conversado com ele, analisado a qualidade dos relatórios que ele submetia. A avaliação de um profissional treinado, feita no decorrer de muitos anos, deveria ser mais precisa do que os resultados de um encontro apressado no quarto de um hotel, certo? Só que não era.

"Muitos de nossos oficiais pensam: 'Sou um oficial tão bom que eles não podem me enganar'", disse Sullivan. "Tem um sujeito no qual estou pensando, um excelente oficial do serviço secreto, considerado um dos melhores da agência."

Ele estava claramente falando sobre o Alpinista. "O cara foi totalmente ludibriado. Filmaram o sujeito escondendo um material para ser recolhido por outro agente. Uma loucura."

nossas, estavam todos fornecendo informações e desinformações cuidadosamente selecionadas aos americanos.

A supostamente meticulosa divisão da Europa Oriental sofreu uma das piores violações de toda a Guerra Fria. Descobriu-se que Aldrich Ames, um dos agentes mais graduados responsável pela contrainteligência soviética, estava trabalhando para a União Soviética. Sua traição levou à captura – e execução – de um sem-número de espiões americanos na Rússia. O Alpinista conhecia Ames. Todos nos altos escalões da agência o conheciam.

"Eu não tinha uma boa impressão dele", contou o Alpinista, "porque sabia que era um bêbado preguiçoso".

Mas ele e seus colegas jamais suspeitaram de que Ames fosse um traidor.

"Era impensável para os veteranos que um dos nossos pudesse vir a ser seduzido pelo outro lado, como aconteceu com Ames", disse ele. "Ficamos todos de queixo caído ao saber que um dos nossos agentes havia nos traído daquela maneira."

O Alpinista foi uma das pessoas mais talentosas em uma das instituições mais sofisticadas do mundo. No entanto, três vezes foi testemunha de traições humilhantes: primeiro por Fidel Castro, depois pelos alemães orientais e, por fim, na própria sede da CIA por um "bêbado preguiçoso". E se os melhores agentes da CIA conseguem ser enganados tão completamente, tantas vezes, imagine o resto de nós.

Eis o Primeiro Enigma: por que não conseguimos saber se o estranho à nossa frente está mentindo descaradamente?

CAPÍTULO DOIS

Conhecendo o Führer

1.

Em 28 de agosto de 1938, Neville Chamberlain convocou seu assessor mais próximo para uma reunião estratégica altas horas da noite no número 10 da Downing Street. Chamberlain era o primeiro-ministro britânico havia pouco mais de um ano. Ex-executivo, prático e direto, seus interesses e experiências estavam voltados para questões domésticas, mas agora enfrentava sua primeira crise de política externa. Envolvia Adolf Hitler, que vinha dando declarações cada vez mais beligerantes sobre invadir os Sudetos, a parte da Tchecoslováquia que falava alemão.

Se a Alemanha invadisse a Tchecoslováquia, era quase certo que o ato deflagraria uma guerra mundial, algo que Chamberlain queria desesperadamente evitar. Mas Hitler tinha estado particularmente recluso nos últimos meses, e as intenções da Alemanha eram tão pouco claras que o nervosismo vinha tomando o restante da Europa. Chamberlain estava determinado a resolver o impasse. Chamou a ideia, que submeteu aos assessores naquela noite, de Plano Z. Era altamente confidencial. Chamberlain mais tarde escreveria que a ideia foi "tão anticonvencional e ousada que deixou lorde Halifax [o secretário de Relações Exteriores] atônito". Chamberlain queria viajar de avião à Alemanha e exigir um encontro com Hitler.

Um dos fatos curiosos sobre o dramático fim da década de 1930, enquanto Hitler arrastava o mundo para a guerra, era quão poucos líderes mundiais conheciam o líder alemão.* Hitler era um mistério. Franklin Roosevelt, o presidente americano durante a ascensão do Führer, nunca o conheceu pessoalmente. Nem Josef Stalin, o líder soviético. Winston Churchill, o sucessor de

---

* A única exceção era o primeiro-ministro canadense William Lyon Mackenzie King. Ele se encontrou com Hitler em 1937. *Adorava-o*. Comparava-o a Joana d'Arc.

Chamberlain, chegou perto enquanto fazia pesquisas para um livro em Munique em 1932. Ele e Hitler duas vezes planejaram tomar um chá juntos, mas nas duas ocasiões Hitler deu bolo.

As únicas pessoas na Inglaterra que realmente passaram algum tempo com Hitler antes da guerra foram aristocratas britânicos favoráveis à causa nazista, que às vezes atravessavam o canal da Mancha para uma visita de cortesia ao Führer ou para encontrá-lo em festas. ("Quando estava de bom humor, conseguia ser bem engraçado", a socialite fascista Diana Mitford escreveu em suas memórias. Ela jantava com ele com frequência em Munique. "Ele fazia imitações de uma comicidade maravilhosa.") Mas aqueles eram compromissos sociais. Chamberlain vinha tentando evitar uma guerra mundial e achava que teria êxito se conversasse com Hitler pessoalmente. Seria Hitler alguém capaz de ser persuadido? Seria confiável? Chamberlain queria descobrir.

Na manhã de 14 de setembro, o embaixador britânico na Alemanha enviou um telegrama ao ministro das Relações Exteriores de Hitler, Joachim von Ribbentrop. Hitler gostaria de um encontro? Von Ribbentrop respondeu no mesmo dia: sim. Chamberlain era um político magistral com um dom para a espetacularidade e espertamente deixou a notícia vazar. Ele iria à Alemanha ver se conseguia evitar a guerra. Por toda a Grã-Bretanha, houve brados de celebração. As pesquisas mostraram que 70% dos cidadãos do país achavam que a viagem seria algo "*ótimo* para a paz". Os jornais apoiaram o primeiro-ministro. Em Berlim, um correspondente estrangeiro informou que estava num restaurante quando a notícia irrompeu e que todo o salão se levantou para brindar à saúde de Chamberlain.

Chamberlain deixou Londres na manhã de 15 de setembro. Nunca andara de avião, mas permaneceu calmo mesmo quando enfrentaram mau tempo perto de Munique. Milhares haviam se reunido no aeroporto para saudá-lo. Ele foi levado de carro à estação ferroviária num cortejo de 14 Mercedes, depois almoçou no vagão-restaurante do próprio Hitler enquanto o trem avançava para as montanhas, rumo ao retiro dele em Berchtesgaden. Ele chegou às cinco da tarde. Hitler veio e lhe apertou a mão. Chamberlain mais tarde relataria cada detalhe de suas primeiras impressões em uma carta à irmã Ida:

> No meio da escada estava o Führer, sem chapéu e trajando uma jaqueta cáqui de lã com um bracelete vermelho e uma suástica nele e a cruz

militar no peito. Usava calça preta como usamos de noite e sapatos de couro preto envernizado com cadarços. Seus cabelos eram castanhos, não pretos; seus olhos, azuis; sua expressão, um tanto desagradável, especialmente em repouso, e no todo ele pareceu totalmente medíocre. Você jamais o notaria numa multidão, e o tomaria pelo pintor de paredes que ele era.

Hitler conduziu Chamberlain escada acima até seu escritório, acompanhado de apenas um intérprete. Conversaram, às vezes acaloradamente. "Estou pronto para enfrentar uma guerra mundial!", exclamou Hitler para Chamberlain a certa altura.

Hitler deixou claro que iria tomar os Sudetos, independentemente do que o mundo pensasse. Chamberlain quis saber se aquilo era *tudo* que Hitler queria. Este respondeu que sim. Chamberlain olhou longa e atentamente para Hitler e concluiu que poderia acreditar nele. Na mesma carta à irmã, Chamberlain escreveu que havia ouvido de pessoas próximas a Hitler que o líder alemão achou que tivera uma conversa "com um verdadeiro homem". Chamberlain prosseguiu: "Em suma, eu havia passado certa confiança, o que era o meu objetivo, e, apesar da dureza que achei ter visto em seu rosto, tive a impressão de que ali estava um homem em quem se podia confiar uma vez dada sua palavra."

Chamberlain pegou um avião de volta à Inglaterra na manhã seguinte. No aeroporto de Heston, proferiu um breve discurso na pista.

"Ontem à tarde tive uma longa conversa com Herr Hitler", disse ele. "Sinto-me satisfeito agora que cada um de nós entende plenamente o que está na mente do outro."

Os dois voltariam a se encontrar, Hitler prometeu, só que desta vez mais perto da Inglaterra.

"Isto para poupar a um velho outra viagem longa assim", contou Chamberlain, em meio a "risos e aplausos" segundo a lembrança dos presentes.

2.

As negociações de Chamberlain com o líder alemão são consideradas uma das grandes tolices da Segunda Guerra Mundial. Chamberlain caiu no feitiço de Hitler. Foi passado para trás na mesa de negociações. Interpretou erroneamente as intenções de Hitler e não avisou a ele que, se descumprisse suas promessas, as consequências seriam graves. A história não foi generosa com Neville Chamberlain.

Mas sob essas críticas existe um enigma. Chamberlain voltou à Alemanha mais duas vezes. Sentou-se com Hitler por horas. Os dois homens conversaram, discutiram, comeram juntos, caminharam juntos. Chamberlain foi o único líder aliado daquele período que passou algum tempo significativo com Hitler. Fez anotações minuciosas sobre o comportamento daquele homem. "A aparência e os modos de Hitler davam sinais de tempestade", contou Chamberlain à irmã Hilda após outra de suas visitas à Alemanha. Mas então "ele me deu o aperto de mão duplo reservado a demonstrações especialmente amigáveis". De volta a Londres, Chamberlain contou a todos em seu gabinete que não havia visto no Führer "quaisquer sinais de insanidade, mas muitos de empolgação". Hitler não era doido. Era racional, determinado: "Ele analisara o que queria e deixara claro que iria obtê-lo, e não toleraria oposição além de certo ponto."

Chamberlain estava agindo com base na mesma premissa que todos nós seguimos em nossos esforços para interpretar estranhos. Acreditamos que as informações coletadas numa interação pessoal sejam excepcionalmente valiosas. Você jamais contrataria uma babá para seus filhos sem se encontrar com ela primeiro. As empresas não contratam funcionários às cegas. Elas os chamam para entrevistas minuciosas, às vezes por horas seguidas, em mais de uma ocasião. Os recrutadores fazem o mesmo que Chamberlain fez: olham as pessoas nos olhos, observam suas atitudes e seu comportamento, e chegam a conclusões. *Ele me deu o aperto de mão duplo.* No entanto, todas aquelas informações extras que Chamberlain coletou de suas interações pessoais com Hitler não o ajudaram a ver o Führer com mais clareza. Pelo contrário.

Seria porque Chamberlain era ingênuo? Talvez. Sua experiência em relações exteriores era mínima. Um de seus críticos mais tarde o compararia a um padre entrando num bar pela primeira vez, cego para a diferença "entre uma reunião social e uma algazarra".

Mas esse padrão não se limita a Chamberlain. Também afligiu lorde Halifax, que viria a se tornar o secretário de Relações Exteriores de Chamberlain. Halifax era um aristocrata, foi um excelente aluno em Eton e Oxford. Serviu como vice-rei da Índia no período entreguerras, onde negociou brilhantemente com Mahatma Gandhi. Era tudo que Chamberlain não era: cosmopolita, experiente, profundamente encantador, um intelectual – homem de uma religiosidade tão resoluta que Churchill o apelidou de "Holy Fox" (Raposa Sagrada).

Halifax foi para Berlim no outono de 1937 e reuniu-se com o líder alemão em Berchtesgaden: foi o único outro membro do círculo governante da Inglaterra que passou algum tempo com o Führer. O encontro não foi uma recepção diplomática insignificante. Começou com Halifax confundindo Hitler com um criado e quase lhe entregando seu paletó. Depois, Hitler foi Hitler por cinco horas: fez cara feia, berrou, divagou, acusou. Falou de seu ódio à imprensa e dos males do comunismo. Halifax assistiu à atuação com o que outro diplomata britânico da época descreveu como "um misto de espanto, repugnância e compaixão".

Halifax passou cinco dias na Alemanha. Encontrou-se com dois dos altos ministros de Hitler: Hermann Göring e Joseph Goebbels. Compareceu a um jantar na embaixada britânica, onde esteve com uma série de políticos e homens de negócios alemães veteranos. Ao retornar para casa, Halifax disse que foi "totalmente vantajoso fazer contato" com a liderança alemã, o que é difícil de contestar. É o que um diplomata deve fazer. Ele havia obtido informações valiosas sobre a intimidação e a volatilidade de Hitler. Mas qual foi a conclusão de Halifax? De que Hitler não queria ir à guerra e estava aberto a negociar a paz. Ninguém jamais pensou que Halifax fosse ingênuo, mas ele foi tão iludido quanto Chamberlain.

O diplomata britânico que passou mais tempo com Hitler foi o embaixador na Alemanha, Nevile Henderson. Encontrou-se repetidas vezes com o Führer e foi aos seus comícios. Hitler até tinha um apelido para Henderson: "o homem do cravo", por causa da flor que o elegante Henderson sempre usava na lapela. Após comparecer ao abominável Comício de Nuremberg no início de setembro de 1938, Henderson escreveu em sua mensagem para Londres que o líder alemão parecia tão anormal que "pode ter cruzado o limite da insanidade". Henderson não estava sob o poder de Hitler. Mas ele achou que Hitler tinha intenções reprováveis em relação à Tchecoslováquia? Não. Hitler, ele acreditava, "odeia a guerra tanto quanto qualquer um". Henderson também interpretou o Führer de forma totalmente equivocada.*

A cegueira de Chamberlain, Halifax e Henderson não é como o Primeiro Enigma do capítulo anterior. Aquele envolvia a incapacidade de pessoas normalmente inteligentes e dedicadas entenderem quando estão sendo enganadas. Na situação descrita agora *algumas* pessoas foram enganadas por Hitler e outras não. E a questão é que o grupo que foi enganado consiste naqueles que você esperaria que não fossem, enquanto aqueles que viram a verdade são os que você acharia que *seriam* enganados.

Winston Churchill, por exemplo, sempre achou que Hitler não passava de um delinquente ardiloso. Churchill tachou a visita de Chamberlain de "a coisa mais estúpida que já foi feita". Mas ele só conhecia Hitler de ouvir falar. Duff Cooper, um dos ministros do gabinete de Chamberlain, também foi perspicaz. Ele ouviu horrorizado o relato do encontro de Chamberlain com Hitler. Mais tarde, pediria demissão do governo de Chamberlain em protesto. Cooper conheceu Hitler? Não. Somente uma pessoa no alto escalão do serviço diplomático britânico – Anthony Eden, que precedeu Halifax como secretário de Relações Exteriores – esteve com Hitler e viu a verdade sobre ele. Mas e os demais? As pessoas que estavam certas sobre o Führer foram aquelas que conheciam menos sobre ele pessoalmente. As pessoas que se enganaram sobre Hitler foram aquelas que conversaram com ele durante horas.

Claro que tudo isso pode ser coincidência. Talvez Chamberlain e seu grupo, por alguma razão particular, estivessem determinados a ver o Hitler que queriam ver, independentemente dos indícios de seus olhos e ouvidos. Só que esse mesmo padrão intrigante se manifesta por toda parte.

---

* A autoridade que Henderson conheceu ainda melhor foi Göring, segundo homem na hierarquia nazista. Henderson ia caçar veados com Göring. Tinham longas conversas. Henderson estava convencido de que Göring também desejava a paz e de que, sob seus rompantes nazistas, havia um homem decente. Nas memórias de seu período em Berlim, escritas logo após a guerra irromper, Henderson afirmou que Göring "adorava animais e crianças; e, antes mesmo de ter um filho, o andar de cima em Karinhall continha um vasto salão equipado com todos os brinquedos mecânicos caros ao coração de uma criança moderna. Nada lhe dava mais prazer do que brincar com eles. Entre os brinquedos havia, é verdade, modelos de aviões lançando bombas pesadas que explodiam sobre cidades e aldeias indefesas. Mas, como ele observou quando o repreendi sobre o assunto, não fazia parte do conceito de vida nazista ser excessivamente civilizado ou ensinar escrúpulos aos jovens." (Caso você esteja em dúvida, era nisso que de fato consistia o nazismo: criação de filhos fortes e determinados.)

3.

O juiz era de meia-idade, alto, cabelos brancos, com um sotaque que situava suas raízes diretamente no distrito do Brooklyn. Vamos chamá-lo de Solomon. Atuava na magistratura do estado de Nova York havia mais de uma década. Não era arrogante nem intimidador. Era atencioso, com um jeito surpreendentemente amável.

Era quinta-feira, um dia tipicamente movimentado para audiências de custódia em seu tribunal. Os réus eram pessoas que haviam sido presas nas últimas 24 horas sob suspeita de algum tipo de crime. Haviam passado uma noite insone numa cela de detenção e agora estavam sendo trazidos à sala do tribunal algemados, um por um. Sentavam-se num banco baixo atrás de uma divisória, à esquerda de Solomon. Quando cada processo era anunciado, o oficial de justiça entregava a ele um arquivo contendo os antecedentes criminais do réu, e ele começava a folhear para se atualizar. O réu ficava de pé bem na frente de Solomon, com seu advogado de um lado e o promotor público do outro. Os dois advogados falavam. Solomon ouvia. Depois decidia se seria cobrada fiança do réu e, em caso positivo, qual seu valor. *Este perfeito estranho merece a liberdade?*

Os casos mais difíceis, ele disse mais tarde, envolviam jovens. Por exemplo, alguém de 16 anos era acusado de algum crime horrível. O juiz sabia que, se fixasse uma fiança alta demais, o menor acabaria numa "jaula" na famigerada penitenciária da Ilha Rikers, onde – ele dizia o mais sutilmente possível – existe "um motim esperando para explodir o tempo todo".* Aqueles casos ficavam ainda mais difíceis quando ele erguia o olhar na sala do tribunal e via a mãe do jovem sentada na galeria. "Tenho um caso desses diariamente", contou ele. Começara a fazer meditação. Descobriu que isso facilitava as coisas.

Solomon enfrentava, dia após dia, uma versão do mesmo problema enfrentado por Neville Chamberlain e o serviço diplomático britânico no outono de 1938: tinha que avaliar o caráter de um estranho. E o sistema de justiça criminal presume, como presumiu Chamberlain, que decisões difíceis como essas são mais bem tomadas quando o juiz e o julgado se encontram primeiro.

---

* Desde então, a lei mudou. O réu precisa ter 18 anos ou mais para ser enviado para Rikers.

Naquela mesma tarde, por exemplo, Solomon foi confrontado por um homem mais velho de cabelo ralo cortado rente. Vestia calça jeans azul e uma camisa *guayabera*, e só falava espanhol. Havia sido preso por conta de um "incidente" envolvendo o neto de 6 anos de sua namorada. O menino contou imediatamente ao pai. O promotor público pediu uma fiança de 100 mil dólares. O homem não tinha como arrecadar esse montante. Se Solomon concordasse com o promotor, o homem de *guayabera* iria direto para a prisão.

O homem, no entanto, negou tudo. Tinha duas infrações penais anteriores – mas eram delitos leves, de muitos anos atrás. Tinha um emprego de mecânico, que perderia se fosse para a prisão, e tinha uma ex-esposa e um filho de 15 anos que sustentava com aquela renda. Solomon precisava pensar naquele jovem de 15 anos, dependente do contracheque do pai. Ele também sabia que com certeza crianças de 6 anos não são as testemunhas mais confiáveis. Assim, não havia como Solomon saber ao certo se aquilo seria um enorme mal-entendido ou parte de algum padrão de comportamento sinistro. Em outras palavras, a decisão sobre deixar o homem sair livre ou mantê-lo preso até o julgamento era terrivelmente difícil. E para ajudá-lo a tomar a decisão certa, Solomon fez o que todos nós faríamos naquela situação: olhou o homem bem nos olhos e tentou captar a essência de quem ele realmente era. Aquilo ajudou? Ou os juízes estão sujeitos ao mesmo enigma de Neville Chamberlain?

4.

A melhor resposta que temos para essa pergunta vem de um estudo realizado por um economista de Harvard, três cientistas da computação e um especialista em fianças da Universidade de Chicago. O grupo – e para simplificar vou me referir a ele pelo nome do economista, Sendhil Mullainathan – decidiu usar a cidade de Nova York como campo de testes. Reuniu as fichas de 554.689 réus levados às audiências de custódia em Nova York de 2008 a 2013. Dentre eles, o grupo descobriu que os juízes de Nova York libertaram pouco mais de 400 mil.

Mullainathan então desenvolveu um sistema de inteligência artificial, alimentou-o com as mesmas informações que os promotores haviam fornecido aos juízes naquelas audiências de custódia (a idade do réu e seus antecedentes criminais) e instruiu o computador a percorrer aqueles 554.689 casos e fazer sua própria lista de 400 mil pessoas para libertar. Era uma disputa: homem *versus* máquina. Quem tomava as melhores decisões? Em qual lista os réus cometiam menos crimes sob fiança e eram mais passíveis de comparecer no dia do julgamento? Os resultados não foram nem próximos. Na lista do computador, a probabilidade de as pessoas cometerem um crime enquanto aguardavam o julgamento era 25% menor do que na lista das 400 mil pessoas libertadas pelos juízes da cidade de Nova York. Vinte e cinco por cento! No desafio, a máquina *destruiu* o homem.*

Para dar apenas uma ideia da maestria da máquina de Mullainathan, ela marcou 1% dos réus como "de alto risco". São as pessoas que o computador achou que jamais deveriam ser soltas antes do julgamento. De acordo com os cálculos da máquina, bem mais de metade das pessoas do grupo de alto risco cometeriam outro crime se fossem libertadas sob fiança. Quando os juízes humanos examinaram o mesmo grupo de maçãs podres, porém, não os identificaram como perigosos. Libertaram 48,5% deles! "Muitos dos réus marcados pelo algoritmo como indivíduos de alto risco são tratados pelo juiz como indivíduos de baixo risco", concluiu a equipe de Mullainathan numa passagem particularmente devastadora. "Realizar esse exercício indica que os juízes estão não só fixando um limiar alto para a detenção, como estão avaliando mal os réus. [...] Os réus marginais que eles selecionam para detenção são extraídos de toda a distribuição de risco previsto." Tradução: as decisões de fiança dos juízes são inconsistentes.

---

* Dois detalhes técnicos sobre as listas conflitantes de 400 mil réus: quando Mullainathan diz que a lista do computador cometeu 25% menos crimes do que a lista dos juízes, está contando o não comparecimento na data do julgamento como um crime. Segundo, estou certo de que você está se perguntando como Mullainathan conseguiu calcular, com tanta certeza, quem iria ou não acabar cometendo um crime enquanto aguardava o julgamento em liberdade. Ele não tem bola de cristal. Trata-se de uma estimativa com base numa análise estatística altamente sofisticada. Eis a versão resumida. Os juízes da cidade de Nova York se revezam nas audiências para fixar fiança. Os réus são designados de forma aleatória para a avaliação deles. Os juízes de Nova York (como em todas as jurisdições) variam substancialmente na propensão a soltarem alguém ou em quão proibitivamente alta fixam a fiança. Alguns juízes são bem permissivos, outros são rigorosos. Assim, imagine que um conjunto de juízes rigorosos examina mil réus e liberta 25%. Outro conjunto de juízes, esses permissivos, examina mil réus equivalentes aos outros mil, e liberta 75%. Comparando as taxas de crime dos réus libertados em cada grupo, você consegue entender quantas pessoas inofensivas os juízes rigorosos prenderam e quantas pessoas perigosas os juízes permissivos soltaram. Essa estimativa, por sua vez, pode ser aplicada às previsões da máquina. Quando esta julga seus próprios mil réus, quão melhor é do que os juízes rigorosos, por um lado, e os juízes permissivos, por outro? Isso soa bastante complicado, e é. Mas trata-se de uma metodologia consagrada. Para uma explicação mais completa, sugiro ler o artigo de Mullainathan.

Acho que você concorda que isso é desconcertante. Quando os juízes tomam suas decisões sobre fianças, têm acesso a três fontes de informações. A ficha do réu: sua idade, transgressões anteriores, o que aconteceu da última vez que lhe foi concedida fiança, onde mora, onde trabalha. Os testemunhos do promotor público e do advogado do réu: quaisquer informações comunicadas no tribunal. E os indícios dos próprios olhos: qual é a minha *impressão* sobre este homem à minha frente?

Já o computador de Mullainathan não conseguia ver o réu nem ouvir nada do que era dito no tribunal. Tudo de que dispunha eram a idade do réu e seus antecedentes criminais. Tinha apenas uma fração das informações disponíveis ao juiz – *e saiu-se bem melhor nas decisões sobre fiança.*

No meu segundo livro, *Blink: A decisão num piscar de olhos*, contei a história de como as orquestras passaram a tomar decisões de contratação bem mais inteligentes depois que os candidatos começaram a fazer seus testes atrás de um biombo. Subtrair informações da comissão avaliadora resultou em julgamentos melhores. Mas isso ocorreu porque as informações obtidas observando alguém tocar são em grande parte irrelevantes. Se você está julgando se alguém é um bom violinista, saber se essa pessoa é alta ou baixa, bonita ou feia, branca ou negra não vai ajudar. Na verdade, provavelmente apenas adicionará preconceitos que dificultarão ainda mais sua tarefa.

No entanto, quando se trata de decisões de fiança, as informações extras de que o juiz dispõe parecem ser realmente úteis. Num caso anterior no tribunal de Solomon, um homem jovem trajando short de basquete e camiseta cinza foi acusado de arrumar uma briga com alguém e depois comprar um carro com o cartão de crédito roubado do sujeito. No pedido de fiança, o promotor público observou que ele não comparecera ao tribunal na data marcada após duas detenções anteriores. Um sinal vermelho grave. Mas nem todo não comparecimento acontece pelo mesmo motivo. E se comunicaram ao réu a data errada? E se ele iria perder o emprego se faltasse naquele dia e decidiu que não valia a pena? E se seu filho estava no hospital? Foi o que a advogada de defesa contou ao juiz: seu cliente tinha uma boa desculpa. O computador não sabia daquilo, mas o juiz sim. Como aquilo poderia não ajudar?

Num espírito semelhante, Solomon contou que o fator para o qual fica mais alerta nos casos de fiança é "doença mental com alegação de violência". Esse tipo de caso é o pior pesadelo de um juiz. Eles deixam alguém sair sob fiança, aí a pessoa para de tomar seu medicamento e comete um crime horrível. "Como atirar num policial", disse Solomon.

> Como lançar um carro contra uma minivan, matando uma mulher grávida e seu marido. Como machucar uma criança. [Como] empurrar alguém na frente de um metrô, matando-o. Uma situação terrível de todos os ângulos. [...] Nenhum juiz gostaria de ser alguém que tomou a decisão de soltura naquele caso.

Algumas das pistas para esse tipo de situação estão na ficha do réu: prontuários médicos, hospitalizações anteriores, inaptidão do réu. Mas outras pistas só são descobertas no momento.
Como contou Solomon:

> Você também ouvirá menções lançadas na sala do tribunal de "pessoa emocionalmente perturbada". Ela poderá vir do departamento de polícia que trouxe o réu e entregou um envelope de um médico do hospital onde ele foi examinado numa sala de emergência psiquiátrica antes da acusação. [...] Outras vezes, essa informação chegará no dossiê do promotor e este fará perguntas. [...] Este é um fato para me fazer refletir.

Ele olhará para o réu, nesses casos – de perto, com cuidado, em busca, segundo suas palavras, de

> algo como um olhar vidrado, ou uma incapacidade de fazer contato visual. E não o adolescente incapaz de fazer contato visual porque o lobo frontal não se desenvolveu. Estou falando sobre o adulto que parou de tomar seus medicamentos...

A máquina de Mullainathan não consegue captar o promotor falando sobre uma pessoa emocionalmente perturbada, nem consegue ver aquele olhar vidrado revelador. Esse fato deveria resultar numa enorme vantagem para Solomon e seus colegas juízes. Mas, por alguma razão, não resulta.
Segundo Enigma: como é que ter um contato frente a frente com alguém pode ser pior para nossa interpretação dessa pessoa do que *não* ter esse contato?

5.

Neville Chamberlain fez sua terceira e última visita à Alemanha no fim de setembro de 1938, duas semanas após sua primeira visita. O encontro foi em Munique, nos escritórios do Partido Nazista – o Führerbau. O líder italiano Benito Mussolini e o primeiro-ministro francês Édouard Daladier também foram convidados. Os quatro se reuniram, com seus auxiliares, no escritório particular de Hitler. Na manhã do segundo dia, Chamberlain perguntou a Hitler se ambos poderiam ter uma reunião a sós. Àquela altura, Chamberlain achava que tinha uma compreensão melhor do seu adversário.

Quando Hitler dissera que suas ambições se limitavam à Tchecoslováquia, Chamberlain acreditou que "o Sr. Hitler estava dizendo a verdade". Só faltava obter aquele compromisso por escrito.

Hitler levou-o ao seu apartamento na Prinzregentenplatz. Chamberlain pegou uma folha de papel na qual havia redigido um acordo simples e perguntou a Hitler se iria assinar. Chamberlain mais tarde escreveu a uma de suas irmãs que enquanto o intérprete traduzia as palavras para o alemão, "Hitler várias vezes exclamou: '*Ja! Ja!*' (Sim! Sim!) E ao final disse: 'Sim, com certeza vou assinar. 'Quando faremos isto?', eu falei 'agora', e fomos imediatamente à escrivaninha e pusemos nossas assinaturas nas duas cópias que eu levara comigo".

Naquela tarde, Chamberlain voltou para casa para ser recebido como herói. Uma multidão de jornalistas avançou em sua direção. Ele apanhou a carta do bolso interno do paletó e acenou com ela para a multidão.

"Esta manhã tive outra conversa com o chanceler alemão Herr Hitler, e eis um papel que traz seu nome nele junto com o meu."

E então retornou à residência do primeiro-ministro no número 10 da Downing Street.

"Meus bons amigos, esta é a segunda vez em nossa história que a paz com honra veio da Alemanha para a Downing Street. Acredito que teremos paz para nossa época. Agradecemos a vocês do fundo do coração."

A multidão aplaudiu.

"Agora recomendo que voltem para casa e durmam tranquilos na cama de vocês."

Em março de 1939, Hitler invadiu o resto da Tchecoslováquia. Levou menos de seis meses para romper seu acordo com Chamberlain. Em 1º de setembro de 1939, Hitler invadiu a Polônia, e o mundo entrou em guerra.

Temos, em outras palavras, agentes da CIA que não conseguem captar a essência de seus espiões, juízes que não conseguem captar a essência de seus réus e primeiros-ministros que não conseguem captar a essência de seus adversários. Temos pessoas em dificuldades com suas primeiras impressões de um estranho. Temos pessoas em dificuldades quando dispõem de meses para interpretar um estranho. Temos pessoas em dificuldades quando encontram alguém uma única vez e pessoas em dificuldades quando travam contato com alguém várias vezes. Elas têm dificuldades em avaliar a honestidade de um estranho. Dificuldades em avaliar o caráter de um estranho. Dificuldades em avaliar as intenções de um estranho.

Uma bagunça.

6.

Uma última coisa:

Dê uma olhada na palavra inglesa a seguir e preencha as letras em branco. Faça isso rápido, sem pensar.

G L _ _

Este é o chamado teste de complementação de letras. Os psicólogos costumam usá-lo para testar coisas como a memória.

Eu completei G L _ _ como GLUM (SOMBRIO). Lembre-se disso. A próxima palavra é:

_ _ TER

Eu completei como HATER (ODIADOR). Lembre-se disso também. Eis o resto das palavras:

S _ _ RE   STR _ _ _   B _ _ T

P _ _ N   GO _ _   PO _ _ _

```
TOU _ _           CHE _ _         BA _ _
ATT _ _ _         _ _ OR          _ RA _
BO _ _            SL _ _ _        _ _ _ EAT
FL _ _ T          SC _ _ _
SL _ T            _ _ NNER
```

Eu comecei com SOMBRIO E ODIADOR e terminei com SCARE (ASSUSTAR), ATTACK (ATACAR), BORE (PERFURAR), FLOUT (DESPREZAR), SLIT (CORTAR), CHEAT (TRAIR), TRAP (APRISIONAR) E DEFEAT (DERROTAR). Uma lista meio mórbida e melancólica. Mas não acho que revele algo sobre o lado obscuro da minha alma. Não sou melancólico. Sou um otimista. Acho que a primeira palavra, SOMBRIO, pipocou na minha cabeça, e aí segui naquela linha.

Alguns anos atrás, uma equipe de psicólogos liderada por Emily Pronin submeteu um grupo de pessoas ao mesmo exercício. Pronin pediu que completassem as lacunas. Depois fez a elas a mesma pergunta: o que você acha que suas escolhas *dizem* sobre você? Por exemplo, se você completou TOU _ _ com TOUCH (TOCAR), isso sugere que você é um tipo de pessoa diferente de alguma que tenha completado com TOUGH (DURÃO)? Os pesquisados tiveram uma opinião semelhante à minha. *São apenas palavras.*

"Não acredito que essas complementações de letras sejam um indicador de minha personalidade", um dos voluntários de Pronin escreveu. E os outros no grupo concordaram:

"Esses preenchimentos não parecem revelar grande coisa sobre mim. [...] São palavras aleatórias."

"Algumas das palavras que escrevi parecem antíteses de como vejo o mundo. Por exemplo, espero não estar sempre preocupado em ser STRONG (FORTE), BEST (MELHOR) ou WINNER (VENCEDOR)."

"Realmente não acho que minhas complementações de letras revelem tanto sobre mim. [...] Ocorreram como obra do acaso."

"Não muita coisa. [...] Revelam apenas vocabulário."

"Realmente não acho que houve qualquer relação. [...] As palavras são apenas aleatórias."

"As palavras PAIN (DOR), ATTACK (ATAQUE) e THREAT (AMEAÇA) parecem análogas, mas não acho que digam algo sobre mim."

Mas depois as coisas ficaram interessantes. Pronin mostrou ao grupo as palavras de outras pessoas, de perfeitos desconhecidos. Ela fez a mesma pergunta. O que você acha que as escolhas desse estranho revelam? Dessa vez, o grupo de Pronin mudou completamente de ideia.

"Ele não parece ler muito, já que a conclusão natural (para mim) de B_ _K seria BOOK (LIVRO). BEAK (BICO) parece aleatório e pode indicar certa falta de concentração."
"Acho que quem fez isto é bem fútil, mas basicamente uma pessoa legal."

Tenha em mente que estas são exatamente as mesmas pessoas que momentos antes haviam negado que o exercício tivesse qualquer significado.

"A pessoa parece orientada para metas e pensa sobre cenários competitivos."
"Tenho a sensação de que o indivíduo em questão costuma ficar cansado da própria vida. Além disso, acho que pode estar interessado em interações pessoais próximas com alguém do sexo oposto. Pode ser que também curta games."

A mesma pessoa que disse "Esses preenchimentos não parecem revelar grande coisa sobre mim" mudou de opinião e falou, sobre um desconhecido:

"Acho que essa garota está menstruada. [...] Também acho que sente que ela, ou então outra pessoa, está num relacionamento sexual degradante, de acordo com as palavras WHORE (PROSTITUTA), SLOT (FENDA, semelhante a *slut*, vagabunda), CHEAT (TRAIR)."

As respostas prosseguem desse jeito. E ninguém pareceu perceber, ainda que remotamente, que havia sido pego em contradição.

"Acho que tem alguma conexão. [...] Ele fala muito sobre dinheiro e banco. Parece haver alguma correlação aqui."

"Ele parece focar em competição e vitória. Esta pessoa pode ser um atleta ou alguém que é bem competitivo."

"Parece que este indivíduo tem uma visão geralmente positiva das coisas que busca alcançar. A maioria das palavras, como WINNER (VENCEDOR), SCORE (PLACAR), GOAL (META), indica certo tipo de competitividade que, combinado com o linguajar, indicam que ele possui uma natureza competitiva atlética."

Se o grupo tivesse visto meus SOMBRIO, ODIADOR, ASSUSTAR, ATACAR, PERFURAR, DESPREZAR, CORTAR, TRAIR, APRISIONAR e DERROTAR, teria se preocupado com minha alma.

Pronin chama esse fenômeno de "ilusão da percepção assimétrica". Ela escreveu:

> A convicção de que conhecemos os outros melhor do que eles nos conhecem – e de que podemos ter percepções sobre eles que eles próprios não têm (mas não vice-versa) – leva-nos a falar quando deveríamos ouvir e a sermos impacientes quando os outros acreditam que estão sendo mal interpretados ou julgados injustamente.

Este é o problema no cerne daqueles dois primeiros enigmas. Os agentes da seção cubana da CIA estavam certos de que conseguiam avaliar a lealdade de seus espiões. Juízes não admitem a própria incapacidade ante a perspectiva de avaliar o caráter dos réus. Eles se concedem um minuto ou dois, depois impositivamente revelam seu julgamento. Neville Chamberlain nunca questionou a perspicácia de seu plano ousado de evitar a guerra. Se as intenções de Hitler eram obscuras, sua tarefa, como primeiro-ministro, era ir à Alemanha e descobri-las.

Achamos que podemos facilmente olhar no âmago das outras pessoas com base na mais frágil das pistas. Não perdemos a chance de julgar desconhecidos. Claro que jamais faríamos isso com nós mesmos. Somos complexos, enigmáticos e cheios de nuances. Mas a pessoa estranha é simples.

Se eu puder convencê-lo de apenas uma coisa neste livro, que seja disto: estranhos não são simples.

PARTE II
O PRESSUPOSTO DA VERDADE

CAPÍTULO TRÊS

A Rainha de Cuba

1.

Vamos dar uma olhada em outra história de espionagem cubana.

No início da década de 1990, milhares de cubanos começaram a fugir do regime de Fidel Castro. Eles construíam barcos grosseiros – a partir de câmaras de ar, barris de metal, portas de madeira e outras peças improvisadas – e partiam numa viagem desesperada pelos 145 quilômetros do estreito da Flórida até os Estados Unidos. Segundo uma estimativa, quase 24 mil pessoas morreram tentando realizar a travessia. Um desastre dos direitos humanos. Em reação, um grupo de exilados cubanos fundou a Hermanos al Rescate – Irmãos ao Resgate – em Miami. Eles improvisaram uma força aérea de monomotores Cessna Skymaster, que sobrevoava o estreito da Flórida procurando refugiados e transmitindo as coordenadas deles pelo rádio para a Guarda Costeira. Os Hermanos al Rescate salvaram milhares de vidas. Tornaram-se heróis.

Com o passar do tempo, os exilados ficaram mais ambiciosos. Começaram a sobrevoar o espaço aéreo cubano, lançando panfletos em Havana conclamando o povo a se insurgir contra o regime de Castro. O governo cubano, já constrangido pela fuga dos refugiados, ficou indignado. As tensões cresceram, chegando ao auge em 24 de fevereiro de 1996. Naquela tarde, três aviões dos Hermanos al Rescate decolaram rumo ao estreito da Flórida. Ao se aproximarem da costa cubana, dois dos aviões foram derrubados por dois aviões de caça MiG da Força Aérea Cubana, matando todas as quatro pessoas a bordo.

A reação ao ataque foi imediata. O Conselho de Segurança da ONU aprovou uma resolução denunciando o governo cubano. O presidente Bill Clinton, com expressão séria, concedeu uma entrevista coletiva à imprensa.

A população de imigrantes cubanos em Miami estava furiosa. Os dois aviões haviam sido abatidos em espaço aéreo internacional, tornando o incidente equivalente a um ato de guerra. A conversa de rádio entre os pilotos cubanos foi liberada para a imprensa:

>"Nós os atingimos, caralho!"
>"Nós os abatemos, *cojones*!"
>"Marca o lugar onde os abatemos."
>"Este aí não vai mais nos foder."

E depois que um dos MiGs fechou o cerco sobre o segundo Cessna:

>"Pátria ou morte, filhos da puta."

Em meio à controvérsia, porém, a história subitamente mudou. Um contra-almirante americano aposentado chamado Eugene Carroll deu uma entrevista à CNN. Carroll era uma figura influente em Washington. Havia servido como diretor de todas as Forças Armadas americanas na Europa, com 7 mil armas à sua disposição. Carroll contou que pouco antes da derrubada dos aviões dos Hermanos al Rescate ele e um pequeno grupo de analistas militares haviam se encontrado com oficiais cubanos de alta patente.

>**CNN:** Almirante, pode me contar o que aconteceu em sua viagem a Cuba, com quem falou e o que ouviu?
>**Carroll:** Fomos recebidos pelo ministro da Defesa, o general Rosales del Toro. [...] Viajamos pelo país, inspecionamos bases cubanas, escolas cubanas, a usina nuclear parcialmente pronta e assim por diante. Em longas discussões com o general Rosales del Toro e sua equipe, veio à tona a questão desses sobrevoos de aviões americanos – não aviões do governo, mas aviões privados operando a partir de Miami. Eles nos perguntaram: "O que aconteceria se derrubássemos um deles? Podemos fazer isso, você sabe."

Carroll interpretou aquela pergunta de seus anfitriões cubanos como uma advertência levemente velada. A entrevista continuou:

CNN: Então, quando o senhor voltou, a quem transmitiu essa informação?
Carroll: Assim que conseguimos agendar, discutimos a situação [...] com membros do Departamento de Estado e membros da Agência de Inteligência de Defesa.

A Agência de Inteligência de Defesa (Defense Intelligence Agency, DIA) é o terceiro braço do triunvirato de inteligência estrangeira no governo dos Estados Unidos, junto com a CIA e a Agência de Segurança Nacional. Se Carroll se encontrou com o Departamento de Estado e a DIA, transmitiu a advertência cubana ao mais alto escalão do governo americano. E essas autoridades levaram aquelas advertências a sério? Entraram em ação para deter as incursões imprudentes dos Hermanos al Rescate no espaço aéreo cubano? Obviamente não.*

Os comentários de Carroll ricochetearam nos círculos políticos de Washington. Tratava-se de uma revelação embaraçosa. A derrubada dos aviões pelos militares cubanos aconteceu em 24 de fevereiro. Os avisos de Carroll ao Departamento de Estado e à DIA foram transmitidos em 23 de fevereiro. Uma fonte privilegiada de Washington reuniu-se com autoridades americanas *no dia anterior* à crise, explicitamente avisou que os cubanos haviam perdido a paciência com os Hermanos al Rescate e teve seu aviso ignorado. O que começou como uma atrocidade cubana era agora transformado numa história sobre a incompetência diplomática dos Estados Unidos.

CNN: Mas e quanto ao posicionamento de que aqueles eram aviões civis desarmados?

Carroll repetiu o que lhe haviam informado em Havana.

---

* O Departamento de Estado havia informado os Hermanos al Rescate, via canais oficiais, que qualquer plano de voo destinado a Cuba era inaceitável. Mas claramente aqueles avisos não vinham funcionando.

CNN: Almirante, o Departamento de Estado emitiu outras advertências para os Hermanos al Rescate a esse respeito, certo?
Carroll: Advertências ineficazes. [...] Eles sabem que os Hermanos submetiam planos de voo que eram falsos e depois iam até Cuba, e parte do ressentimento cubano se devia ao fato de que o governo não estava fazendo cumprir seus próprios regulamentos.

Carroll: Esta é uma questão bem delicada. Onde estavam? O que vinham fazendo? Vou fazer uma analogia. Suponha que tivéssemos aviões voando sobre San Diego vindos do México, lançando panfletos e incitando o povo contra o governador [da Califórnia] Wilson. Por quanto tempo toleraríamos aqueles sobrevoos depois de termos enviado alertas?

Fidel Castro não foi convidado à CNN para se defender pessoalmente. Mas não precisava ser. Tinha um contra-almirante defendendo sua posição.

2.

Os próximos três capítulos deste livro são dedicados às ideias de um psicólogo chamado Tim Levine, que foi um dos cientistas sociais que mais refletiram sobre o problema de sermos enganados por estranhos. O segundo capítulo examina as teorias de Levine através da história de Bernie Madoff, o investidor que dirigiu o maior esquema Ponzi – ou de pirâmide financeira – da história. O terceiro examina o estranho caso de Jerry Sandusky, o técnico de futebol americano da Universidade Estadual da Pensilvânia condenado por abuso sexual. E este, o primeiro, é sobre as consequências daquele momento de crise entre Estados Unidos e Cuba em 1996.

Alguma coisa sobre o almirante Carroll e a derrubada dos aviões pelos cubanos lhe parece esquisita? Existe um monte de coincidências terríveis aqui.

1. Os cubanos planejam um ataque assassino deliberado contra cidadãos norte-americanos voando no espaço aéreo internacional.
2. Acontece que, no dia anterior ao ataque, uma fonte militar privilegiada faz uma séria advertência às autoridades dos Estados Unidos exatamente sobre a possibilidade dessa ação.
3. Por acaso, essa advertência põe essa mesma fonte, no dia *após* o ataque, em posição de defender os cubanos em uma das redes de notícias mais respeitadas do mundo.

A cronologia desses três eventos é um pouco perfeita demais, não acha? Se você fosse uma empresa de relações públicas tentando atenuar o efeito adverso de uma ação bastante controversa, seria exatamente assim que você os programaria. Tendo um expert aparentemente neutro disponível – de imediato – para dizer: "Bem que eu avisei!"

Foi o que um analista de contrainteligência militar chamado Reg Brown pensou nos dias após o incidente. Brown trabalhava na seção latino-americana da Agência de Inteligência de Defesa. Sua função era entender como os serviços de inteligência cubanos vinham tentando influenciar as operações militares norte-americanas. Sua tarefa, em outras palavras, era ficar alerta para as nuances, sutilezas e coincidências inexplicadas que o restante de nós ignora, e Brown não conseguia se desvencilhar da sensação de que, de algum modo, os cubanos haviam orquestrado toda a crise.

Descobriu-se, por exemplo, que os cubanos dispunham de uma fonte dentro dos Hermanos al Rescate – um piloto chamado Juan Pablo Roque. No dia anterior ao ataque, ele havia desaparecido, e reaparecera ao lado de Fidel Castro em Havana. Claramente, Roque contara aos seus chefes cubanos que os Hermanos al Rescate tinham planejado algo para o dia 24. Aquilo tornava difícil para Brown acreditar que a data da reunião de Carroll havia sido escolhida por acaso. Para o impacto máximo de relações públicas, os cubanos iriam querer que seu alerta fosse dado no dia anterior, certo? Desse modo o Departamento de Estado e a DIA não poderiam se livrar do problema alegando que o alerta tinha sido vago ou acontecido havia muito tempo. As palavras de Carroll estavam bem diante deles no dia em que os pilotos decolaram de Miami.

Então quem marcou aquela reunião?, quis saber Brown. *Quem escolheu o dia 23 de fevereiro?* Ele fez uma pesquisa, e o nome a que chegou o surpreendeu. Era uma colega dele na DIA, uma especialista em Cuba chamada Ana Belen Montes.

Ana Montes era uma estrela. Havia sido selecionada, repetidamente, para promoções e oportunidades especiais de carreira, e colecionava elogios e bônus. Suas análises eram brilhantes. Ela viera para a DIA depois de trabalhar no Departamento de Justiça e, em sua recomendação, um de seus ex-supervisores a descreveu como o melhor funcionário que já tivera. Chegou a receber uma medalha de George Tenet, o diretor da CIA. Seu apelido na comunidade da inteligência era "A Rainha de Cuba".

Semanas transcorreram. Brown sofria. Acusar uma colega de traição com base em tal especulação paranoica era um passo terrivelmente grande, em especial quando a colega era alguém da estatura de Montes. Por fim Brown se decidiu, levando suas suspeitas a um agente da contrainteligência da DIA chamado Scott Carmichael.

"Ele apareceu na minha sala e saímos para caminhar pela vizinhança por algum tempo, durante a hora do almoço", recorda Carmichael sobre seu primeiro encontro com Reg Brown. "E ele mal mencionou Montes. Quer dizer, passou quase o tempo todo dizendo: 'Oh, meu Deus.' Torcia as mãos enquanto falava: 'Não quero fazer a coisa errada.'"

Aos poucos, Carmichael fez com que ele falasse. Todos que lidavam com Cuba lembravam da bomba lançada por Florentino Aspillaga. Os cubanos eram *bons*. E o próprio Brown tinha indícios sobre isso. Havia redigido um informe no fim da década de 1980 detalhando o envolvimento de altas autoridades cubanas no contrabando de drogas.

"Ele identificou autoridades cubanas graduadas específicas que estavam diretamente envolvidas", contou Carmichael, "e depois forneceu os detalhes. Quer dizer, voos, datas, horários, locais, quem fez o que a quem, toda a *enchilada*".

Depois, poucos dias após a divulgação do relatório de Brown, os cubanos reuniram todos os mencionados em sua investigação, executaram alguns deles e emitiram um desmentido público.

"E Reg disse: 'Que merda é essa?' Houve um vazamento."

Aquilo o deixou paranoico. Em 1994, dois agentes secretos cubanos haviam desertado e contado uma história semelhante: os cubanos tinham alguém importante dentro do serviço secreto americano. Portanto, o que ele deveria pensar?, disse Brown a Carmichael. Não teria razões para estar desconfiado?

Então ele contou a Carmichael o outro fato que havia ocorrido durante a crise dos Hermanos al Rescate. Montes trabalhava no escritório da DIA na Base da Força Aérea de Bolling, na seção Anacostia de Washington. Quando os aviões foram abatidos, ela foi chamada ao Pentágono: se você era um dos maiores experts em Cuba do governo, sua presença ali se fazia necessária. O incidente ocorrera num sábado. Na noite seguinte, Brown por acaso telefonou perguntando por Montes.

"Ele disse que uma mulher atendeu o telefone e contou que Ana havia ido embora", afirmou Carmichael. Mais cedo naquele dia, Montes havia recebido uma chamada telefônica que a deixara agitada. Depois ela contou a todos na sala de gerenciamento de crises que estava cansada e, como não estava acontecendo nada, iria para casa.

Reg ficou absolutamente incrédulo. Aquilo ia tão de encontro à nossa cultura que ele mal conseguiu acreditar. Todos entendem que, quando ocorre uma crise, você é convocado porque pode acrescentar algum conhecimento aos processos de tomada de decisões. E, no Pentágono, você fica disponível até ser dispensado. É algo tácito. Se alguém naquele nível o convoca, porque de repente os norte-coreanos lançaram um míssil contra São Francisco, você não decide simplesmente ir embora quando fica cansado ou com fome. Todos entendem isso. No entanto, foi o que ela fez. E Reg pensou: "Como assim?"

Segundo o raciocínio de Brown, se ela realmente trabalhava para os cubanos, estes estariam desesperados por notícias dela: iriam querer saber o que estava ocorrendo na sala de gerenciamento de crises. Ela teve um encontro naquela noite com seu controlador cubano? Tudo aquilo era meio implausível, razão pela qual Brown estava tão confuso. Mas *havia* espiões cubanos. Ele sabia disso. E ali estava aquela mulher, atendendo uma chamada telefônica pessoal e saindo pela porta em meio ao que era, para um especialista em Cuba, simplesmente a maior crise numa geração. Além de tudo, ela é quem tinha marcado a reunião superconveniente do almirante Carroll.

Brown contou a Carmichael que os cubanos queriam derrubar um dos aviões dos Hermanos al Rescate havia anos. Mas não o faziam porque sabiam qual seria o tamanho dessa provocação. Poderia servir como o pretexto de que os Estados Unidos precisavam para destituir Fidel Castro ou lançar uma invasão. Para os cubanos, não valia a pena – a não ser que conseguissem descobrir um meio de voltar a opinião pública a seu favor.

> E então ele descobre que Ana não só foi uma das pessoas na sala com o almirante Carroll, como também organizou a reunião. Ele examinou aquilo e disse: "Puta merda, estou procurando uma operação de influência de contrainteligência cubana para tramar uma história, e foi Ana quem encabeçou o esforço para se reunir com o almirante Carroll. Que diabo significa tudo isso?"

Meses se passaram. Brown persistiu. Finalmente, Carmichael acessou a ficha de Montes. Ela passara em seu teste de polígrafo mais recente de maneira impecável. Não tinha nenhum problema secreto de alcoolismo, nem somas inexplicadas em sua conta bancária. Nenhum sinal de alerta.

"Depois que examinei os arquivos de segurança e os arquivos pessoais sobre ela, pensei: *Reg está bem equivocado nisso aqui*", contou Carmichael. "Esta mulher vai ser a próxima diretora de inteligência da DIA. Ela é simplesmente fantástica."

Ele sabia que, para justificar uma investigação com base em especulação, teria que ser meticuloso. Reg Brown, segundo ele, estava "desmoronando". Precisava resolver as suspeitas de Brown, de uma forma ou de outra – em suas palavras, "documentar toda aquela merda", porque, se vazasse a notícia de que Montes estava sob suspeita, "eu sabia que seria o caos".

Carmichael chamou Montes. Reuniram-se numa sala de conferências em Bolling. Ela era atraente, inteligente, esguia, com cabelos curtos e traços marcados, quase severos. Carmichael pensou: *Esta mulher é impressionante*.

"Quando ela se sentou, estava quase junto de mim, mais ou menos a esta distância", ele pôs suas mãos a uns 90 centímetros de distância, "do mesmo lado da mesa. Cruzou as pernas. Não creio que o tenha feito de propósito, acho que estava procurando uma posição confortável. Acontece que sou um homem com um fraco para pernas – não tinha como ela saber disso, mas gosto de pernas e sei que dei uma olhada".

Ele a questionou sobre a reunião com o almirante Carroll. Ela tinha uma resposta. Não havia sido ideia dela. O filho de alguém que ela conhecia na DIA havia acompanhado Carroll até Cuba, e ela recebeu uma ligação depois.

> Ela disse: "Conheço o pai dele, que me ligou e disse: 'Ei, se você quer o último furo sobre Cuba, deveria ir ver o almirante Carroll.' Assim, eu simplesmente liguei para o almirante, consultamos nossas agendas e decidimos que 23 de fevereiro era a data mais conveniente para nós dois, e foi isso."

Ao que se revelou, Carmichael conhecia o funcionário da DIA sobre quem ela estava falando. Ele disse para ela que ia ligar para aquele funcionário e ver se confirmava a história dela. E ela disse: "Faça isso."

"E quanto à ligação telefônica na sala de gerenciamento de crises?", perguntou ele. Ela respondeu que não se lembrava de ter recebido uma ligação, e Carmichael teve a impressão de que estava sendo honesta. Havia sido um dia louco, frenético, nove meses atrás. E quanto à saída mais cedo?

Ela esclareceu: "Bem, sim, eu saí." De cara, ela está admitindo isso. Não está negando o fato, o que poderia ser um pouco suspeito. Ela disse: "Sim, saí mais cedo naquele dia." Ela continuou: "Veja bem, era domingo, as lanchonetes estavam fechadas. Sou muito exigente com minha comida, tenho alergias, por isso não como lanchinhos vendidos em máquinas.* Eu tinha chegado lá em torno das seis da manhã, já eram umas... oito da noite. Estava morrendo de fome, nada acontecia, eles realmente não precisavam de mim, então apenas decidi que iria sair de lá. Ir para casa comer algo." Aquilo soou honesto para mim. Soou mesmo.

Após a conversa, Carmichael foi checar as respostas dela. A data da reunião *realmente* parecia uma coincidência. O filho do amigo dela *havia* ido para Cuba com Carroll.

Descobri que, sim, ela tem alergias, não ingere comida vendida em máquinas automáticas, é bem exigente com o que come. Pensei: ela está lá no Pentágono num domingo. Já passei por isso, a lanchonete não abre. Ela passou o dia sem comer, foi para casa. Fazia sentido.

O que mais eu tinha? Eu não tinha nada. Enfim.

Carmichael disse a Reg Brown que não se preocupasse. Voltou sua atenção para outros assuntos. Ana Montes retornou para o escritório. Tudo foi esquecido e perdoado até um dia em 2001, cinco anos depois, quando se descobriu que, todas as noites, Montes voltava para casa, digitava de memória todos os fatos e informações que havia obtido naquele dia no trabalho e enviava para seus controladores em Havana.

Desde o dia em que ingressara na DIA, Montes havia atuado como espiã para Cuba.

---

* Isso era mesmo verdade. Montes controlava rigorosamente sua alimentação, a certa altura limitando-se a "comer apenas batatas cozidas sem tempero". Psicólogos orientados pela CIA mais tarde concluíram que ela sofria de transtorno obsessivo-compulsivo com personalidade limítrofe ou borderline. Ela também tomava duchas demoradíssimas com diferentes tipos de sabonete e usava luvas ao dirigir seu carro. Sob aquelas circunstâncias, não surpreende que as pessoas minimizassem as suspeitas sobre seu comportamento muitas vezes estranho.

3.

No clássico romance de espionagem, o agente secreto é esquivo e sorrateiro. Somos ludibriados pela genialidade do inimigo. Foi assim que muitos especialistas da CIA justificaram as revelações de Florentino Aspillaga: *Castro é um gênio. Os agentes foram atores brilhantes.* Na verdade, porém, os espiões mais perigosos raramente são diabólicos. Aldrich Ames, talvez o traidor mais nocivo na história americana, tinha avaliações de desempenho medianas, problemas com bebida e nem sequer tentou ocultar todo o dinheiro que vinha recebendo da União Soviética por sua espionagem.

Ana Montes não era muito melhor. Pouco antes de ser presa, a Agência de Inteligência de Defesa achou os códigos usados por ela para enviar seus despachos a Havana... em sua bolsa. No seu apartamento, encontraram um rádio de ondas curtas numa caixa de sapatos dentro do armário.

Brian Latell, o especialista da CIA em Cuba que testemunhou o desastre de Aspillaga, conhecia bem Montes.

"Ela costumava se sentar de frente para mim nas reuniões que eu convocava, quando eu era agente de inteligência nacional", recorda Latell.

Não era refinada ou serena. Ele sabia que ela tinha uma baita reputação dentro da DIA, mas, para ele, sempre pareceu um tanto esquisita.

> Eu tentava envolvê-la nos assuntos, e ela sempre reagia de forma estranha. [...] Quando eu tentava fazê-la se definir numa daquelas reuniões que eu convocava, sobre "Quais você acha que são as intenções de Fidel sobre isto?", ela se atrapalhava. Olhando em retrospecto, era como um veado com o farol nos olhos. Ela hesitava. Mesmo fisicamente, ela mostrava algum tipo de reação que me fazia pensar: "Ah, ela está nervosa porque é uma péssima analista. Não sabe o que dizer."

Certo ano, contou ele, Montes foi aceita pelo Programa de Analistas Notáveis, uma licença sabática para pesquisa oferecida a agentes secretos do governo. A que lugar ela pediu para ir? A Cuba, é claro.

"Ela foi para Cuba financiada por esse programa. Dá para imaginar?", disse Latell. Se você fosse um espião cubano tentando ocultar suas intenções, pediria uma licença sabática remunerada em Havana? Latell estava falando quase 20 anos após os acontecimentos, mas a audácia da conduta dela ainda o surpreendia.

> Ela foi para Cuba como uma analista de inteligência notável da CIA. Claro que eles adoraram recebê-la, especialmente com nosso dinheiro, e estou certo de que deram a ela todo tipo de treinamento clandestino em espionagem enquanto estava lá. Desconfio – não tenho provas, mas estou bem convencido – de que esteve com Fidel. Ele adorava se encontrar com seus principais agentes, encorajá-los, parabenizá-los, deleitar-se com o sucesso que vinham tendo juntos contra a CIA.

Quando Montes retornou ao Pentágono, escreveu um artigo em que nem sequer se deu ao trabalho de ocultar sua parcialidade.

> Todos os alarmes deveriam ter sido disparados quando o artigo foi lido por seus supervisores, porque ela disse coisas sobre as Forças Armadas cubanas que não faziam qualquer sentido, exceto do ponto de vista dos cubanos.

Mas alguém disparou os alarmes? Latell conta que jamais suspeitou de que ela fosse uma espiã.
"Havia agentes da CIA do meu escalão, ou perto do meu escalão, que achavam que ela era a melhor analista de Cuba que tínhamos", comentou ele. Assim, ele dispensou sua inquietação com racionalizações. "Nunca confiei nela, mas pelas razões erradas, e este é um de meus grandes arrependimentos. Eu estava convencido de que ela era uma péssima analista de Cuba. Bem, ela era. Porque não vinha trabalhando para nós – e sim para Fidel. Mas eu nunca liguei os pontos."
Nem qualquer outra pessoa. Montes tinha um irmão mais novo chamado Tito que era agente do FBI. Ele nem desconfiava. Sua outra irmã também era agente do FBI, e até desempenhou um papel-chave em desmascarar um grupo de espiões cubanos em Miami. Ela nem desconfiava. O namorado de Montes também trabalhava para o Pentágono. Sua especialidade, acredite se quiser, era inteligência latino-americana. Sua tarefa era combater espiões *tais como sua namorada*. Ele nem desconfiava. Quando Montes foi enfim presa, o chefe de

sua seção reuniu os colegas dela e contou a novidade. As pessoas começaram a chorar, incrédulas. A DIA providenciou psicólogos para prestarem assistência a elas no local de trabalho. Seu supervisor ficou arrasado. Nenhum deles sequer desconfiara. Em seu cubículo, ela tinha uma citação de *Henrique V* de Shakespeare colada na parede ao nível dos olhos – para o mundo inteiro ver.

O rei observa
tudo que eles pretendem,
por interceptação
que eles nem imaginam.

Ou, em termos mais claros: a Rainha de Cuba observa tudo que os Estados Unidos pretendem, por meios que todos à sua volta nem imaginam.

O problema de espiões desse tipo não é que existe algo brilhante *neles*. É que existe algo de errado *conosco*.

4.

No decorrer de sua carreira, o psicólogo Tim Levine realizou centenas de versões do mesmo experimento simples. Ele convida estudantes ao seu laboratório e aplica um teste de cultura geral. Pergunta qual é a montanha mais alta da Ásia, esse tipo de coisas. Se respondem corretamente à pergunta, ganham um prêmio em dinheiro.

Para ajudar, eles recebem um parceiro. Alguém que nunca viram antes, mas que trabalha para Levine. Existe uma instrutora na sala chamada Rachel. No meio do teste, Rachel é chamada. Ela sai e sobe as escadas. Então a representação cuidadosamente planejada começa. O parceiro diz:

"Não sei quanto a você, mas para mim este dinheiro seria bem útil. Acho que as respostas foram deixadas ali."

Ele aponta para um envelope bem visível sobre a escrivaninha.

"Cabe a eles decidir se vão trapacear ou não", explica Levine. Em cerca de 30% dos casos, eles trapaceiam.

"Depois", prossegue Levine, "nós os entrevistamos e perguntamos: 'Vocês trapacearam?'"

O número de acadêmicos ao redor do mundo que estudam a dissimulação humana é vasto. Existem mais teorias sobre por que mentimos e como detectar mentiras do que sobre o assassinato de Kennedy. Nesse campo concorrido, Levine se destaca. Ele desenvolveu cuidadosamente uma teoria unificada sobre a dissimulação,* e no cerne dessa teoria estão os insights que ele obteve daquele primeiro estudo do teste de cultura geral.

Assisti a vídeos de cerca de uma dúzia dessas entrevistas pós-experimento com Levine em seu escritório na Universidade do Alabama em Birmingham. Eis a descrição de uma entrevista típica, com um jovem meio doidão. Vamos chamá-lo de Philip.

> **Entrevistador:** Tudo bem, então... você já jogou Trivial Pursuit?
> **Philip:** Não muito, mas sim.
> **Entrevistador:** Na partida de hoje você achou as perguntas difíceis?
> **Philip:** Sim, algumas foram. Pensei: "Nossa, o que é isso?"
> **Entrevistador:** Se você fosse dar uma nota de 1 a 10, sendo 1 muito fácil e 10 muito difícil, como você as classificaria?
> **Philip:** Eu daria nota 8.
> **Entrevistador:** Oito. Sim, elas são bem ardilosas.

Philip então é informado de que ele e sua parceira se deram muito bem no teste. O entrevistador pergunta como conseguiu.

> **Philip:** Trabalho em equipe.
> **Entrevistador:** Trabalho em equipe?
> **Philip:** Isso mesmo.
> **Entrevistador:** Ok, tudo certo. Bom, teve um momento em que chamei a Rachel. Quando ela saiu da sala, vocês trapacearam?
> **Philip:** Acho que não.

Philip murmura ligeiramente sua resposta. Depois desvia o olhar.

---

* As teorias de Levine estão expostas no seu livro *Duped: Truth-Default Theory and the Social Science of Lying and Deception* (Enganado: a teoria da verdade como pressuposto e a ciência social da mentira e da dissimulação; Tuscaloosa, Alabama: University of Alabama Press, 2019). Se você quer entender como a dissimulação funciona, não existe melhor ponto de partida.

Entrevistador: Você está dizendo a verdade?
Philip: Sim.
Entrevistador: Ok. Quando eu entrevistar sua parceira e perguntar a mesma coisa, o que ela dirá?

Nesse ponto do vídeo, há um silêncio constrangido, como se o estudante estivesse tentando organizar a sua história.
"Ele está obviamente refletindo", disse Levine.

Philip: Vai falar que não.
Entrevistador: Não?
Philip: Sim.
Entrevistador: Ok, certo. Bem, isso é tudo que preciso de você.

Philip está dizendo a verdade? Levine mostrou o vídeo de Philip para centenas de pessoas e quase todo espectador acertou ao identificar Philip como um trapaceiro. Como a "parceira" confirmou para Levine, Philip consultou o envelope contendo as respostas no momento em que Rachel deixou a sala. Em sua entrevista final, ele mentiu. E é óbvio.
"Ele não está convicto", observou Levine.
Senti a mesma coisa. De fato, quando Philip é indagado "Vocês trapacearam?" e ele responde "Acho que não", não pude me conter e exclamei: "Nossa, ele é péssimo!"
Philip ficou desviando o olhar. Estava nervoso. Não conseguia manter o rosto sério. Quando o entrevistador prosseguiu com "Você está dizendo a verdade?", Philip fez uma pausa, como se tivesse que pensar a respeito primeiro.
Com ele foi fácil. Mas, quanto mais vídeos assistíamos, mais difícil ficava. Eis um segundo caso. Vamos chamar o entrevistado de Lucas. Ele era boa-pinta, desenvolto, confiante.

Entrevistador: Tenho que perguntar: quando Rachel saiu da sala, vocês trapacearam?
Lucas: Não.
Entrevistador: Não? Você está dizendo a verdade?

Lucas: Sim, estou.

Entrevistador: Quando eu entrevistar sua parceira e fizer para ela a mesma pergunta, o que você acha que ela vai responder?

Lucas: A mesma coisa.

"Todos acreditam nele", disse Levine.

Eu acreditei nele. Mas Lucas estava mentindo.

Levine e eu passamos grande parte da manhã assistindo aos seus vídeos do teste de cultura geral. No fim, eu estava pronto para entregar os pontos. Não tinha a menor ideia de como avaliar alguém.

O objetivo da pesquisa de Levine foi tentar solucionar um dos maiores enigmas da psicologia humana: por que somos tão ruins em detectar mentiras? É de se pensar que a essa altura seríamos bons nisso. Pela lógica, seria muito útil aos seres humanos saberem quando estão sendo enganados. A evolução, no decorrer de milhões de anos, *deveria* ter favorecido as pessoas com a capacidade de captar os sinais sutis da dissimulação. Mas não foi o que aconteceu.

Numa repetição de seu experimento, Levine dividiu seus vídeos ao meio: 22 mentirosos e 22 honestos. Na média, as pessoas que assistiram a todos os 44 vídeos identificaram corretamente os mentirosos 56% das vezes. Outros psicólogos tentaram versões semelhantes do mesmo experimento. A média de todos eles: 54%. Quase todos são péssimos: policiais, juízes, terapeutas – até agentes da CIA que comandam grandes redes de espiões no exterior. *Todo mundo.* Por quê?*

A resposta de Tim Levine chama-se Teoria do Pressuposto da Verdade (ou TDT, de *Truth-Default Theory*).

O argumento de Levine começou com uma observação de uma de suas estudantes de pós-graduação, Hee Sun Park. Foi bem no início da pesquisa de Levine, quando ele estava tão desconcertado quanto seus colegas de profissão sobre o fato de sermos tão ruins em algo que, pela lógica, deveríamos dominar.

"O grande insight que ela teve, o primeiro de todos, foi que a taxa de 54% de acertos em detectar a dissimulação era uma média *entre* verdades

---

* No meu livro *Blink*, escrevi sobre a afirmação de Paul Ekman de que um pequeno número de pessoas é capaz de detectar com sucesso as mentiras. Para saber mais sobre o debate Ekman-Levine, veja o amplo comentário na seção de Notas deste livro.

e mentiras", explicou Levine. "Você chega a um índice bem diferente se distingue [...] quantas pessoas acertam sobre as verdades e quantas pessoas acertam sobre as mentiras."

O que ele quis dizer foi o seguinte. Se eu lhe informo que sua taxa de acerto nos vídeos de Levine é de uns 50%, o natural é pensar que você está chutando aleatoriamente – que não tem ideia do que está fazendo. Mas a observação de Park indicou que isso não é verdade. Somos bem *melhores* do que o acaso em identificar corretamente os estudantes que estão dizendo a verdade. Mas somos bem *piores* do que o acaso em identificar corretamente os estudantes que estão mentindo. Percorremos todos aqueles vídeos e chutamos "verdadeiro, verdadeiro, verdadeiro", o que significa que acertamos a maioria das entrevistas honestas e erramos a maioria das dissimuladas. Temos *o pressuposto da verdade*: nossa hipótese operacional é de que as pessoas com quem estamos lidando são honestas.

Levine diz que seu próprio experimento é uma ilustração quase perfeita desse fenômeno. Ele convida pessoas para participarem de um teste de cultura geral por dinheiro. Subitamente a instrutora é chamada para fora da sala. *E é por acaso que ela deixa as respostas do teste bem à vista na sua escrivaninha?* Levine diz que, logicamente, os voluntários deveriam desconfiar neste ponto. São estudantes universitários. Não são estúpidos. Eles se inscreveram em um experimento psicológico. Receberam uma "parceira" que nunca viram antes e os está estimulando a trapacear. Você pensaria que eles deveriam ficar um pouquinho desconfiados de que as coisas não são como parecem. Mas não!

"Às vezes, eles percebem que pode ser uma armação", diz Levine. "O que quase nunca percebem é que seus parceiros são falsos. [...] Então eles até pensam que pode haver alguma armação. Acham que aquilo pode ser um arranjo, porque experimentos são arranjos, certo? Mas desconfiar daquela pessoa simpática com quem estão batendo papo? Ah, não."

Eles nunca questionam isso.

Sair do modo pressuposto da verdade requer o que Levine chama de "gatilho". Um gatilho não é o mesmo que uma suspeita, ou a primeira faísca de dúvida. Saímos do modo pressuposto da verdade somente quando a contestação de nossa premissa inicial torna-se categórica. Não nos comportamos, em outras palavras, como cientistas de mentalidade fria, lentamente coletando indícios da verdade ou falsidade de algo antes de chegarem a uma conclusão. Fazemos o contrário. Começamos acreditando. E *paramos* de acreditar somente quando nossos receios e dúvidas chegam ao ponto em que não podemos mais dissipá-los.

Essa premissa soa de início como o tipo de filigranas em que os cientistas sociais adoram se envolver. Não é. É um argumento profundo que explica muitos comportamentos normalmente intrigantes.

Vejamos, por exemplo, uma das descobertas mais famosas da psicologia: o experimento da obediência de Stanley Milgram. Em 1961, Milgram recrutou voluntários na Universidade Yale para participarem do que ele disse ser um teste de memória. Cada um era recebido por um jovem sério e imponente chamado John Williams, que explicava que eles desempenhariam o papel de "professor" no experimento. Williams apresentava-os a outro voluntário, um homem agradável, de meia-idade, chamado Sr. Wallace. O Sr. Wallace, eles foram informados, seria o "aluno". Ele se sentaria em uma sala ao lado ligado a um aparelho complicado capaz de administrar choques elétricos de até 450 volts. (Se você está curioso sobre qual a sensação de 450 volts, saiba que é algo perto da quantidade de eletricidade que causa dano tecidual.)

O professor-voluntário era instruído a dar ao aluno uma série de exercícios de memória e, cada vez que o aluno falhasse, o voluntário deveria puni-lo com um choque elétrico cada vez maior, para ver se a ameaça de punição afetava de algum modo sua capacidade de realizar os exercícios. Com o aumento da intensidade do choque, Wallace gritava de dor, e no fim começava a esmurrar as paredes. Contudo, se o "professor" hesitasse, o instrutor autoritário mandava continuar:

"Por favor, continue."

"O experimento requer que você continue."

"É absolutamente essencial que você continue."

"Você não tem outra escolha, precisa prosseguir."

Esse experimento é tão famoso porque praticamente todos os voluntários obedeciam. Cerca de 65% acabaram aplicando a dose máxima ao infeliz aluno. Na esteira da Segunda Guerra Mundial – e das revelações do que os guardas alemães foram ordenados a fazer nos campos de concentração nazistas –, as descobertas de Milgram causaram comoção.

Para Levine, no entanto, o experimento oferece uma segunda lição. O voluntário aparece e depara com o imponente jovem John Williams. Tratava-se, na verdade, de um professor de biologia de uma escola local, escolhido, nas palavras de Milgram, porque "tinha um aspecto técnico e era seco, o tipo que você mais tarde veria na televisão associado a um programa espacial". Tudo que Williams dizia durante o experimento havia sido decorado de um roteiro escrito pelo próprio Milgram.

O Sr. Wallace era na verdade um homem chamado Jim McDonough. Trabalhava para a rede ferroviária. Milgram gostou dele para o papel de vítima porque era "brando e submisso". Seus gritos de agonia tinham sido gravados previamente e foram transmitidos num alto-faltante. O experimento era uma produção teatral um tanto amadora. E a palavra *amadora* aqui é crucial. O experimento de Milgram não foi produzido para um palco da Broadway. O Sr. Wallace, pela própria descrição de Milgram, era um péssimo ator. E tudo no experimento era, no mínimo, exagerado. A máquina de choques elétricos na verdade não dava choques. Mais de um participante viu o alto-falante no canto e achou estranho que os gritos de Wallace viessem de lá e não de trás da porta da sala onde Wallace estava ligado à máquina. Se o propósito do experimento era medir o aprendizado, por que cargas-d'água Williams passava o tempo todo com o professor, e não do outro lado da porta com o aluno? Não ficava óbvio que o que ele realmente queria era observar a pessoa que infligia a dor, e não a pessoa que a recebia? Como acontece com as pegadinhas, o experimento de Milgram era bem transparente. E à semelhança do teste de conhecimentos gerais de Levine, as pessoas caíam na armadilha. Elas tinham a verdade como pressuposto.

"Fiquei conferindo o obituário no jornal *New Haven Register* por ao menos duas semanas após o experimento para ver se eu havia contribuído para a morte do tal aluno. Fiquei aliviado por não ver o nome dele", um voluntário escreveu para Milgram num questionário de acompanhamento. Outro escreveu: "Acredite, quando o Sr. Wallace não esboçou nenhuma reação após a voltagem mais forte, realmente acreditei que o homem podia estar morto." Lembre-se de que aqueles voluntários eram adultos, que aparentemente estavam convencidos de que uma instituição prestigiosa de ensino superior realizaria uma operação de tortura possivelmente letal em um de seus porões. "O experimento me deixou tão abalado", escreveu outro, "que passei a noite com calafrios e pesadelos por medo de que pudesse ter matado aquele homem na cadeira".

Mas eis um detalhe crucial. Os voluntários de Milgram não foram totalmente crédulos. Eles tiveram dúvidas – muitas dúvidas! Em seu livro fascinante sobre os experimentos de obediência, *Behind the Shock Machine* (Por trás da máquina de choques), Gina Perry entrevista um ferramenteiro aposentado chamado Joe Dimow, que foi um dos voluntários originais de Milgram.

"Pensei: *Isto é estranho*", contou Dimow para Perry. Ele estava convencido de que Wallace estava fingindo.

> Eu disse que não sabia exatamente o que estava acontecendo, mas tinha minhas suspeitas. Pensei: *Se estou certo em minhas suspeitas, o aluno combinou tudo com eles. Devo estar. E não estou dando choques de verdade. Ele só está berrando de vez em quando.*

Mas aí o Sr. Wallace veio da sala trancada, após o experimento, e fez certa encenação. Parecia, Dimow recorda, "exaurido" e abalado.

"Veio com um lenço na mão, esfregando o rosto. Aproximou-se de mim e me deu a mão, dizendo: 'Quero agradecer por ter interrompido aquilo.' [...] Quando ele veio, pensei: *Uau, talvez tenha sido verdade.*"

Dimow se convencera de que estava sendo enganado. Mas bastou que o Sr. Wallace estendesse sua farsa por mais um tempo – parecendo um pouco perturbado e enxugando a testa com um lenço – para Dimow mudar de ideia.

Veja a estatística completa do experimento de Milgram:

Acreditei piamente que o aluno estava recebendo choques dolorosos.	56,1%
Embora tivesse certas dúvidas, acreditei que o aluno provavelmente estava recebendo os choques.	24%
Eu não tinha certeza se o aluno estava recebendo os choques ou não.	6,1%
Embora tivesse certas dúvidas, achei que o aluno provavelmente não estava recebendo os choques.	11,4%
Eu estava certo de que o aluno não estava recebendo os choques.	2,4%

Mais de 40% dos voluntários perceberam algo estranho – algo que indicava que o experimento não era o que parecia. Mas aquelas dúvidas não foram suficientes para neutralizar o pressuposto da verdade. Eis o argumento de Levine. Você acredita em alguém não porque não tenha dúvidas a respeito da pessoa. A crença não é a ausência de dúvida. Você acredita em alguém porque não tem dúvidas suficientes a respeito.

Retornarei à distinção entre *algumas* dúvidas e dúvidas *suficientes* mais adiante porque a considero crucial. Apenas pense em quantas vezes você criticou outra pessoa, *a posteriori*, por ela não ter reconhecido um mentiroso. *Você deveria ter desconfiado. Havia todo tipo de sinal de alerta. Você estava em dúvida.* Levine diria que esta é a forma errada de pensar sobre o problema. A pergunta certa é: havia sinais de alerta suficientes para impelir você além do limiar de crença? Se não havia, ao ter a verdade como pressuposto você estava apenas sendo humano.

5.

Ana Belen Montes cresceu nos subúrbios prósperos de Baltimore. Seu pai era psiquiatra. Ela estudou na Universidade de Virgínia, depois concluiu o mestrado em relações exteriores na Universidade Johns Hopkins. Era uma defensora fervorosa do governo sandinista marxista na Nicarágua, que o governo americano tentava então derrubar, e seu ativismo atraiu a atenção de um recrutador do serviço secreto cubano. Em 1985, fez uma visita secreta a Havana. "Seus controladores, com a ajuda involuntária dela, avaliaram suas vulnerabilidades e exploraram suas necessidades psicológicas, sua ideologia e sua patologia pessoal para recrutá-la e mantê-la motivada a trabalhar para Havana", concluiu a CIA numa análise retrospectiva da carreira de Montes. Seus novos compatriotas encorajaram-na a candidatar-se a um emprego na comunidade de inteligência norte-americana. Naquele mesmo ano, ingressou na DIA – e sua ascensão foi rápida.

Montes chegava bem cedo ao escritório, almoçava na sua mesa e se mantinha discreta. Morava sozinha num apartamento de dois quartos no bairro de Cleveland Park, em Washington. Nunca se casou. No decorrer de sua investigação, Scott Carmichael – o agente de contrainteligência da DIA – compilou todos os adjetivos usados pelos colegas de Montes para descrevê-la. Uma lista impressionante: *tímida, quieta, indiferente, legal, independente, autossuficiente, reservada, inteligente, séria, dedicada, focada, esforçada, perspicaz, rápida, manipuladora, maldosa, antissocial, ambiciosa, encantadora, confiante, pragmática, prática, assertiva, decidida, calma, madura, imperturbável, capaz* e *competente*.

Ana Montes achava que Carmichael quisesse se reunir com ela para realizar uma checagem de segurança rotineira. Todos os agentes secretos são periodicamente avaliados para continuarem mantendo sua habilitação de segurança. Ela foi brusca.

"Quando ela entrou, inicialmente tentou me esnobar contando (e era verdade) que havia acabado de ser nomeada chefe de divisão interina", recordou Carmichael. "Ela tinha uma tonelada de responsabilidades, reuniões e coisas para fazer, e simplesmente não dispunha de muito tempo."

Carmichael é um homem com cara de menino, com cabelos claros e uma barriga substancial. Ele se parece, em sua própria opinião, com o falecido ator e comediante Chris Farley. Ela deve ter pensado que conseguiria intimidá-lo. Ele relembrou:

> Lidei com aquilo como qualquer um lidaria. Da primeira vez, você apenas reconhece. Você diz: "Oh, entendo. Sim, fiquei sabendo, parabéns, ótimo. Entendo que seu tempo é limitado." E depois você meio que ignora aquilo, porque, se você precisa de 12 dias, são 12 dias. Você não abre mão deles. Mas aí ela voltou a bater na mesma tecla. [...] Ela enfatizou muito aquilo. Eu nem tinha me acomodado e ela disse: "Mas, falando sério, tenho que partir às duas horas", ou algo assim, "porque tenho todas essas coisas para fazer".
>
> Pensei: *Puta merda!* Foi isto mesmo que pensei. [...] Não perdi a calma, mas perdi a paciência. "Olha, Ana, tenho razões para suspeitar de que você pode estar envolvida numa operação de influência de contrainteligência. Precisamos nos sentar e conversar sobre isso." Pimba! Bem no meio dos olhos.

Montes havia sido, àquela altura, uma espiã a serviço de Cuba durante quase toda a sua carreira no governo. Tinha se encontrado com seus controladores ao menos 300 vezes, entregando tantos segredos que é considerada um dos espiões mais lesivos da história dos Estados Unidos. Havia visitado Cuba secretamente em diversas ocasiões. Após sua prisão, descobriu-se que Fidel Castro lhe entregara pessoalmente uma medalha. Apesar de tudo, não houvera sequer um lampejo de suspeita. E, de repente, no início do que ela imaginou ser uma checagem de antecedentes rotineira, um personagem engraçado de Chris Farley estava apontando o dedo para ela. Ela ficou em choque.

"Ela olhava para mim como um veado olhando os faróis de um carro, aguardando que eu dissesse outra palavra, só aguardando."

Quando Carmichael recordou aquele encontro anos depois, percebeu que aquela foi a primeira pista que passou despercebida: a reação dela não fez sentido.

> Eu simplesmente não atentei para o fato de que ela, em nenhum momento, disse: "Do que você está falando?" Nada disso. Ela não disse uma palavra sequer. Ficou ali sentada, ouvindo. Se eu tivesse sido esperto, desconfiaria daquilo. Nenhuma negação, nenhuma confusão, nenhuma raiva. Qualquer um que tenha sido informado de que é suspeito de um assassinato ou alguma coisa [...] se é completamente inocente, responde: "Como assim? Espera aí, você acabou de me acusar de algo. Quero saber que porra é essa." No final, a pessoa se irrita, realmente se irrita. Ana não fez porra nenhuma a não ser ficar ali sentada.

Carmichael teve dúvidas, desde o princípio. Mas dúvidas só desencadeiam a descrença quando você não consegue dissipá-las. E ele pôde facilmente dissipá-las. Ela era a Rainha de Cuba, pelo amor de Deus. Como a Rainha de Cuba poderia ser uma espiã? Ele disse aquelas palavras para ela – "Tenho razões para suspeitar de que você pode estar envolvida numa operação de influência de contrainteligência" – somente porque queria que ela levasse a reunião a sério.

"Eu estava ansioso por resolver aquilo e dar o próximo passo. Foi como se eu desse tapinhas nas minhas próprias costas: 'Aquilo funcionou, aquilo a deixou quieta. Não vou mais ouvir essa merda de novo. Agora, vamos resolver a questão.' Por isso deixei passar batido."

Falaram a respeito da reunião com o almirante Carroll. Ela tinha uma boa resposta. Conversaram sobre por que ela tinha deixado abruptamente o Pentágono naquele dia. Ela tinha uma resposta. Estava jogando charme, um pouco brincalhona. Ele começou a relaxar. Olhou para as pernas dela novamente.

> Ana começou a fazer uma coisa. Cruzou as pernas e ficou balançando o pé, assim. Não sei se foi consciente [...] mas o que sei é que aquilo chama a atenção. [...] Ficamos mais à vontade, e ela jogou um pouquinho mais de charme. Estava flertando? Não sei, mas era atraente às vezes, em algumas de suas respostas às perguntas.

Conversaram sobre o telefonema. Ela disse que em momento algum recebeu um telefonema, ou ao menos não se lembrava de ter recebido. Aquele deveria ter sido outro sinal de alerta: as pessoas que estavam com ela naquele dia na sala de gerenciamento de crises lembravam claramente de ela ter recebido uma ligação. Mas, de novo, aquele dia havia sido longo e estressante. Estavam todos em meio a uma crise internacional. Talvez a tivessem confundido com outra pessoa.

Houve outra coisa – outro momento em que Carmichael viu algo na reação dela que o fez pensar. Perto do fim da conversa, ele fez a Montes uma série de perguntas sobre o que aconteceu depois que ela deixou o Pentágono naquele dia. Um procedimento investigativo padrão. Ele só queria um quadro o mais completo possível de seus movimentos naquela noite.

Ele perguntou o que ela fez após o trabalho. Ela respondeu que voltou de carro para casa. Ele perguntou onde estacionou. Ela disse que no estacionamento do outro lado da rua. Ele indagou se viu mais alguém ao estacionar. Ela cumprimentou alguém? Ela respondeu que não.

> Eu disse: "Ok, bem, então o que você fez? Você estacionou seu carro e atravessou a rua" – e foi enquanto eu falava isso que a mudança de conduta ocorreu. Lembre-se, eu vinha falando com ela por quase duas horas e, àquela altura, Ana e eu éramos quase como amigos, não que fôssemos próximos, mas estava rolando um bom entrosamento. Ela dizendo gracinhas e fazendo observações engraçadas vez ou outra – um clima informal e caloroso.

> Aí, de repente, essa enorme mudança aconteceu com ela. Dava para notar: num instante ela estava solta e tal, se divertindo. [...] De repente, ela mudou. Como um menininho flagrado com a mão no pote de biscoitos. Ele esconde a mão atrás das costas e a mãe pergunta: "O que você tem aí?" Ela estava olhando para mim e negando, mas... com aquele olhar do tipo "O que você sabe? Quanto você sabe? Vai me pegar? Não quero ser pega".

Após sua prisão, os investigadores descobriram o que realmente acontecera naquela noite. Os cubanos tinham combinado com ela o seguinte: se ela alguma vez visse um de seus velhos controladores na rua, significava que seus chefes precisavam urgentemente falar com ela em pessoa. Ela deveria continuar andando e se encontrar com eles na manhã seguinte num local previamente combinado. Naquela noite, quando ela voltou do Pentágono para casa, viu um de seus velhos controladores de pé em frente ao seu prédio. Assim, quando Carmichael perguntou a ela, incisivamente, "Você viu alguém ao voltar para casa?", ela deve ter achado que ele sabia daquela combinação – que ele sabia da verdade.

> Ela se borrou de medo. Pensou que eu soubesse, mas eu não sabia. Nem desconfiava, não sabia do que eu dispunha. Sabia que dispunha de algo, sabia que havia algo. Após a conversa, eu recordava aquilo [...] e o que fazia? A mesma coisa que todo ser humano faz. [...] Afastava aquela suspeita.
>
> Pensei: *Bem, talvez ela esteja se encontrando com um homem casado e não quis me contar. Ou talvez seja lésbica e estivesse dormindo com a namorada e não quer que saibamos disso, e está preocupada com isso.* Comecei a pensar em todas essas outras possibilidades e meio que as aceitei, o suficiente para não continuar ficando louco. Aceitei aquilo.

Ana Montes não era uma mestra da espionagem. Não precisava ser. Num mundo em que nosso detector de mentiras está na posição "desligado", um espião sempre terá facilidade para agir. Scott Carmichael teria sido um pouco negligente? Negativo. Ele fez o que a teoria do pressuposto da verdade prevê que qualquer um de nós faria: partiu da premissa de que Ana Montes estava falando a verdade e – quase sem perceber – procurou ajustar tudo que ela disse àquela hipótese. Precisamos de um gatilho para romper com a verdade como pressuposto, mas o limiar para gatilhos é alto. Carmichael estava bem longe desse ponto.

A verdade simples, Levine argumenta, é que a detecção de mentiras não funciona – não *pode* funcionar – do jeito que esperamos. Nos filmes, o detetive brilhante confronta o suspeito e o flagra no ato, mentindo. Mas, na vida real, acumular a quantidade de indícios necessários para superar nossas dúvidas leva tempo. Você pergunta ao seu marido se está tendo um caso, ele responde que não e você acredita nele. Seu pressuposto é que ele está dizendo a verdade. E se detecta eventuais pequenas inconsistências na história dele, você as justifica. Mas três meses depois você por acaso encontra uma cobrança de diária de hotel na fatura do cartão de crédito dele, e a combinação daquilo com semanas de ausências inexplicadas e telefonemas misteriosos formam o que você precisava para desmascará-lo. É assim que as mentiras são detectadas.

Essa é a explicação para o primeiro dos enigmas: por que os cubanos conseguiram ludibriar a CIA por tanto tempo. Essa história não é um ataque à competência da agência. Apenas reflete o fato de que os agentes da CIA são – como todos nós – seres humanos, equipados com o mesmo conjunto de inclinações para a verdade que todos os outros.

Carmichael voltou a contactar Reg Brown e tentou explicar.

> Eu disse: "Reg, eu vejo qual a sua percepção, entendo o raciocínio que o faz achar que esta é uma operação de influência deliberada. Parece ser. Mas, se for, não posso apontar o dedo para dizer que ela fez parte de um esforço deliberado. Simplesmente não faz sentido algum. [...]" No fim das contas, eu tinha que encerrar o caso.

6.

Quatro anos após a conversa de Scott Carmichael com Ana Montes, um dos colegas dele da DIA se encontrou com uma analista da Agência de Segurança Nacional (National Security Agency, NSA) numa reunião interagências. A NSA é o terceiro braço da rede de inteligência dos Estados Unidos, junto com a CIA e a DIA. São eles que decifram os códigos, e a analista disse que sua agência tivera certo sucesso com os códigos que os cubanos vinham usando para se comunicar com seus agentes.

Os códigos eram longas sequências de números, transmitidas em intervalos regulares por rádio em ondas curtas, e a NSA havia conseguido decodificar alguns fragmentos. Ela tinha dado a lista de informações ao FBI dois anos e meio antes, mas sem receber retorno. Frustrada, a analista da NSA decidiu compartilhar alguns detalhes com seu colega da DIA. Os cubanos tinham um espião nos altos escalões de Washington que chamavam de "Agente S", disse ela. O Agente S tinha interesse em algo chamado sistema "seguro" e aparentemente havia visitado a base norte-americana da baía de Guantánamo no intervalo de duas semanas de 4 a 18 de julho de 1996.

O homem da DIA ficou alarmado. "SAFE"* (seguro) era o nome do arquivo de mensagens internas trocadas via computador da DIA. Aquele era um forte indício de que o Agente S era da DIA, ou estava intimamente associado a ela. Ele então contou aos seus supervisores o que descobrira. Estes contaram para Carmichael, que ficou furioso. O FBI vinha trabalhando em um caso de espião que provavelmente envolvia um funcionário da DIA havia dois anos e meio, e não tinham lhe contado? Ele era o investigador de contrainteligência da DIA!

Ele soube exatamente o que teria que fazer: uma busca no sistema de computadores da DIA. Qualquer funcionário do Departamento de Defesa que viaje para a baía de Guantánamo tem que obter aprovação. Precisa enviar duas mensagens pelo sistema do Pentágono, primeiro pedindo permissão para viajar e depois pedindo permissão para falar com a pessoa a ser interrogada na base.

"Ok, então duas mensagens", disse Carmichael.

Ele concluiu que alguém que fosse para a baía de Guantánamo em julho pediria suas autorizações no mínimo em abril. Portanto dispunha de seus parâmetros de busca: pedidos de permissão de viagem e permissão de liberação de segurança de funcionários da DIA, relativamente à baía de Guantánamo, efetuados entre 1º de abril e 18 de julho de 1996. Ele solicitou ao seu colega "Gator" Johnson que fizesse a mesma busca simultaneamente. Duas cabeças seriam melhores do que uma.

---

* SAFE designa *Security Analyst File Environment* (Ambiente de Arquivos de Analista de Segurança). Adoro quando as pessoas partem do acrônimo e retrocedem para criar o nome completo.

O que o [sistema de computador] fazia naquela época era criar um arquivo de resultados. Ele eletronicamente empilharia todas as suas mensagens e informaria: "Você obtém um número X de resultados." Consigo ouvir Gator ali... Consigo ouvi-lo digitando, e eu sabia que ele nem terminara a pesquisa e eu já tinha meu arquivo de resultados para percorrer, de modo que pensei, *vou percorrê-los bem rápido para ver se algum [nome] vai pipocar*, e foi aí que o 21º resultado se destacou. Era Ana B. Montes. Era o fim da porra do jogo. Quero dizer que terminou num piscar de olhos. [...] Eu estava realmente aturdido – sem palavras. Poderia ter caído da cadeira. Eu literalmente recuei – estava numa cadeira de rodinhas –, estava literalmente me distanciando daquela má notícia. [...] Eu recuei todo o caminho até o fim do meu cubículo, e Gator continuava digitando.

Falei: "Puta merda."

CAPÍTULO QUATRO

O Louco Santo

1.

Em novembro de 2003, Nat Simons, um gerente de portfólio do fundo hedge Renaissance Technologies, situado em Long Island, escreveu um e-mail preocupado para diversos colegas. Por meio de um conjunto complicado de arranjos financeiros, o Renaissance viu-se com uma participação no fundo gerido por um investidor de Nova York chamado Bernard Madoff, e Madoff deixou Simons apreensivo.

Se você trabalhasse no mundo financeiro em Nova York na década de 1990 e início da década de 2000, provavelmente teria ouvido falar de Bernard Madoff. Seu escritório ficava numa torre elegante em Midtown Manhattan chamada Lipstick Building. Ele participava dos conselhos diretores de diversas associações importantes do setor financeiro. Movimentava-se entre os círculos endinheirados dos Hamptons e de Palm Beach. Tinha um ar de soberba e uma juba sedosa de cabelos brancos. Era recluso, misterioso. E foi este último fato que deixou Simons apreensivo. Ele ouvira rumores. Em um e-mail coletivo, ele escreveu que "Alguém em quem confiamos contou que acredita que Madoff vai ter um sério problema daqui a um ano".

Ele prosseguiu: "Acrescente a isso os fatos de que o cunhado dele é seu auditor e o filho também está no topo da organização, e você tem o risco de alguns indiciamentos desagradáveis, o congelamento de contas, etc."

No dia seguinte, Henry Laufer, um dos altos executivos da empresa, respondeu à mensagem. Ele concordava. A Renaissance, acrescentou, tinha "indícios independentes" de que algo estava errado com Madoff. Depois, o gerente de risco da Renaissance, Paul Broder – a pessoa responsável por assegurar que o fundo não aplicasse dinheiro em algum lugar perigoso –, contribuiu com uma análise longa e detalhada da estratégia de *trading* que Madoff alegava estar usando. "Nada disso parece fazer sentido", concluiu. Os três decidiram realizar sua própria investigação interna. As suspeitas aumentaram. "Cheguei à conclusão de que não entendíamos o que ele estava fazendo", diria Broder mais tarde. "Não tínhamos ideia de como ele estava ganhando dinheiro. Os números vultosos que ele insinuava estar ganhando não tinham respaldo em nenhum indício que pudéssemos achar." A Renaissance estava em dúvida.

Então a Renaissance vendeu sua participação no fundo de Madoff? Não exatamente. Cortaram sua participação pela metade. Diminuíram o risco de suas apostas. Cinco anos depois, após Madoff ter sido desmascarado como uma fraude – o cérebro do maior esquema Ponzi da história –, investigadores federais falaram com Nat Simons e pediram que explicasse por quê. "Eu nunca cheguei a pensar que aquilo fosse realmente fraudulento", disse Simons. Ele estava disposto a admitir que não entendia o que Madoff vinha tramando, e que Madoff parecia um pouco estranho. Mas não estava disposto a acreditar que fosse um completo mentiroso. Simons tinha dúvidas, mas não o suficiente. Ele tinha a verdade como pressuposto.

Os e-mails trocados entre Simons e Laufer foram descobertos durante uma auditoria de rotina da Securities Exchange Commission (SEC), a agência responsável por monitorar o setor de fundos hedge. Não era a primeira vez que a SEC tinha deparado com dúvidas sobre as operações de Madoff. Este afirmava seguir uma estratégia de investimentos ligada ao mercado de ações, o que significava que, como qualquer outra estratégia baseada no mercado, seus retornos poderiam aumentar e diminuir conforme o mercado subisse ou caísse. Mas os retornos de Madoff eram estáveis como uma rocha – o que desafiava toda a lógica. Um investigador da SEC chamado Peter Lamore foi certa vez encontrar-se com Madoff para obter uma explicação. A resposta de Madoff foi que, essencialmente, ele conseguia ver o que os outros não viam. Ele tinha uma intuição infalível de sair do mercado pouco antes de uma queda e voltar ao mercado pouco antes de uma alta. Lamore mais tarde recordou:

> Eu o questionei repetidamente. Achava que sua intuição era estranha, suspeita. Veja bem, eu tentava pressioná-lo. Achava que existia algo mais. [...] Pensei que ele estava obtendo algum tipo de informação pri-

vilegiada sobre o mercado mais geral. Assim, eu meio que o pressionei várias vezes sobre aquilo. Perguntei a Bernie muitas e muitas vezes, e, a certa altura, não sabia mais o que fazer.

Lamore levou suas dúvidas ao seu chefe, Robert Sollazzo, que teve dúvidas também. Mas não dúvidas *o suficiente*. Como concluiu a análise *a posteriori* do caso Madoff, "Sollazzo não achou que a afirmação de Madoff de estar fazendo *trading* com base na 'intuição' fosse 'necessariamente [...] ridícula'." A SEC pressupôs que era verdade, e a fraude continuou. Por toda a Wall Street, de fato, um sem-número de pessoas que tinham feito negócios com Madoff achou que algo não estava batendo. Diversos bancos de investimentos afastaram-se dele. Até o corretor de imóveis que alugara o espaço para seus escritórios achou que havia algo meio esquisito. Mas ninguém tomou nenhuma medida, nem chegou à conclusão de que ele fosse o maior vigarista da história. No caso de Madoff, *todos* pensaram que era verdade – todos exceto uma pessoa.

No início de fevereiro de 2009 – pouco mais de um mês após Madoff se entregar às autoridades –, um homem chamado Harry Markopolos depôs em uma audiência diante do Congresso transmitida em rede nacional de televisão. Ele era um investigador de fraudes independente. Trajava um terno verde que não lhe caía bem. Falava de forma nervosa e hesitante, com um sotaque do norte do estado de Nova York. Ninguém ouvira falar dele.

"Minha equipe e eu fizemos o possível para que a SEC investigasse e encerrasse o esquema Ponzi de Madoff, com advertências repetidas e contundentes à SEC que começaram em maio de 2000" – testemunhou Markopolos para um público arrebatado. Disse que ele e uns poucos colegas criaram diagramas e gráficos, executaram modelos de computador e sondaram na Europa, onde Madoff vinha levantando o grosso do seu dinheiro. "Sabíamos então que havíamos fornecido suficientes sinais de alerta e provas matemáticas à SEC para que ela pudesse encerrar seu fundo na mesma hora, quando ainda estava abaixo de 7 bilhões de dólares."

Quando a SEC nada fez, Markopolos voltou à carga em outubro de 2001. Depois novamente em 2005, 2007 e 2008. A cada vez, nada conseguiu. Lendo devagar suas anotações, Markopolos descreveu anos de frustração.

Eu embrulhei para presente e entreguei para eles o maior esquema Ponzi da história, e de algum modo eles não se deram ao trabalho de realizar uma investigação minuciosa e apropriada porque estavam ocupados demais em assuntos de maior prioridade. Se um esquema Ponzi de 50 bilhões de dólares não chega à lista de prioridades da SEC, então quero saber quem define suas prioridades.

Harry Markopolos, o único dentre as pessoas que tiveram dúvidas sobre Bernie Madoff, não supôs que era verdade. Ele viu um estranho por quem o estranho realmente era. No meio da audiência, um dos congressistas perguntou a Markopolos se iria a Washington dirigir a SEC. Na esteira de um dos piores escândalos financeiros da história, tinha-se a impressão de que todos poderíamos aprender algo com Harry Markopolos. O pressuposto da verdade é um problema. Deixa espiões e vigaristas agirem livremente.

Será mesmo? Aqui chegamos ao segundo componente crucial das ideias de Tim Levine sobre dissimulação e o pressuposto da verdade.

2.

Harry Markopolos é esguio e enérgico. Já está na meia-idade, mas parece bem mais jovem. É cativante e agradável, um conversador – embora conte piadas inadequadas que às vezes deixam as pessoas sem palavras. Descreve a si mesmo como obsessivo: o tipo que limpa seu teclado com desinfetante ao abrir o computador. É o que Wall Street chama de *quant*, um analista quantitativo, um sujeito dos números. "Para mim, matemática é verdade", diz ele.

Quando analisa uma oportunidade de investimento ou uma empresa, prefere não encontrar nenhum dos dirigentes pessoalmente. Não quer cometer o erro de Neville Chamberlain.

> Quero ouvir e ver o que estão falando remotamente por suas aparições públicas, por seus relatórios financeiros, e depois quero analisar as informações matematicamente usando essas técnicas simples. [...] Quero encontrar a verdade. Não quero ter uma opinião favorável sobre alguém

que me trata com gentileza, porque isso só poderia afetar negativamente meu argumento.

Markopolos cresceu em Erie, na Pensilvânia, filho de imigrantes gregos. Sua família dirigia a rede de restaurantes Arthur Treacher's Fish & Chips. Ele recorda:

> Meus tios iam atrás das pessoas que jantavam e saíam correndo sem pagar. Iam lá fora e as apanhavam, obrigavam-nas a acertar as contas. Lembro de meu pai se envolvendo em brigas com fregueses. Vi pessoas roubando talheres. Não só talheres, mas louças [...] lembro de um camarada, imenso, comendo dos pratos de outras pessoas que haviam saído do balcão, e meu tio dizendo: "Você não pode fazer isto." E o sujeito retrucou: "Posso sim, eles não comeram a comida." Aí meu tio foi para o outro lado do balcão, agarrou o sujeito pela barba e o levantou, e continuou firme com o homem lá em cima. [...] E eu pensando: meu tio vai morrer. Aquele cara tinha uns 2 metros de altura. Felizmente, outros fregueses no restaurante se meteram. Se não tivessem ajudado, acho que meu tio seria um homem morto.

A história padrão do imigrante-empreendedor fala do poder redentor da determinação e da astúcia. Ouvindo Markopolos, suas experiências prematuras no negócio da família lhe ensinaram, em vez disso, quão sombrio e perigoso era o mundo:

> Vi muito furto no Arthur Treacher's. Assim, tomei consciência da fraude no meu período de formação, na adolescência e no início da idade adulta. E observei o que as pessoas são capazes de fazer, porque, quando você dirige um negócio, 5% a 6% de sua receita será perdida para o furto. Esta é a estatística da Associação dos Examinadores Certificados de Fraudes. Eu não conhecia a estatística quando jovem. Essa organização não existia. Mas eu via. Via nossos frangos e camarões ganharem pernas e saírem andando pela porta dos fundos regularmente. Caixas desses produtos eram atiradas no porta-malas dos carros. Nesse caso, eram os *funcionários* que furtavam.

Quando estava na faculdade de administração, Harry Markopolos tirou nota máxima em uma das matérias. Mas ele conferiu a fórmula usada pelo professor para calcular as notas e percebeu um erro. Ele havia merecido uma nota um pouco menor. Dirigiu-se ao professor e reclamou. Em seu primeiro emprego depois da faculdade, trabalhou para uma corretora vendendo ações do mercado de balcão, e uma das regras desse mercado é que o corretor deve informar qualquer transação dentro de 90 segundos. Markopolos descobriu que seu empregador estava estourando esse limite. Ele dedurou seus próprios chefes aos órgãos regulamentadores. *Ninguém gosta de um dedo-duro*, aprendemos na infância, entendendo que às vezes buscar o que parece justo e ético envolve um custo social inaceitável. Se alguém disse isso para Markopolos quando criança, ele com certeza não prestou atenção.

Markopolos ouviu falar de Madoff pela primeira vez no final da década de 1980. O fundo hedge para o qual trabalhava observara os resultados espetaculares de Madoff e queria que Markopolos copiasse a estratégia dele. Markopolos tentou, mas não conseguiu descobrir qual era a estratégia. Madoff afirmava estar ganhando dinheiro com base em fortes transações com um instrumento financeiro conhecido como derivativo. Mas não havia nenhum sinal de Madoff naqueles mercados. Markopolos recorda:

> Eu vinha negociando enormes quantidades de derivativos a cada ano, portanto me relacionava com os maiores bancos de investimentos que negociavam derivativos. Então liguei para as pessoas que conhecia nas mesas de operações: "Você está negociando com Madoff?" Todas disseram que não. Bem, se você está negociando derivativos, tem que ir aos cinco maiores bancos para negociar o volume que ele vinha negociando. Se os cinco maiores bancos não conhecem suas transações e não estão vendo seu negócio, você deve estar num esquema Ponzi. Simples assim. Não foi um caso difícil. Tudo que precisei fazer foi pegar o telefone, na verdade.

Naquele momento, Markopolos chegou precisamente aonde o pessoal da Renaissance chegaria anos depois. Ele fizera os cálculos e tivera dúvidas. O negócio de Madoff não fazia sentido.

A diferença entre Markopolos e a Renaissance, porém, é que a Renaissance confiou no sistema. Madoff fazia parte de um dos setores mais fortemente regulamentados de todo o mercado financeiro. Se ele estivesse realmente trapaceando, um dos muitos vigilantes do governo já não o teria flagrado? Como disse mais tarde Nat Simons, o executivo da Renaissance: "Você simplesmente presume que alguém está prestando atenção."

A Renaissance Technologies, cabe observar, foi fundada na década de 1980 por um grupo de matemáticos e criptoanalistas. No decorrer da sua história, provavelmente ganhou mais dinheiro do que qualquer outro fundo hedge. Laufer, o executivo da Renaissance a quem Simons pediu conselhos, tinha um Ph.D. em matemática pela Universidade de Princeton e escrevera livros e artigos com títulos como "Singularidades bidimensionais normais" e "Sobre as singularidades minimamente elípticas". O pessoal da Renaissance é brilhante. No entanto, num aspecto crucial, agiu exatamente como os estudantes no experimento de Levine que viram a instrutora sair, perceberam o envelope com as respostas sobre a escrivaninha mas não conseguiram dar o salto para acreditar que aquilo era uma armação.

Mas não Markopolos. Ele estava munido dos mesmos fatos, mas não da fé no sistema. Para ele, desonestidade e estupidez estão por toda parte.

"As pessoas têm fé demais nas grandes organizações", disse. "Confiam nos escritórios de contabilidade, em que você jamais deveria confiar porque são incompetentes. Num dia melhor, são incompetentes; num dia ruim são corruptos, ajudando e apoiando a fraude, desviando o olhar."

Ele prosseguiu: "Acredito que o setor de seguros é totalmente corrupto. Ninguém os controla o tempo todo, e estão lidando com trilhões em ativos e passivos."

Ele acreditava que entre 20% e 25% das empresas de capital aberto trapaceavam em seus relatórios financeiros.

"Vocês querem falar de outra fraude?", perguntou ele a certa altura. Acabara de publicar suas memórias e adquirira o hábito de conferir seus relatórios de direitos autorais. Chamava-os de "doidice chinesa". Os contraventores que investiga, segundo ele, têm relatórios financeiros "mais confiáveis do que os de minha editora".

Ele disse que quando vai ao consultório médico sempre tem em mente o seguinte fato: 40% de todo o dinheiro gasto com saúde vai para fraudes ou desperdício.

Para quem quer que esteja me tratando, faço questão de dizer que sou um investigador de crimes de colarinho-branco e deixo claro que existe um monte de fraudes na medicina. Informo a eles essa estatística. Faço isso para que não mexam comigo nem com minha família.

Na mente de Markopolos, inexiste um limiar alto antes que as dúvidas se transformem em descrença. Ele não tem limiar algum.

3.

No folclore russo existe um arquétipo chamado *yurodivy*, ou o "Louco Santo". O Louco Santo é um desajustado social – excêntrico, irritante, às vezes até maluco – que mesmo assim tem acesso à verdade. *Mesmo assim* é realmente a expressão errada. O Louco Santo é um contador de verdades *porque* é um pária. Aqueles que não fazem parte das hierarquias sociais existentes estão livres para deixar escapar verdades inconvenientes ou questionar coisas que o resto de nós aceita de bom grado. Numa lenda russa, um Louco Santo olha um ícone famoso da Virgem Maria e declara ser a obra do diabo. Uma afirmação ultrajante, herege. Mas aí alguém atira uma pedra na imagem e a fachada racha, revelando a face de Satã.

Cada cultura possui sua versão do Louco Santo. No famoso conto infantil "A roupa nova do imperador", de Hans Christian Andersen, o rei desce à rua no que lhe disseram ser um traje mágico. Ninguém diz nenhuma palavra, exceto um menininho que brada: "Olhem o rei! Não está vestindo nada!".

O menininho é um Louco Santo. Os alfaiates que venderam as roupas ao rei contaram que elas seriam invisíveis a qualquer pessoa incapaz de desempenhar suas funções. Os adultos não disseram nada, temendo ser tachados de incompetentes. O menininho não se importou. Os que mais se aproximam dos Loucos Santos na vida moderna são os delatores. Eles estão dispostos a sacrificar a lealdade às suas instituições – e, em muitos casos, o apoio de seus colegas – a serviço da denúncia de fraudes e logros.

O que distingue o Louco Santo é uma percepção diferente da possibilidade de fraude. Tim Levine nos lembra de que na vida real as mentiras são raras. E as que chegam a ser contadas o são por um pequeno subconjunto de pessoas.

Por isso, não importa tanto que sejamos péssimos em detectar mentiras na vida real. Nessas circunstâncias, de fato, o pressuposto da verdade faz sentido lógico. Se a pessoa atrás do balcão na cafeteria diz que sua conta com gorjeta deu 6,74 dólares, você pode conferir o cálculo, segurando a fila e gastando 30 segundos do seu tempo. Ou pode simplesmente presumir que o atendente está dizendo a verdade, porque de modo geral a maioria das pessoas diz a verdade.

Foi o que Scott Carmichael fez. Ele se defrontou com duas alternativas. Reg Brown disse que Ana Montes vinha se comportando de forma suspeita. Já Ana Montes tinha uma explicação perfeitamente convincente para suas ações. De um lado, estava a possibilidade remotíssima de que uma das figuras mais respeitadas da Agência de Inteligência de Defesa fosse uma espiã. De outro, estava o cenário bem mais provável de que Brown estivesse simplesmente sendo paranoico. Carmichael seguiu a maior probabilidade: é o que fazemos quando temos a verdade como pressuposto. Nat Simons seguiu a maior probabilidade também. Madoff *poderia* ser o mentor da maior fraude financeira da história, mas quais eram as chances disso?

O Louco Santo é alguém que não pensa dessa maneira. As estatísticas dizem que o mentiroso e o vigarista são raros. Mas, para o Louco Santo, estão por toda parte.

Precisamos de Loucos Santos na nossa sociedade, de tempos em tempos. Eles desempenham um papel valioso. Por isso os romantizamos. Harry Markopolos foi o herói da saga de Madoff. Delatores viram temas de filmes. Mas a segunda parte, crucial, do argumento de Levine é que não podemos ser todos Loucos Santos. Seria um desastre.

Levine argumenta que, no decorrer da evolução, os seres humanos nunca desenvolveram habilidades sofisticadas e precisas para detectar a dissimulação enquanto ela está ocorrendo por não ser vantajoso perder seu tempo examinando as palavras e os comportamentos daqueles à sua volta. A vantagem para os seres humanos está em presumir que estranhos são confiáveis. Segundo ele, compensar o risco de sermos enganados tendo a verdade como pressuposto é

> um grande negócio para nós. O que obtemos em troca de sermos vulneráveis a uma mentira ocasional é a comunicação e a coordenação social eficientes. Os benefícios são enormes, e os custos são triviais em compa-

ração. É bem verdade que somos enganados de vez em quando. Este é o custo de fazer negócios.

Isso pode soar um pouco cruel, porque é fácil ver todo o dano causado por gente como Ana Montes e Bernie Madoff. Por confiarmos implicitamente, espiões não são detectados, criminosos circulam livremente e vidas são prejudicadas. Mas o argumento de Levine é que a recompensa por desistir dessa estratégia é bem grande. Se todos em Wall Street se comportassem como Harry Markopolos, não haveria fraude ali, mas o ar estaria tão carregado de suspeita e paranoia que tampouco *haveria* Wall Street.*

4.

No verão de 2002, Harry Markopolos viajou para a Europa. Ele e um colega buscavam investidores para um fundo novo que estavam criando. Ele se reuniu com gestores de ativos em Paris e Genebra, e em todos os centros financeiros na Europa Ocidental. O que descobriu o aturdiu. Todos tinham investido com Madoff. Se você permanecesse em Nova York e conversasse com pessoas em Wall Street, seria fácil pensar que Madoff era um fenômeno local, um dos muitos gestores de investimentos que atendiam os ricaços da Costa Leste. Mas Madoff, Markopolos percebeu, era internacional. O ta-

---

* Espere um pouco. Não queremos que os agentes de contrainteligência sejam Loucos Santos? Esta não é a profissão em que ter alguém que suspeita de todos faz sentido? Negativo. Um dos célebres predecessores de Scott Carmichael foi James Angleton, que dirigiu as operações de contrainteligência da CIA durante as últimas décadas da Guerra Fria. Angleton estava certo de que havia um informante soviético infiltrado na agência. Lançou uma investigação que acabou envolvendo 120 agentes da CIA. Não conseguiu achar o espião. Frustrado, Angleton ordenou que muitos membros da divisão soviética fizessem as malas. Centenas de pessoas – especialistas em Rússia com enormes conhecimentos e experiência sobre o maior adversário dos Estados Unidos – foram enviadas para outras partes. O moral despencou. Oficiais do serviço secreto pararam de recrutar agentes novos.

No fim, um dos altos funcionários de Angleton examinou os custos paralisantes de mais de uma década de paranoia e chegou à conclusão paranoica final: se você fosse a União Soviética e quisesse paralisar a CIA, a forma mais eficiente seria fazer com que seu informante conduzisse uma caçada longa, nociva e exaustiva a um informante. *O que significava que o informante devia ser Angleton.*

A vítima final da caça às bruxas de James Angleton foi o próprio James Angleton. Ele foi expulso da CIA em 1974, após 31 anos. Se Scott Carmichael tivesse agido como James Angleton e suspeitado de que todos eram espiões, a DIA teria sucumbido numa nuvem de paranoia e desconfiança, como aconteceu com a divisão da CIA que tratava da União Soviética.

manho de seu império fraudulento era bem maior do que Markopolos havia anteriormente imaginado.

Foi nesse ponto que ele passou a acreditar que sua vida corria perigo. Inúmeras pessoas poderosas e abastadas mundo afora tinham um interesse profundo em manter Madoff em atividade. Então seria por isso que seus apelos repetidos aos órgãos regulamentadores não davam em nada? O nome de Markopolos era conhecido por gente influente na SEC. Até que o esquema Ponzi fosse publicamente desmascarado, não estaria seguro.

Ele decidiu que o próximo passo lógico seria abordar o procurador-geral de Nova York, Eliot Spitzer, que se mostrara uma das poucas autoridades interessadas em investigar Wall Street. Mas precisava ser cauteloso. Spitzer vinha de uma família rica da cidade de Nova York. Seria possível que ele também tivesse investido com Madoff? Markopolos soube que Spitzer estaria em Boston dando uma palestra na Biblioteca John F. Kennedy. Ele imprimiu seus documentos em folhas de papel limpas, removendo todas as referências a si mesmo, e colocou-as num envelope marrom sem timbre tamanho A4. Depois, por segurança, meteu aquele envelope dentro de outro envelope marrom sem timbre, esse maior. Usou luvas para não deixar impressões digitais nos documentos. Vestiu roupas bem pesadas, e sobre elas seu maior sobretudo. Não queria ser reconhecido. Dirigiu-se à Biblioteca JFK e se sentou discretamente num canto. Depois, ao fim da palestra, subiu para tentar entregar os documentos a Spitzer pessoalmente. Mas não conseguiu se aproximar o suficiente, de modo que os entregou a uma mulher do grupo do procurador, com instruções de repassá-los ao seu chefe.

Markopolos recorda:

> Estou sentado ali com os documentos. Vou entregar para ele, mas, após o evento, dou o envelope a uma mulher para que entregue a Eliot Spitzer porque não consigo chegar até ele. Está totalmente cercado de pessoas. Depois, ele sai pela porta dos fundos. Acho que vai ao toalete e em seguida vai jantar no salão ao lado, certo? Não fui convidado para o jantar. Mas ele sai pela porta de trás para entrar numa limusine rumo ao aeroporto a fim de pegar o último voo comercial até Nova York. [...] Eliot nunca recebeu minha encomenda.

Vale a pena mencionar que, na época, Markopolos era presidente de uma associação de profissionais da área de investimentos de Boston, uma entidade de classe com mais de 4 mil membros. Não precisava ter aparecido anonimamente na palestra de Spitzer trajando um sobretudo volumoso e segurando um maço de documentos envoltos em dois envelopes marrons sem timbre. Poderia ter ligado para o escritório de Spitzer e solicitado uma reunião. Indaguei-o sobre isso:

> **Markopolos:** Este é outro arrependimento meu. Eu me considero responsável por aquilo. Spitzer era o cara. Eu devia ter ligado para ele. Talvez eu tivesse tido sucesso, talvez não, mas acho que teria.
> **Eu:** Você tinha prestígio. Você era...
> **Markopolos:** Presidente da associação de profissionais de investimentos. [...] Se o último presidente ou o atual [...] liga para o chefe e diz "Tenho o maior golpe de todos os tempos, bem no seu quintal", acho que teria conseguido atenção.
> **Eu:** Por que você acha que não fez aquilo?
> **Markopolos:** Teria, poderia, deveria. Arrependimentos. Não existe investigação perfeita, e também cometi minha cota de erros.

Markopolos vê seu erro agora, com o benefício de mais de uma década de visão retrospectiva. Mas em meio a todas as coisas que estavam acontecendo, a mesma mente brilhante capaz de desvendar as trapaças de Madoff foi incapaz de fazer com que as pessoas em posições de autoridade o levassem a sério. Esta é a consequência de não se basear no pressuposto da verdade. Se você não parte de um estado de confiança, não consegue ter encontros sociais significativos.

Como escreve Levine:

> Sermos enganados ocasionalmente não vai nos impedir de transmitir nossos genes ou ameaçar seriamente a sobrevivência da espécie. A comunicação eficiente, por outro lado, tem enormes implicações para nossa sobrevivência. A compensação não é uma compensação de fato.

A comunicação de Markopolos na biblioteca, no mínimo, não foi eficiente. A mulher à qual entregou o maço, aliás, nem era uma das auxiliares de Spitzer.

Trabalhava na Biblioteca JFK. Ela não tinha acesso mais especial a Spitzer do que Markopolos. E, ainda que tivesse, quase certamente veria como sua responsabilidade proteger uma figura pública como Spitzer de homens misteriosos em sobretudos enormes segurando envelopes marrons sem timbre.

5.

Após seus fracassos com a SEC, Markopolos passou a portar uma pistola Smith & Wesson. Foi ver o chefe de polícia local na pequena cidade de Massachusetts onde morava. Markopolos contou sobre seu trabalho contra Madoff. Sua vida corria perigo, disse ele, mas pediu que aquele fato não constasse do arquivo do distrito. O chefe indagou se ele queria usar um colete à prova de balas. Markopolos respondeu que não. Ele passara 17 anos na reserva do Exército e sabia algo sobre táticas letais. Seus assassinos, ele raciocinou, seriam profissionais. Dariam dois tiros na nuca. Um colete não faria diferença. Markopolos instalou um sistema de alarme de alta tecnologia em sua casa. Trocou as fechaduras. Teve o cuidado de seguir uma rota diferente para casa todas as noites. Conferia o entorno pelo espelho retrovisor.

Quando Madoff se entregou, Markopolos pensou – por um momento – que poderia enfim estar seguro. Mas aí percebeu que apenas substituíra uma ameaça por outra. A SEC não iria atrás de seus arquivos agora? Afinal, ele dispunha de anos de indícios meticulosamente documentados de, no mínimo, a incompetência e, no máximo, a cumplicidade criminosa da SEC. Se o procurassem, concluiu, sua única esperança seria mantê-los afastados o máximo possível, até conseguir obter ajuda. Ele carregou uma escopeta calibre 12 e acrescentou seis outros cartuchos à coronha. Pendurou uma cartucheira de 20 cartuchos extras em seu cofre de armas. Depois desencavou sua máscara antigás dos seus dias de exército. Vai que chegam lançando gás lacrimogêneo? Ficou sentado em casa, armas engatilhadas – enquanto o resto de nós calmamente cuidava da própria vida.

CAPÍTULO CINCO

Estudo de caso:
O menino no chuveiro

1.

Acusação: Quando você era assistente de pós-graduação em 2001, aconteceu algo que fosse incomum?
McQueary: Sim.
Acusação: Poderia contar aos jurados sobre essa ocorrência?

21 de março de 2017. Tribunal do Condado de Dauphin em Harrisburg, Pensilvânia. A testemunha é Michael McQueary, ex-*quarterback* que se tornou treinador auxiliar do time de futebol americano da Universidade Estadual da Pensilvânia: robusto, autoconfiante, cabelos cor de páprica cortados bem rente. Seu interrogador é a subprocuradora-geral do estado da Pensilvânia, Laura Ditka.

McQueary: Uma noite, eu estava me dirigindo ao prédio de futebol – Lasch Football Building – e prossegui até um dos vestiários do prédio. [...] Abri a porta do vestiário. Ouvi água caindo do chuveiro, ouvi sons de tapas e entrei por outra porta que já estava escorada para ficar aberta. Meu armário ficava imediatamente à minha direita. Virei para ele e obviamente eu sabia que alguém estava no vestiário tomando uma ducha. E os sons de tapas me alertaram de que estava rolando algo mais do que uma simples ducha.

Naquele ponto, Ditka o interrompe. Que horas eram? McQueary diz: 20h30 de uma sexta-feira. Aquele canto do campus está silencioso. O prédio Lasch está praticamente deserto. As portas estão trancadas.

Acusação: Ok. Interrompi você. Gostaria de fazer outra pergunta. Você descreveu algo como sons de tapas. Não está falando sobre algo como palmas, aplausos?

McQueary: Não, não.

Acusação: Está falando sobre um tipo de som diferente?

McQueary: Sim.

McQueary contou que olhou por sobre seu ombro direito para um espelho na parede, que lhe permitia ver, num certo ângulo, dentro da cabine do chuveiro. Viu um homem nu de pé atrás de alguém que chamou de um "indivíduo menor de idade".

Acusação: Você conseguiu ver... você diz, um indivíduo menor de idade. Estamos falando de alguém com 16 ou 17 anos, ou alguém que parecia mais novo ainda?

McQueary: Ah, mais novo.

Acusação: Qual seria a estimativa de idade do menino que você viu?

McQueary: Uns 10 a 12 anos.

Acusação: Eles estavam vestidos ou despidos?

McQueary: Despidos, nus.

Acusação: Você viu algum movimento?

McQueary: Movimento lento, bem sutil, mas quase nenhum.

Acusação: Mas o movimento lento, sutil que você viu, que tipo de movimento era? O que estava se movendo?

McQueary: Era Jerry atrás do menino, bem colado nele.

Acusação: Pele com pele?

McQueary: Sim, com certeza.

Acusação: Barriga colada nas costas?

McQueary: Sim.

O "Jerry" a que McQueary estava se referindo era Jerry Sandusky, que acabara de se aposentar como coordenador defensivo do time de futebol americano da Universidade Estadual da Pensilvânia (Penn State). Sandusky era uma figura adorada naquela universidade obcecada por futebol. McQueary o conhecia havia anos.

McQueary subiu correndo até a sua sala e ligou para os pais. "Ele é alto e é um sujeito bem robusto, não é um medroso. Mas estava abalado", contou o pai de McQueary ao tribunal depois que seu filho encerrou o próprio depoimento. "Estava claramente abalado. Sua voz não estava normal. Basta dizer que a mãe percebeu isso só de falar ao telefone, sem vê-lo. Ela disse: 'Tem algo de errado, John.'"

Depois que McQueary viu Sandusky no chuveiro em fevereiro de 2001, foi falar com seu chefe, Joe Paterno, o lendário treinador do time de futebol americano da Penn State.

> **Acusação:** Você explicou para ele que Jerry Sandusky estava nu no chuveiro?
> **McQueary**: Sim, com certeza.
> **Acusação:** Você explicou para ele que havia contato pele a pele com o menino?
> **McQueary**: Acredito que sim; sim, senhora.
> **Acusação:** E explicou para ele que ouviu aqueles sons de tapas?
> **McQueary**: Sim.
> **Acusação:** Ok. Qual foi... não estou perguntando o que ele disse. Qual foi a reação dele? Qual foi a atitude?
> **McQueary**: De tristeza. Ele meio que afundou na cadeira e pôs as mãos na frente do rosto, e seus olhos ficaram tristes.

Paterno contou ao seu chefe, o diretor esportivo da Penn State, Tim Curley. Este contou para outro administrador sênior da universidade, Gary Schultz. Curley e Schultz então contaram ao reitor da faculdade, Graham Spanier. Uma investigação se seguiu. No devido tempo, Sandusky foi preso, e no seu julgamento emergiu uma história extraordinária. Oito jovens atestaram que Sandusky havia abusado deles centenas de vezes no decorrer dos anos, em quartos de hotéis e chuveiros de vestiários, e até no porão de sua casa enquanto sua mulher estava no andar de cima. Sandusky foi condenado por 45 acusações de abuso sexual de menores. A Penn State pagou mais de 100 milhões de dólares em indenizações às vítimas dele.* Ele se tornou

---

* Na época, aquela foi uma quantia recorde para uma universidade americana num caso de abuso sexual. Mas esse recorde logo seria quebrado no caso de Larry Nassar na Universidade Estadual do Michigan, cujas indenizações pagas pela faculdade podem acabar atingindo 500 milhões de dólares.

– como diz o título de um livro sobre o caso – "o homem mais odiado dos Estados Unidos".

O fato mais sensacional sobre o caso Sandusky, porém, foi a expressão "no devido tempo". McQueary viu Sandusky no chuveiro em 2001. A investigação da conduta de Sandusky começou quase uma década depois, e Sandusky só veio a ser preso em novembro de 2011. Por que levou tanto tempo? Depois que Sandusky foi posto atrás das grades, o foco se voltou para a liderança da Penn State. Joe Paterno, o técnico de futebol americano da faculdade, demitiu-se desmoralizado e morreu pouco depois. Uma estátua sua que havia sido erguida alguns anos antes foi removida. Tim Curley e Gary Schultz, os dois administradores graduados da universidade com quem McQueary havia se encontrado, foram acusados de conluio, obstrução da justiça e por deixar de reportar um caso de abuso infantil.* Ambos foram para a cadeia. Na conclusão final e devastadora do escândalo, os promotores voltaram a atenção para o reitor da universidade, Graham Spanier. Ele havia dirigido a faculdade por 16 anos e transformado a reputação acadêmica dela. Era adorado. Em novembro de 2011, foi demitido. Seis anos depois, foi condenado por exposição de criança a situação de risco.**

No auge da controvérsia, Sandusky deu uma entrevista ao âncora esportivo Bob Costas, da NBC.

>**Costas:** Você afirma que não é pedófilo.
>**Sandusky:** Certo.
>**Costas:** Mas é um homem que, conforme você mesmo admitiu, tomava banho com meninos. Altamente inapropriado. [...] Há vários relatos de você indo para a cama com meninos que se hospedavam na sua casa num quarto do porão. Como explica essas coisas? E se não é pedófilo, o que você é então?
>**Sandusky:** Bem, sou uma pessoa que se interessou fortemente... sou uma pessoa muito dedicada em termos de tentar fazer a diferença na vida de alguns jovens. Eu me esforcei muito para tentar me conectar com eles...

---

* As acusações também incluíram perjúrio (que logo foi abandonada) e exposição de criança a situação de risco. No fim, os dois homens admitiram a culpa somente de "exposição da criança a situação de risco", para que todas as outras acusações pudessem ser retiradas.
** Em abril de 2019, a condenação de Spanier foi rejeitada por um juiz federal, um dia antes de ele ter que se apresentar na prisão. No mês seguinte, a acusação apelou da decisão.

Costas: Mas o que você está descrevendo não é o clássico *modus operandi* de muitos pedófilos? [...]
Sandusky: Bem... você pode achar isso. Eu não sei.

Sandusky riu nervoso e se lançou numa longa explicação para se defender. E depois:

Costas: Você sente atração sexual por meninos mais novos... por meninos menores de idade?
Sandusky: Se sinto atração sexual por meninos menores de idade?

Uma pausa.

Costas: Sim.

Outra pausa.

Sandusky: Atração sexual, veja bem, eu... eu gosto de gente jovem. Eu... eu adoro estar perto deles. Eu... eu... mas não, não sinto atração sexual por meninos mais jovens.

Graham Spanier deixou *esse* homem circular livremente pelo campus da Penn State.
Mas eis a minha pergunta, à luz de Ana Montes, Bernie Madoff, Harry Markopolos e cada um dos indícios reunidos por Tim Levine sobre nossa dificuldade em superar o pressuposto da verdade: você acha que, se fosse o reitor da Penn State, confrontado com o mesmo conjunto de fatos e questões, teria se comportado de maneira diferente?

2.

Jerry Sandusky cresceu em Washington, Pensilvânia. Seu pai dirigia o centro recreativo da comunidade local, organizando programas de esportes para crianças. Os Sanduskys moravam no andar de cima do centro.

Sua casa era repleta de tacos de beisebol e bolas de basquete e futebol. Havia crianças por toda parte. Como adulto, Sandusky recriou o mundo de sua infância. O filho de Sandusky, E.J., certa vez descreveu o pai como "um diretor de parquinho frustrado". Sandusky organizava jogos de *kickball* no quintal. Conforme o relato de E.J.: "Papai envolvia cada uma das crianças. Tínhamos os maiores torneios de *kickball* dos Estados Unidos – jogos com 40 crianças." Sandusky e sua esposa, Dottie, adotaram seis crianças e criavam várias outras. "Eles acolheram tantas crianças que nem seus amigos mais chegados conseguiam ficar a par de todas elas", escreveu Joe Posnanski na biografia de Joe Paterno, o chefe de Sandusky. "Sandusky vivia tão cercado de crianças que elas se tornaram parte de sua persona."

Sandusky era um palhaço e exibicionista. Grande parte de sua autobiografia é dedicada a histórias de suas brincadeiras: a vez em que sujou de carvão o fone do seu professor de química, a vez em que brigou com um salva-vidas por causa de suas bagunças com seus filhos numa piscina pública. Quatro páginas e meia são preenchidas pelas guerras de balões de água que ele organizava na faculdade. "Aonde quer que eu fosse, parecia atrair confusões", escreveu Sandusky. "Vivo grande parte de minha vida num mundo de faz de conta", continua. "Eu adorava fantasiar quando criança, e adoro fazer o mesmo como adulto com essas crianças. O faz de conta sempre foi parte de mim."

Em 1977, Sandusky fundou uma instituição de caridade chamada Second Mile (Segunda Milha). Era um programa recreativo para meninos problemáticos. Através dos anos, milhares de crianças de lares pobres e conturbados da área passaram pelo programa. Sandusky levava os garotos da Second Mile para jogos de futebol americano. Brincava de luta com eles. Dava-lhes presentes, escrevia-lhes cartas, levava-os em viagens e trazia-os à sua casa. Muitos dos meninos estavam sendo criados por mães solteiras. Ele tentava ser o pai que não tinham.

"Se Sandusky não tivesse um lado tão humano, haveria uma tentação ali [em Penn State] de canonizá-lo", disse um redator da *Sports Illustrated*, depois que Sandusky se aposentou da equipe de treinamento de futebol americano na Penn State.

Eis parte de um artigo do jornal *Philadelphia Inquirer*, da mesma época:

Em mais de um corredor de hotel, sempre que você o encontrasse, se oferecesse ainda que o mais vago tipo de elogio, ele corava e um sorriso envolvente, de modéstia, se formava em seu rosto. Ele não se envolveu nessa atividade por reconhecimento. Sua defesa joga diante de milhões. Mas quando ele abre a porta e acolhe mais uma pessoa abandonada, não há público. O sinal enobrecedor do homem é ele ter optado pelo trabalho realizado sem conhecimento público.

As primeiras dúvidas sobre a conduta de Sandusky surgiram em 1998. Um menino da Second Mile chegou em casa após um dia com Sandusky e sua mãe percebeu que seus cabelos estavam molhados. O menino contou que treinara com Sandusky e depois os dois haviam tomado banho no vestiário. O menino disse que Sandusky o envolveu com os braços e disse: "Vou apertá-lo até você não aguentar mais." Depois o ergueu para "remover o sabonete dos cabelos", os pés do menino tocando na coxa de Sandusky.*

A mãe contou à psicóloga do filho, Alycia Chambers, o que acontecera. Mas estava em dúvida sobre como interpretar o incidente. "Estou exagerando na minha reação?", perguntou ela a Chambers. Seu filho, por sua vez, não viu nada de anormal. Ele se descrevia como "o menino mais sortudo do mundo" porque, quando estava com Sandusky, podia ficar na beira do campo nas partidas de futebol americano da Penn State.

O caso foi encerrado.

O próximo incidente relatado ocorreu 10 anos depois, envolvendo um menino chamado Aaron Fisher, que estava no programa da Second Mile desde o quarto ano. Vinha de um lar atribulado. Viera a conhecer bem Sandusky e passava várias noites na casa dele. Sua mãe via Sandusky como "algum tipo de anjo". Mas em novembro de 2008, quando ele tinha 15 anos, Fisher contou à mãe que se sentia desconfortável com algumas atitudes de Sandusky. Este o segurava firmemente e estalava suas costas. Lutava com ele de uma forma que parecia estranha.

---

* Isso não era incomum para Sandusky. Ele sempre tomava banho após os treinos com os meninos da Second Mile e adorava brincadeiras de vestiário. "O que acontecia é que [...] as brincadeiras davam início a uma batalha de sabonete", um ex-participante da Second Mile testemunhou no julgamento de Sandusky. "Havia dispensadores ao lado de cada um dos chuveiros, e ele enchia a mão de sabonete e basicamente o lançava."

Fisher foi encaminhado a um psicólogo infantil chamado Mike Gillum, um adepto da ideia de que vítimas de abuso sexual às vezes soterram suas experiências tão fundo que elas só conseguem ser acessadas com cuidado e paciência. Estava convencido de que Sandusky havia abusado sexualmente de Fisher, mas que este não conseguia se lembrar. Fisher encontrou-se com seu terapeuta repetidas vezes, às vezes diariamente, durante meses, com Gillum encorajando-o e orientando-o. Como diria mais tarde um dos investigadores da polícia envolvidos no caso: "Levou meses para fazer com que a primeira criança [falasse] depois de ser trazida à nossa atenção. Primeiro era 'Sim, ele esfregava minhas costas', depois era preciso repetir e repetir, até enfim chegarmos ao ponto em que ela nos contasse o que tinha acontecido." Em março de 2009, Fisher assentiu com a cabeça quando perguntaram se fizera sexo oral com Sandusky. Em junho, enfim responderia: "Sim."

Aqui temos duas queixas contra Sandusky no decorrer de uma década. Nenhuma, porém, levou à prisão dele. Por quê? De novo, por causa do pressuposto da verdade.

A dúvida e a suspeita chegaram a um nível em que não poderiam mais ser dissipadas no caso de 1998 do menino da Second Mile no chuveiro? Absolutamente não. O psicólogo do menino escreveu um relatório sobre o caso sustentando que o comportamento de Sandusky se enquadrava na definição de um "padrão provável de pedófilo de desenvolver confiança e introdução gradual de toque físico, dentro de um contexto de um relacionamento 'carinhoso', 'especial'". Repare na palavra *provável*. Depois um assistente social escalado para o incidente pelo Departamento de Bem-Estar Público de Harrisburg investigou e teve ainda menos certeza. Achou que o incidente se enquadrava em uma área "cinza" relativa a "questões fronteiriças". O menino passou então por uma segunda avaliação com um orientador psicológico chamado John Seasock, que concluiu: "Parece não ter havido qualquer incidente que pudesse ser chamado de abuso sexual, nem apareceu qualquer padrão sequencial de lógica e conduta geralmente compatível com adultos que têm problemas com abuso sexual de crianças." Seasock não viu nada daquilo. Disse que alguém deveria conversar com Sandusky sobre como "evitar essas situações de área cinza no futuro".

O assistente social e um detetive da polícia local foram falar com Sandusky. Este contou que havia abraçado o menino, mas "não havia nada de sexual naquilo". Admitiu ter tomado duchas com outros meninos no passado. Ele disse: "Juro por Deus, nada aconteceu." E lembremos que o próprio menino também disse que não houve nada. Então o que você faz? Pressupõe que é verdade.

A versão de Aaron Fisher era igualmente ambígua.* O que Fisher lembrava, durante todas aquelas conversas com seu terapeuta e em sessões com o grande júri, mudava constantemente. Certa vez ele disse que o sexo oral cessou em novembro de 2007. Outra vez disse que começou no verão de 2007 e continuou até setembro de 2008. Ainda outra vez disse que começou em 2008 e continuou até 2009. Ele afirmou que fez sexo oral em Sandusky várias vezes. Uma semana depois, declarou que só o fizera uma vez, e cinco meses mais tarde negou tê-lo feito. Fisher depôs sobre Sandusky diante do grande júri duas vezes em 2009, mas parece que o júri não o achou confiável, pois se recusou a indiciar Sandusky.

A polícia começou a entrevistar sistematicamente outros meninos que participaram do programa Second Mile, em busca de vítimas. Saíram de mãos abanando. Aquilo continuou por *dois anos*. O promotor que conduzia o caso estava prestes a jogar a toalha. Você tem um marmanjo que gosta de brincadeiras idiotas com meninos. Algumas pessoas tiveram dúvidas sobre Sandusky. Mas lembre-se de que as dúvidas não são as inimigas da crença; são suas companheiras.

Até que, do nada, em novembro de 2010, o Ministério Público recebeu um e-mail anônimo: "Estou entrando em contato com vocês a respeito da investigação sobre Jerry Sandusky. Se ainda não o fizeram, precisam falar com o treinador auxiliar de futebol americano Mike McQueary da Penn State. Ele pode ter testemunhado algo envolvendo Jerry Sandusky e uma criança."

Não mais adolescentes problemáticos com lembranças incertas. Com Michael McQueary, a promotoria enfim dispunha dos meios de acusar Sandusky e a direção da universidade. Um homem vê um estupro, conta ao seu chefe e nada acontece – *por 11 anos*. Se você leu sobre o caso Sandusky na época, essa é a versão que provavelmente ouviu, despojada de toda ambiguidade e dúvida.

---

* A ideia de que lembranças traumáticas são reprimidas e só podem ser acessadas sob a orientação do terapeuta é – no mínimo – controversa. Veja a seção de Notas para uma discussão adicional.

"Existe um ditado que diz que o poder absoluto corrompe absolutamente", afirmou a promotora Laura Ditka em seu argumento final no julgamento de Spanier. "E eu diria a vocês que Graham Spanier foi corrompido por seu próprio poder e cegado por sua própria reputação e pela atenção da mídia. Ele é um líder que falhou ao liderar." Na Penn State, a conclusão final foi que a culpa pelos crimes de Sandusky ia até os altos escalões. Spanier fez uma escolha, segundo Ditka: "Vamos manter em segredo", ela o imaginou falando para Curley e Schultz. "Não vamos denunciar. Não vamos contar às autoridades."

Se as coisas fossem tão simples assim...

3.

Michael McQueary tem 1,96 metro de altura. Quando começou como *quarterback* da Penn State, pesava 102 quilos. Na época do incidente do chuveiro, estava com 27 anos, no auge físico de sua vida. Sandusky era 30 anos mais velho, com um extenso rol de problemas médicos.

Primeira pergunta: se McQueary tinha absoluta certeza de que testemunhara um estupro, por que não interveio para impedi-lo?

Na Parte III do livro, vou contar um caso de ataque sexual na Universidade Stanford. Foi descoberto quando dois estudantes de pós-graduação estavam andando de bicicleta à meia-noite pelo campus e viram um homem e uma mulher jovens deitados no chão. O homem estava em cima, fazendo movimentos de penetração. A mulher estava parada. Os dois estudantes se aproximaram do casal. O homem correu. Os estudantes foram atrás. Os fatos eram suspeitos o suficiente para que os estudantes abandonassem a premissa padrão de que a relação era consensual.

McQueary enfrentou uma situação que foi – em teoria, ao menos – bem mais suspeita. Não eram dois adultos. Era um homem e um *menino*, ambos nus. Mas McQueary não interveio. Deu as costas, correu para cima e ligou para o pai. Este pediu que fosse para casa. Aí seu pai solicitou que um amigo da família, um médico chamado Jonathan Dranov, ouvisse a história de Michael.

Eis Dranov, sob juramento, descrevendo o que McQueary lhe contou:

Ele disse que ouviu sons, sons sexuais. E perguntei o que ele quis dizer. E ele apenas disse: "Bem, você sabe, sons sexuais." Ora, eu não sabia exatamente do que ele estava falando. Ele não se tornou mais descritivo ou detalhado, mas, quando pressionei, ficou óbvio que não iria dizer mais nada sobre aquilo no momento. Perguntei o que ele viu. Ele disse que não viu nada, mas, repito, estava abalado e nervoso.

Dranov é médico. Tem o dever de informar qualquer abuso infantil de que tome conhecimento. Segunda pergunta: por que Dranov não recorreu às autoridades quando ouviu a história de McQueary? Ele foi questionado sobre isso durante o julgamento.

Defesa: Ora, você o pressionou naquela noite e quis saber o que especificamente ele tinha visto, mas pelo que entendi ele não lhe contou o que tinha visto. Correto?
Dranov: Está correto.
Defesa: Tudo bem. Ele contou... mas após ouvir tudo você ficou com a impressão de que ele ouviu sons sexuais. Correto?
Dranov: O que ele interpretou como sons sexuais.

O que ele *interpretou* como sons sexuais.

Defesa: E seu... o plano que você apresentou ou propôs foi que ele devia contar ao chefe, Joe Paterno. Correto?
Dranov: Está correto.
Defesa: Você não o aconselhou a contar para os serviços de proteção a crianças e jovens. Correto?
Dranov: Está correto.
Defesa: Você não o aconselhou a informar a polícia. Correto?
Dranov: Está correto.
Defesa: Você não o aconselhou a informar a segurança do campus. Correto?
Dranov: Está correto...
Defesa: Você não achou apropriado denunciar aquilo com base em rumores. Correto?
Dranov: Está correto.

Defesa: Na verdade, a razão pela qual você não aconselhou Mike McQueary a informar os serviços de proteção a crianças e jovens ou a polícia é porque você não achou que o que Mike McQueary lhe relatou fosse inapropriado o suficiente para essa espécie de denúncia. Correto?
Dranov: Está correto...

Dranov ouviu a história de McQueary, pessoalmente, *na noite em que aconteceu*, e não ficou convencido.

As coisas ficam ainda mais complicadas. McQueary originalmente disse que viu Sandusky no chuveiro na sexta-feira, 1º de março de 2002. Era recesso de primavera. Ele lembra que o campus estava deserto, e disse que foi ver Paterno no dia seguinte – sábado, 2 de março. Mas quando os investigadores examinaram os e-mails da universidade, descobriram que McQueary se confundiu. A data de seu encontro com Paterno foi na verdade um ano antes – sábado, 10 de fevereiro de 2001 –, o que sugeriria que o incidente do vestiário ocorrera na noite anterior: sexta-feira, 9 de fevereiro.

Isso não faz sentido. McQueary lembra que o campus estava deserto na noite do ocorrido. Mas na noite daquela sexta-feira de fevereiro o campus da Penn State não estava nem um pouco deserto. O time de hóquei da universidade estava enfrentando o de West Virginia no Pavilhão Greenberg logo ao lado, numa partida que começou às 21h15. A calçada devia estar repleta de gente se dirigindo à arena. E a cinco minutos a pé de distância, no Centro Bryce Jordan, a popular banda de rock canadense Barenaked Ladies estava tocando. Naquela noite especificamente, aquele canto do campus da Penn State estava uma confusão.

John Ziegler, um jornalista que escreveu amplamente sobre a controvérsia da Penn State, argumenta que a única sexta-feira plausível naquele período de tempo imediato quando o campus estaria deserto é 29 de dezembro de 2000 – durante o recesso de Natal. Se Ziegler está certo – e seus argumentos são persuasivos –, isso leva a uma terceira questão: se McQueary testemunhou um estupro, por que aguardaria cinco semanas – do fim de dezembro ao início de fevereiro – para informar alguém da direção da universidade?*

---

* Os indícios coletados por Ziegler sobre este ponto são fortíssimos. Por exemplo, quando Dranov testemunhou no julgamento de Spanier, disse que se encontrara com Gary Schultz para tratar de um assunto totalmente diferente no fim daquele mês de fevereiro e mencionara a questão de Sandusky "já

A promotoria no caso Sandusky fingiu que essas incertezas e ambiguidades não existiram. Contou ao público que tudo era simples e evidente. A acusação devastadora de 23 páginas divulgada em novembro de 2011 afirma que o "assistente de pós-graduação" – McQueary – "viu um menino nu [...] com as mãos para cima encostadas na parede, sendo sujeitado à relação anal por Sandusky nu". Depois, no dia seguinte, McQueary "foi para a casa de Paterno, onde informou o que havia visto". Mas nenhuma dessas alegações corresponde aos fatos, certo?

Quando McQueary leu aquelas palavras no indiciamento, enviou um e-mail para Jonelle Eshbach, a promotora principal no caso. Ele estava contrariado. "As minhas palavras foram ligeiramente distorcidas e não retratadas com total precisão", escreveu. "Quero me certificar de que você obtenha os fatos de novo caso eu não tenha sido claro." Depois: "Não posso afirmar com 1.000% de certeza que foi sodomia. Não vi penetração. Foi um ato sexual e/ou algo bem além do limite aceitável na minha opinião, seja o que tiver sido." Ele queria corrigir os registros. "Quais são minhas opções no tocante à minha declaração?", perguntou a Eshbach.

Pense em como McQueary deve ter se sentido ao ler como Eshbach havia distorcido suas palavras. Ele havia visto algo que julgou perturbador. Por cinco semanas, lutando com sua consciência, deve ter sofrido. *O que eu vi? Deveria dizer algo? E se eu estiver errado?* Aí ele leu o indiciamento, e o que achou? Que os promotores, para servir aos seus próprios fins, tinham transformado cinza em preto e branco. E o que aquilo fez dele? Um covarde que testemunhou um estupro, saiu correndo para ligar para os pais e nunca informou à polícia.

"Minha vida mudou drasticamente", escreveu ele para Eshbach. O Sandusky que tomava duchas com meninos tarde da noite era um estranho para McQueary, e Eshbach recusara-se a reconhecer como é difícil interpretar um estranho. "A vida de minha família mudou drasticamente", pros-

---

que haviam decorrido talvez três meses desde o incidente e nós não tínhamos ouvido nenhuma notícia nova". Chegaremos um dia a saber a data exata? Provavelmente não.

Ziegler é o mais vociferante daqueles que acreditam que Sandusky foi acusado injustamente. Veja também: Mark Pendergrast, *The Most Hated Man in America* (O homem mais odiado dos Estados Unidos). Alguns dos argumentos de Ziegler são mais convincentes do que outros. Para uma discussão mais longa sobre os céticos em relação ao caso Sandusky, veja a seção de Notas.

seguiu McQueary. "A mídia nacional e a opinião pública me arruinaram por completo, de todas as formas. Para quê?"

4.

É útil comparar o escândalo de Sandusky com um segundo caso, ainda mais dramático, de abuso sexual de menor que irrompeu uns anos depois. Envolveu um médico da Universidade Estadual do Michigan (Michigan State) chamado Larry Nassar. Ele era médico da seleção americana de ginástica feminina. Usava óculos, era tagarela, um pouco desajeitado. *Parecia* inofensivo. Demonstrava adorar suas pacientes. O tipo de pessoa a quem você podia ligar às duas da madrugada que ele vinha correndo. Os pais o amavam. Tratava de quadris, canelas, tornozelos e a miríade de outras lesões que resultam da enorme pressão que a ginástica competitiva exerce sobre os corpos jovens.

A especialidade de Nassar era o tratamento do que se conhece por "disfunção do assoalho pélvico", que envolve inserir os dedos na vagina da paciente para massagear músculos e tendões encurtados pelas exigências físicas do treinamento de ginástica. Realizava o procedimento do assoalho pélvico repetidamente e com entusiasmo. Fazia-o sem consentimento, sem usar luvas e quando não era necessário. Massageava os seios de suas pacientes. Penetrava-as analmente com os dedos sem motivo aparente. Usava um procedimento médico para encobrir sua própria gratificação sexual. Foi condenado em acusações federais em meados de 2017 e passará o resto da vida na prisão.

No tocante a escândalos de abuso sexual, o caso de Nassar é notadamente claro. Não é uma questão de "ele disse, ela disse". A polícia apreendeu o disco rígido do computador de Nassar e achou uma biblioteca de pornografia infantil – 37 mil imagens no total, algumas indizivelmente explícitas. Ele tirara fotografias de suas jovens pacientes sentadas na banheira dele tomando banho de gelo antes do tratamento. Não tinha apenas uma acusadora contando uma história polêmica. Tinha centenas de acusadoras contando histórias notadamente similares. Eis Rachael Denhollander, cujas alegações contra Nassar mostraram-se cruciais para sua condenação.

> Aos 15 anos, quando sofri de dores crônicas nas costas, Larry abusou sexualmente de mim repetidamente sob o disfarce de tratamento médico por quase um ano. Fez isso com minha própria mãe na sala, obstruindo com cuidado e perfeição sua visão, para que ela não soubesse o que ele estava fazendo.

Denhollander dispunha de provas, documentação.

> Quando me apresentei em 2016, eu tinha um arquivo inteiro de provas comigo. [...] Levei prontuários médicos de uma enfermeira documentando minha revelação detalhada do abuso [...] Eu tinha meus diários mostrando a angústia que senti desde o assédio. [...] Levei uma testemunha à qual havia revelado aquilo [...] Levei as provas de duas outras mulheres não ligadas a mim que também estavam denunciando assédio sexual.

O caso Nassar era simples e evidente. No entanto, quanto tempo decorreu até ele enfrentar a justiça? *Anos*. Larissa Boyce, outra das vítimas de Nassar, disse que foi abusada por ele em 1997, quando tinha 16 anos. E o que aconteceu? Nada. Boyce contou à treinadora de ginástica da Michigan State, Kathie Klages. Esta confrontou Nassar. Ele negou tudo. Klages acreditou em Nassar, não em Boyce. As alegações levantaram dúvidas, mas não dúvidas suficientes. Os abusos prosseguiram. No julgamento de Nassar, num momento comovente, Boyce dirigiu-se diretamente a ele, dizendo:

> Eu temia minha próxima consulta com você porque tinha receio de que Kathie já tivesse lhe contado sobre minhas preocupações. E infelizmente eu estava certa. Fiquei com vergonha, constrangida e consternada por ter conversado com Kathie sobre aquilo. Lembro vivamente de quando você entrou naquela sala, fechou a porta atrás de si, puxou seu banco, sentou-se na minha frente e disse: "Então, conversei com Kathie." Assim que ouvi aquelas palavras, senti meu coração afundar dentro do peito. Minha confiança havia sido traída. Eu queria me enfiar no mais fundo e escuro buraco e me esconder.

No decorrer da carreira de Nassar como predador sexual, houve até 14 ocasiões em que pessoas em posição de autoridade foram advertidas de que algo estava errado com ele: pais, técnicos, dirigentes. Nada aconteceu. Em setembro de 2016, o jornal *Indianapolis Star* publicou um relato devastador do histórico de Nassar, respaldado pelas acusações de Denhollander. Muitas pessoas próximas de Nassar o apoiaram mesmo depois daquilo. O chefe de Nassar, o diretor de medicina osteopática da Michigan State, supostamente contou aos alunos: "Isso apenas mostra que nenhum de vocês aprendeu a lição mais básica em medicina. [...] Não confie em seus pacientes. Pacientes mentem para pôr os médicos em apuros." Kathie Klages pediu que as ginastas de sua equipe assinassem um cartão para Nassar com os dizeres "Estamos com você".

Foi preciso descobrir o disco rígido do computador de Nassar, com sua coleção de imagens chocantes, para enfim mudar a cabeça das pessoas.

Quando escândalos assim irrompem, uma de nossas primeiras inclinações é acusar aqueles em posição de autoridade de dar cobertura ao criminoso: protegê-lo, deliberadamente fazer vista grossa ou pôr seus interesses institucionais ou financeiros acima da verdade. Buscamos uma conspiração por trás do silêncio. Mas o caso Nassar nos lembra quão inadequada é essa interpretação. Muitos dos maiores defensores de Nassar eram os pais das pacientes dele. Eles não estavam envolvidos em nenhum tipo de conspiração de silêncio para proteger instituições maiores ou interesses financeiros. *Aquelas eram suas filhas.*

Eis a mãe de uma ginasta – ela própria médica, por sinal – em entrevista para o *Believed*, um podcast brilhante sobre o escândalo Nassar. A mulher estava no consultório enquanto Nassar tratava de sua filha, sentada a pouca distância.

> E me lembro de, pelo canto do olho, ver o que parecia ser uma ereção. Pensei: "Isso é estranho. Realmente estranho. Pobre sujeito." Achei muito estranho para um médico ter uma ereção num consultório enquanto submete a paciente a um exame...
>
> Mas naquele instante, enquanto você está no consultório e ele está fazendo o procedimento, você apenas pensa que ele está sendo um bom médico e fazendo o melhor por sua filha. Ele era esperto assim. Sereno assim.

Em outro caso, uma menina vai ver Nassar com seu pai. Nassar mete seus dedos dentro dela, com o pai sentado na sala. Naquele mesmo dia, a ginasta conta à mãe. Eis como a mãe recordou aquele momento:

> Lembro daquilo como se tivesse acontecido há cinco segundos. Estou no banco do motorista, ela está no banco do carona e diz:
> – Larry fez algo comigo hoje que me deixou incomodada.
> – O que aconteceu? – perguntei.
> – É que ele... tocou em mim.
> – Tocou você onde?
> – Lá embaixo – respondeu ela.
> E o tempo todo você sabe do que ela está falando mas fica tentando racionalizar que não pode ser aquilo.

Ela ligou para o marido e indagou se ele havia deixado a sala por algum momento durante a consulta. Ele respondeu que não. "E... Deus me perdoe, eu deixei aquilo de lado. Deixei aquilo guardado no 'fundo do armário' até 2016."

Após algum tempo, os relatos começam a soar todos iguais. Eis outro pai:

> E ela está sentada no carro muito silenciosa e depressiva, dizendo:
> – Pai, ele não está ajudando com a dor nas costas. Não vamos mais lá.
> Mas trata-se de Larry. É o médico da ginástica. Se ele não conseguir curá-la, ninguém mais vai conseguir. Só Deus tem mais competências do que Larry.
> – Tenha paciência, querida. Vai levar algum tempo. Coisas boas levam tempo – falei.
> É o que sempre ensinamos aos nossos filhos. Assim, eu insisti:
> – Ok. Vamos lá de novo semana que vem, e depois, na seguinte. E então você vai começar a ver a melhora.
> – Tudo bem, pai – concordou ela. – Você que sabe. Confio no seu julgamento.

O fato de que Nassar vinha fazendo algo monstruoso é exatamente o que torna tão difícil a posição dos pais. Se Nassar tivesse sido rude com suas filhas, teriam reclamado imediatamente. Se as filhas tivessem contado a caminho de casa que Nassar estava com bafo de álcool, a maioria dos pais teria prestado atenção. Não é impossível imaginar que médicos ocasionalmente sejam rudes ou estejam bêbados. O pressuposto da verdade torna-se um problema quando somos forçados a escolher entre duas alternativas, uma provável e a outra impossível de imaginar. Ana Montes é a espiã a serviço de Cuba mais bem posicionada da história ou Reg Brown estava sendo paranoico? Ter a verdade como pressuposto nos inclina a favor da interpretação mais provável. Scott Carmichael acreditou em Ana Montes até o ponto em que acreditar nela tornou-se absolutamente impossível. Os pais fizeram o mesmo, não porque fossem negligentes, mas porque é assim que a maioria dos humanos está programada para funcionar.

Muitas das mulheres que sofreram abusos na verdade defenderam Nassar. Não conseguiram ver nada além da verdade como pressuposto. Trinea Gonczar foi tratada 856 vezes por Nassar durante sua carreira de ginasta. Quando uma de suas colegas de equipe veio lhe contar que Nassar havia enfiado os dedos nela, Gonczar tentou acalmá-la: "Ele faz isso comigo o tempo todo!"

Quando o *Indianapolis Star* divulgou a matéria sobre Nassar, Gonczar ficou do lado do médico. Estava convicta de que ele seria inocentado, que tinha sido tudo uma grande confusão. Quando ela mudou de ideia? Somente quando as provas contra Nassar tornaram-se esmagadoras. No julgamento de Nassar, quando Gonczar aderiu ao coro das vítimas testemunhando contra ele, enfim cedeu às suas dúvidas:

> Tive que fazer uma escolha extremamente difícil esta semana, Larry. Precisei optar entre continuar apoiando você nisso ou apoiar as meninas. Optei por elas, Larry. Opto por amá-las e protegê-las. Opto por parar de me importar com você e apoiá-lo. Opto por encará-lo e dizer que você nos magoa, você me magoa [...] Espero que você veja nos meus olhos hoje que sempre acreditei em você, até não poder mais acreditar. Espero que chore como nós choramos. Espero que se sinta mal pelo que fez. Espero mais do que tudo que a cada dia essas meninas possam sentir menos dor. Espero que você deseje o mesmo para nós, mas isto é um "adeus" para você, Larry, e desta vez está na hora

de eu fechar a porta. Está na hora de eu defender essas meninas e não apoiá-lo mais.

Adeus, Larry. Que Deus abençoe sua alma sombria e dilacerada.

Sempre acreditei em você, até não poder mais acreditar. Não é uma definição quase perfeita do pressuposto da verdade?

O pressuposto da verdade funciona mesmo no caso em que o criminoso tinha 37 mil imagens de pornografia infantil no seu disco rígido e havia sido acusado inúmeras vezes, por numerosas pessoas, no decorrer de sua carreira. O caso Nassar era simples e evidente – e ainda assim houve dúvidas. Agora imagine o mesmo cenário, só que num caso que *não* é simples e evidente. O caso Sandusky.

5.

Depois que as acusações contra Sandusky foram divulgadas, um de seus defensores mais fiéis foi um ex-participante da Second Mile chamado Allan Myers. Quando a polícia da Pensilvânia estava entrevistando garotos que tinham passado pela instituição na tentativa de corroborar as alegações contra Sandusky, contactou Myers, e ele foi categórico. "Myers disse que não acredita nas alegações que foram feitas e que o acusador [...] só está querendo ganhar dinheiro", dizia o relatório da polícia. "Myers continua mantendo contato com Sandusky uma ou duas vezes por semana por telefone." Myers contou à polícia que tomara banho no vestiário com Sandusky várias vezes após os treinos e nada de inconveniente ocorrera.

Dois meses depois, Myers foi ainda mais longe. Adentrou o escritório do advogado de Sandusky e fez uma revelação surpreendente. Após ler os detalhes da história de McQueary, percebeu que *ele* havia sido o menino no chuveiro naquela noite. Curtis Everhart, um investigador que trabalhava para o advogado de Sandusky, escreveu uma sinopse de sua conversa com Myers. Vale a pena citar em detalhes:

> Fiz a pergunta específica: "Jerry alguma vez o tocou de uma maneira que você considerasse imprópria ou que o levasse a se preocupar que

estivesse invadindo seu espaço pessoal?" Myers respondeu de forma bem decidida: "Nunca, jamais ocorreu algo assim."

Myers afirmou: "Nunca em minha vida, enquanto estava com Jerry, cheguei a [me sentir] constrangido ou [ser] violentado. Jerry é o pai que nunca tive." [...] Myers declarou sobre a partida de encerramento da temporada na West Branch High School: "Pedi que Jerry entrasse em campo com minha mãe. Anunciaram no alto-falante: 'Pai Jerry Sandusky', junto com o nome de minha mãe."

Ele continuou: "Convidei Jerry e Dottie para o meu casamento. Por que eu pediria a Jerry, minha figura paterna no encerramento da temporada de futebol americano, que fosse ao meu casamento (e a faculdade pediu que eu convidasse Jerry para discursar na minha formatura, o que ele fez) se houvesse algum problema? [...] Por que eu viajaria para as partidas, iria à sua casa e faria todas as excursões se Jerry tivesse me assediado? Se isso tivesse acontecido, eu iria querer manter o máximo de distância dele."

Myers descreveu a noite em questão detalhadamente. Declarou que ele e Jerry tinham encerrado um treino e foram para a área dos chuveiros tomar uma ducha antes de irem embora.

> Eu costumava treinar um ou dois dias na semana, mas aquela noite em particular está bem clara na minha mente. Estávamos no chuveiro, e Jerry e eu batíamos com as toalhas, um tentando acertar o outro. Eu me chocava contra as paredes e deslizava no chão do chuveiro, o que estou certo que você conseguiria ouvir da área dos armários de madeira. Enquanto estávamos nos divertindo da maneira que descrevi, ouvi o som de uma porta de armário se fechando, som que já havia ouvido antes. Não vi quem fechou a porta. Pelo relatório do grande júri, o treinador McQueary disse que observou Jerry e eu envolvidos em atividade sexual. Não é verdade, e McQueary não está contando a verdade. Nada aconteceu naquela noite no chuveiro.

Algumas semanas mais tarde, porém, Myers contratou um advogado que representava várias supostas vítimas de Sandusky. Myers então deu um depoimento à polícia em um tom completamente diferente. Ele agora dizia *ter sido* uma das vítimas de Sandusky.

Tudo bem se você achar esta história confusa. O menino no chuveiro era a testemunha mais importante de todo o caso. Os promotores tinham buscado essa pessoa por toda parte, porque ele seria o último prego no caixão de Sandusky. Eis que enfim ele vem à tona, nega que algo tenha ocorrido, depois quase imediatamente muda de ideia, dizendo que na verdade algo ocorreu, *sim*. Então Myers se tornou a principal testemunha de acusação no julgamento de Sandusky? Isso faria sentido. Ele era a peça mais importante de todo o quebra-cabeça. Mas não! A acusação o deixou em casa por não confiar em sua história.*

A única vez em que Myers chegou a aparecer no tribunal foi para depor na apelação de Sandusky. Este pedira que ele depusesse, na vã esperança de que Myers voltasse à sua posição original e dissesse que nada acontecera no chuveiro. Myers não voltou atrás. Pelo contrário: enquanto os advogados liam para Myers cada uma das suas afirmações de um ano atrás sobre a inocência de Sandusky, Myers permaneceu sentado, sem mostrar nenhuma emoção, dando de ombros para tudo, inclusive uma foto sua feliz ao lado de Sandusky. Quem são as pessoas na foto?, perguntaram.

Myers: Sou eu e seu cliente.
Defesa: E quando esta foto foi tirada? Se você souber.
Myers: Isto eu não lembro.

Era uma foto de Myers e Sandusky no casamento de Myers. No total, ele disse que não lembrava 34 vezes.

Depois veio Brett Swisher Houtz, um jovem da Second Mile de quem Sandusky havia sido bem próximo. Foi provavelmente a testemunha mais devastadora no julgamento de Sandusky. Houtz afirmou ter sido repetidamente assediado e abusado – contou sobre dezenas de encontros sexuais chocantes

---

* O relatório da acusação sobre Allan Myers é fora do comum. Um investigador chamado Michael Corricelli falou com o advogado de Myers, que lhe contou que Myers agora afirmava ter sido estuprado repetidamente por Sandusky. Seu advogado apresentou um relato de três páginas supostamente escrito por Myers detalhando o abuso que sofreu nas mãos de Sandusky. A equipe da acusação leu o relato e suspeitou de que não tivesse sido escrito por Myers, e sim por seu advogado. Finalmente a acusação desistiu, deixando de fora um dos personagens mais importantes de todo o caso.

com Sandusky durante seus anos de adolescência, em chuveiros, saunas e quartos de hotel.

Acusação: Sr. Houtz, poderia contar às senhoras e aos senhores do júri aproximadamente quantas vezes o acusado, seja no vestiário da Área Leste, seja no chuveiro do prédio Lasch... pôs o pênis na sua boca?
Houtz: Foram 40 vezes no mínimo.
Acusação: Você quis que ele fizesse isso...
Houtz: Não.
Acusação: ... em nenhuma dessas ocasiões?
Houtz: Exato.

Depois, a esposa de Sandusky, Dottie, foi chamada à tribuna. Perguntaram quando ela e seu marido viram Brett Houtz pela última vez.

Dottie: Acho que foi três anos atrás, ou dois anos atrás. Não tenho certeza.

As histórias contadas por Houtz sobre o abuso que sofreu teriam supostamente ocorrido na década de 1990. Dottie Sandusky estava dizendo que, duas décadas após ser brutal e repetidamente vitimizado, Houtz decidiu fazer uma visita.

Defesa: Poderia nos contar a respeito?
Dottie: Sim. Jerry recebeu uma ligação telefônica. Era Brett. Ele disse: "Quero fazer uma visita. Quero levar minha namorada e meu filho para você conhecer os dois." O filho tinha uns 2 anos. E eles vieram, e minha amiga Elaine Steinbacher estava lá. Compramos frango frito no KFC e jantamos. Foi uma visita bem agradável.

Esse é um exemplo bem mais desconcertante do que o de Trinea Gonczar no caso Nassar. Gonczar nunca negou que algo acontecera em suas sessões com Nassar. Ela optou por interpretar as ações dele como algo inofensivo – por motivos totalmente compreensíveis –, até o momento em que ouviu os depoimentos de suas colegas ginastas no julgamento. Sandusky, por sua vez, não vinha praticando nenhum procedimento médico ambíguo. Ele teria se envolvido em repetidos atos de violência sexual. E suas supostas vítimas não interpretaram erradamente o que ele vinha fazendo com elas. Agiram como se nada tivesse acontecido. Não confessaram aos seus amigos. Não escreveram relatos angustiados em seus diários. Fizeram uma visita, anos depois, para mostrar seus bebês ao homem que os havia estuprado. Convidaram seu estuprador para seus casamentos. Uma vítima tomou banho com Sandusky e considerou-se "o menino mais feliz do mundo". Outro menino surgiu com um relato, após ser estimulado durante meses por um terapeuta, que não conseguiu convencer um grande júri.

Casos de abuso sexual são *complicados*, envoltos em camadas de vergonha, negação e lembranças turvadas, e poucos casos famosos foram tão complicados quanto o de Jerry Sandusky. Agora pense no que essa complicação significa para aqueles que precisam decifrar toda essa contradição. Sempre houve dúvidas sobre Sandusky. Mas como você chega a dúvidas *suficientes* quando as vítimas estão comendo, felizes, frangos fritos do KFC com seu abusador?

6.

Então, McQueary vai ver seu chefe, Joe Paterno, num sábado. Um Paterno abalado senta-se com Tim Curley e Gary Schultz no dia seguinte, domingo. Eles imediatamente ligam para o advogado da universidade, e depois informam o presidente da universidade, Graham Spanier, na segunda-feira. Aí Curley e Schultz chamam Mike McQueary.

Você só pode imaginar o que Curley e Schultz estão pensando enquanto os ouve: se foi realmente um estupro, por que você não o interrompeu? Se o que viu foi tão perturbador, por que ninguém – inclusive o amigo de sua família, que era médico – informou à polícia? E se você – Michael McQueary – ficou tão abalado com o que viu, por que esperou tanto tempo para nos contar?

Curley e Schultz então ligam para o consultor jurídico externo da universidade. Mas McQueary não tinha fornecido muita coisa. Eles instintivamente procuram – como todos fazemos – a mais inocente das explicações: talvez Jerry estivesse apenas agindo como o brincalhão que era. Eis o consultor da Penn State, reproduzindo sua conversa com Gary Schultz.

Courtney: Perguntei a certa altura se aquela brincadeira idiota envolvendo Jerry e um menino... se tinha havido algo de natureza sexual. E ele me indicou que, ao que sabia, não tinha. [...] Minha visão, ao menos quando aquilo estava sendo descrito para mim e eu conversava com o Sr. Schultz, foi que era, veja bem, um menino com o chuveiro ligado, um montão de água na área dos chuveiros coletivos, veja bem, correndo e deslizando no chão...

Acusação: Tem certeza de que ele não mencionou som de tapas ou algo de natureza sexual?

Courtney: Estou certo de que ele nunca mencionou sons de tapas ou algo de natureza sexual que tivesse ocorrido no chuveiro.

Courtney disse que refletiu a respeito e considerou o pior cenário possível. Afinal, tratava-se de um homem e um menino no chuveiro altas horas da noite. Mas aí ele pensou no que sabia de Jerry Sandusky, "alguém que fazia brincadeiras idiotas com os meninos da Second Mile o tempo todo em público", e pressupôs que aquela impressão procedesse.*

Schultz e seu colega Tim Curley vão então ver o presidente da universidade, Spanier.

Acusação: Você contou a Graham Spanier que era "brincadeira"?
Schultz: Sim.
Acusação: Quando foi que você contou?
Schultz: Bem, o primeiro... primeiro relato que obtivemos que nos foi repassado é de "brincadeira idiota". Jerry Sandusky foi visto no chuveiro fazendo brincadeiras idiotas com um menino. [...] E acho que esta expressão foi repetida para o presidente Spanier, de que, veja bem... ele estava fazendo brincadeiras idiotas.

---

* Courtney tinha dúvidas sobre a inocência de Sandusky. Mas no fim o álibi de Sandusky foi convincente demais. *Alguém que fazia brincadeiras idiotas com os meninos da Second Mile o tempo todo em público.* Curley então ligou para o diretor executivo da Second Mile, John Raykovitz. Este prometeu ter uma conversa com Sandusky e pedir que não trouxesse mais meninos para o campus. "Só posso falar por mim, mas acho que Jerry tinha um problema de limite, um problema de julgamento que precisava ser abordado", explicou Curley. Sentia que Sandusky precisava ser cauteloso, senão as pessoas pensariam que era um pedófilo. "Eu lhe falei", disse Raykovitz, "que seria mais apropriado, caso fosse tomar uma ducha com alguém após um treino, que usasse calção de banho. E falei aquilo porque... naquela época, muitos casos estavam vindo à tona sobre escoteiros e igreja e coisas dessa natureza."

Spanier escutou Curley e Schultz e fez duas perguntas. "Têm certeza de que foi assim que descreveram aquilo para vocês, como 'brincadeiras idiotas'?" Eles responderam que sim. Depois Spanier perguntou de novo: "Têm certeza de que isto é tudo que lhes foi dito?" Eles disseram que sim. Spanier mal conhecia Sandusky. A Penn State tinha milhares de funcionários. Um deles – agora aposentado – foi flagrado num chuveiro?

"Lembro, por um momento, de figurativamente coçarmos nossas cabeças pensando sobre qual a forma apropriada de averiguar 'brincadeiras idiotas'", disse Spanier mais tarde. "Eu nunca havia recebido um relato assim."

Se Harry Markopolos fosse o presidente da Penn State durante o caso Sandusky, é claro que jamais iria presumir que a explicação mais inocente era a verdadeira. Um homem num chuveiro? Com um menino? O tipo de pessoa que não se deixou enganar pela farsa de Madoff uma década antes de qualquer outra pessoa teria saltado imediatamente para a conclusão mais condenatória: *Quantos anos tinha o menino? O que estavam fazendo ali de noite? Não houve um caso estranho com Sandusky alguns anos atrás?*

Mas Graham Spanier não é Harry Markopolos. Ele optou pela explicação mais provável: que Sandusky era quem afirmava ser. Se ele se arrepende por não fazer mais uma pergunta averiguativa, por não ter discretamente questionado outras pessoas? Claro que sim. Mas ter a verdade como pressuposto não é um crime. É uma tendência humana fundamental. Spanier não se comportou de maneira diferente do Alpinista, de Scott Carmichael, de Nat Simons, de Trinea Gonczar e de praticamente todos os pais das ginastas tratadas por Larry Nassar. Aqueles pais não estavam no consultório quando Nassar vinha abusando de suas próprias filhas? Estas não disseram que algo não estava certo? Por que mandaram suas filhas de volta para Nassar, repetidas vezes? No entanto, no caso de Nassar, ninguém sugeriu que os pais das ginastas deveriam ser presos por não protegerem suas filhas de um predador. Aceitamos o fato de que ser pai ou mãe requer um nível fundamental de confiança na comunidade de pessoas em torno de seu filho.

Se acreditássemos que todo treinador é um pedófilo, nenhum pai deixaria seu filho sair de casa e nenhuma pessoa sadia se ofereceria para ser um treinador. Nós mantemos o pressuposto da verdade – mesmo quando tal decisão implica riscos terríveis – porque não temos escolha. A sociedade não consegue funcionar de forma diferente. E nos raros casos em que a confiança acaba em traição, aqueles vitimizados por acreditarem antecipadamente na verdade merecem nossa solidariedade, não nossa crítica.

7.

Tim Curley e Gary Schultz foram acusados primeiro. Duas das mais importantes autoridades de uma das universidades estaduais mais prestigiosas dos Estados Unidos foram presas. Spanier reuniu seu alto escalão para uma reunião emocionante. Ele considerava a Penn State uma grande família. Aqueles eram seus amigos. Quando lhe contaram que o incidente no chuveiro fora provavelmente apenas uma brincadeira idiota, ele acreditou que estavam sendo honestos.

"Vocês vão descobrir que todos vão se distanciar de Garry e Tim", disse ele. Mas ele não iria.

> Cada um de vocês aqui trabalhou com Tim e Gary durante anos. Alguns de vocês, por 35 ou 40 anos, porque foi por este tempo que Tim e Gary, respectivamente, estiveram na universidade. [...] Vocês trabalharam com eles todos os dias de suas vidas, e eu nos últimos 16 anos. [...] Se qualquer um de vocês agir de acordo com a forma como sempre concordamos em agir nesta universidade – honestamente, abertamente, com integridade, sempre buscando o melhor interesse da universidade –, se vocês fossem falsamente acusados de algo, eu faria a mesma coisa por qualquer um de vocês aqui. Quero que saibam que [...] nenhum de vocês jamais deveria ter medo de fazer a coisa certa, ou de ser acusado de mau procedimento quando soubesse que estava fazendo a coisa certa [...] porque esta universidade lhes daria respaldo.*

Por isso as pessoas gostavam de Graham Spanier. Por isso ele teve uma carreira tão brilhante na Penn State. Por isso eu e você gostaríamos de trabalhar para ele. *Queremos* Graham Spanier como nosso presidente – não Harry

---

* Esta não é uma transcrição literal do que Spanier disse, e sim uma paráfrase, baseada em suas lembranças.

Markopolos, armado até os dentes, aguardando um esquadrão de burocratas governamentais irromperem pela porta da frente.

Esta é a primeira ideia a manter em mente ao examinarmos a morte de Sandra Bland. *Achamos* que queremos que nossos guardiões estejam alertas para cada suspeita. Nós os culpamos quando têm o pressuposto da verdade. Quando tentamos mandar pessoas como Graham Spanier para a prisão, enviamos uma mensagem a todos em posição de autoridade sobre como queremos que interpretem os estranhos – sem pararmos para examinar as consequências de enviar tal mensagem.

Mas estamos nos precipitando.

PARTE III
TRANSPARÊNCIA

CAPÍTULO SEIS

A falácia de Friends

1.

Quando chegava a sua quinta temporada, *Friends* já estava a caminho de se tornar uma das séries de televisão de maior sucesso de todos os tempos. Seis amigos – Monica, Rachel, Phoebe, Joey, Chandler e Ross – vivem no caos do centro de Manhattan: namoram e se separam, flertam e brigam, mas principalmente conversam – sem parar e de forma hilária.

A temporada começa com Ross se casando com alguém que não é um dos *Friends*. Na metade da temporada, o relacionamento termina e ele está de volta aos braços de Rachel. Phoebe dá à luz trigêmeos e começa a ficar com um policial. E, gerando mais desdobramentos, Monica e Chandler se apaixonam – um evento que cria um problema imediato, porque Monica é irmã de Ross e Chandler é o melhor amigo de Ross, e nenhum dos namorados tem coragem de contar a Ross o que vem acontecendo.

No início do décimo quinto episódio – intitulado "Aquele com a garota que bate no Joey" –, o estratagema de Chandler e Monica desmorona. Ross olha pela janela para o apartamento do outro lado da rua e flagra sua irmã se agarrando com Chandler. Ele fica fora de si. Corre ao apartamento de Monica e tenta entrar, mas a porta está travada pela corrente. Então ele enfia o rosto pela abertura de uns 15 centímetros.

– Chandler! Chandler! Vi pela janela o que você estava fazendo. Vi o que estava fazendo com minha irmã. Agora cai fora daqui!

Chandler, assustado, tenta fugir pela janela, mas Monica o detém.

– Eu sei lidar com o Ross – diz ela. Então abre a porta para o irmão. – Ei, Ross. Qual é a boa, mano?

Ross corre para dentro, investe contra Chandler e começa a persegui-lo em volta da mesa da cozinha, gritando:

– Que diabo você está fazendo?!
Chandler se esconde atrás de Monica. Joey e Rachel entram correndo.

Rachel: Ei, o que está acontecendo?
Chandler: Bem, acho... *acho* que Ross está sabendo sobre mim e Monica.
Joey: Cara, ele está logo ali.
Ross: Achei que você fosse meu melhor amigo! Esta é minha irmã! Meu melhor amigo com minha irmã! Não dá para acreditar.

Você conseguiu acompanhar tudo isso? Uma temporada padrão de *Friends* tinha tantas reviravoltas na trama – e variações de narrativa e emoção – que aparentemente os espectadores precisariam de um fluxograma para não se perderem. Na verdade, porém, nada poderia estar mais longe da verdade. Se você já assistiu a um episódio de *Friends*, sabe que é quase impossível ficar confuso. A série é tão cristalina que provavelmente dá para entender tudo até se você desligar o som.

O Segundo Enigma deste livro foi o problema de estabelecer a fiança. Como é que os juízes se saem pior em avaliar réus do que um programa de computador, mesmo que os juízes saibam bem mais sobre os réus do que o computador? Esta seção do livro é uma tentativa de responder ao enigma, começando pelo fato peculiar de como séries de TV como *Friends* são transparentes.

2.

Para testar essa ideia sobre a transparência de *Friends*, fui conversar com a psicóloga Jennifer Fugate, que leciona na Universidade de Massachusetts, em Dartmouth. Fugate é uma expert em FACS, que significa Facial Action Coding System (Sistema de Codificação da Ação Facial).* No FACS, cada um dos 43 diferentes movimentos musculares da face está associado a um número, chamado "unidade de ação". Pessoas como Fugate, treinadas no FACS, conseguem então olhar as expressões faciais de alguém e classificá-las, assim como

---

* Esse sistema foi desenvolvido pelo lendário psicólogo Paul Ekman, sobre quem escrevi no meu livro *Blink*. Veja na seção de Notas uma explicação de como meus pontos de vista sobre a obra de Ekman evoluíram desde então.

um músico consegue ouvir uma peça musical e traduzi-la numa série de notas em uma página.

Assim, por exemplo, dê uma olhada nesta foto.

Trata-se do chamado sorriso Pan-Am – o tipo de sorriso que um comissário de bordo dá quando está tentando ser gentil. Ao exibir esse tipo de sorriso, a pessoa ergue os cantos dos lábios, usando o músculo zigomático maior, mas deixa o resto do rosto impassível. Por isso o sorriso parece falso: é um sorriso sem qualquer espécie de elaboração facial. No FACS, o sorriso Pan-Am usando o zigomático maior é classificado como AU 12.

Agora veja isto:

Este é o chamado sorriso de Duchenne. Parece um sorriso genuíno. Em termos técnicos, é um AU 12 mais um AU 6 – o que quer dizer que é um movimento facial envolvendo a parte externa do músculo orbicular do olho, erguendo as bochechas e criando aqueles pés de galinha reveladores ao redor dos olhos.

O FACS é uma ferramenta de uma sofisticação extraordinária. Implica catalogar – nos mínimos detalhes – milhares de movimentos musculares, alguns dos quais podem aparecer na face por não mais que uma fração de segundo. O manual do FACS tem mais de 500 páginas. Fugate levaria dias para fazer uma análise FACS de todo o episódio "Aquele com a garota que bate no Joey", de modo que pedi que focasse aquela cena de abertura: Ross vê Chandler e Monica se agarrando, depois corre atrás deles, enfurecido.

Eis o que ela achou.

Quando Ross olha pela porta entreaberta e vê a irmã ficando com seu melhor amigo, seu rosto mostra as unidades de ação 10 + 16 + 25 + 26: é o levantador do lábio superior (*levator labii superioris, caput infraorbitalis*), o depressor do lábio inferior (*depressor labii*), lábios entreabertos (*depressor labii*, músculo mentual relaxado ou *orbicularis oris*) e queixo caído (temporal e pterigoideo interno relaxados).

No sistema FACS, os movimentos musculares também recebem um indicador de intensidade de A a E, com A sendo mais brando e E, mais forte. Todos os quatro movimentos musculares de Ross, neste momento, são Es. Se estiver assistindo a esse episódio de *Friends* e congelar a tela no momento em que Ross olha pela abertura da porta, verá exatamente o que os codificadores do FACS estão descrevendo. Ele exibe uma expressão inconfundível de raiva e indignação.

Ross então entra correndo no apartamento de Monica. A tensão na cena está se intensificando, bem como as emoções de Ross. Agora seu rosto revela: 4C + 5D + 7C + 10E + 16E + 25E + 26E. De novo, quatro Es!

"[AU] 4 é um abaixador de sobrancelha", explica Fugate.

> É o que você faz quando franze o cenho. Sete são olhos semicerrados. Chama-se "apertador da pálpebra". Ele está como que fazendo cara feia e estreitando os olhos ao mesmo tempo, de modo que é uma raiva estereotipada. Depois o 10 neste caso é bem clássico para desagrado. Você meio que ergue o lábio superior, sem realmente mover o nariz, mas dá a impressão de que o nariz está se voltando para cima. O 16 às vezes

acontece com isso. É um depressor do lábio inferior. É quando você força seu lábio inferior para baixo de modo que consegue exibir seus dentes inferiores.

Monica, na porta, tenta fingir que não há nada de errado. Ela sorri para o irmão. Mas é um sorriso Pan-Am, não um sorriso de Duchenne: algum 12 e o mais simples e menos plausível traço de 6.

Ross corre atrás de Chandler em torno da mesa da cozinha. Chandler se esconde atrás de Monica e, quando Ross se aproxima, ele confessa:

– Olha, não estamos só de pegação. Eu a amo. Ok? Estou apaixonado por ela.

Então Monica estende o braço e pega na mão de Ross.

– Sinto muito que você tenha descoberto desse jeito – diz ela. – Sinto muito. Mas é verdade. Eu também o amo.

Faz-se um longo silêncio enquanto Ross fita os dois, processando uma tempestade de emoções conflitantes. E aí ele abre um sorriso, abraça a ambos e se repete, só que desta vez contente:

– Meu melhor amigo com minha irmã! Estou tão feliz!

Quando Monica dá a notícia ao irmão, Fugate classifica-a como 1C + 2D + 12D. O 1 e 2, combinados, são tristeza: ela ergueu as partes interna e externa de suas sobrancelhas. 12D, é claro, é o sorriso Pan-Am emocionalmente incompleto.

"Ela meio que dá, por mais estranho que pareça, uma indicação de tristeza", diz Fugate, "mas depois de felicidade. Acho que faz sentido, porque ela está pedindo desculpas, mas depois está mostrando a Ross que está realmente tranquila em relação ao fato".

Ross contempla sua irmã por um longo tempo. Seu rosto revela tristeza clássica. Depois muda sutilmente para 1E + 12D. Ele está devolvendo à irmã a mesma mescla de emoções que ela lhe deu: tristeza combinada com o começo de felicidade. Ele está perdendo a irmã. Mas ao mesmo tempo quer que ela saiba que aprecia sua alegria.

A análise FACS de Fugate revela que os atores em *Friends* fazem com que cada emoção que seu personagem deveria sentir no coração se exprima perfeitamente em seu rosto. Por isso você pode assistir à cena com o som desligado e compreendê-la mesmo assim. As palavras são o que nos faz rir, ou o que explica nuances específicas da narrativa. Mas as expressões faciais dos atores são o que sustenta a trama. A representação dos atores em *Friends* é transparente.

Transparência é a ideia de que o comportamento e a atitude das pessoas – a forma como representam a si mesmas *exteriormente* – fornecem uma janela autêntica e confiável para a forma como se sentem *interiormente*. É a segunda das ferramentas cruciais que empregamos para interpretar os estranhos. Quando não conhecemos alguém, ou não conseguimos nos comunicar com ele, ou não temos tempo para entendê-lo corretamente, acreditamos que podemos interpretá-lo através de seu comportamento e de sua atitude.

3.

A ideia da transparência possui uma longa história. Em 1872, 13 anos antes de apresentar seu famoso tratado sobre a evolução, Charles Darwin publicou *A expressão das emoções no homem e nos animais*. Sorrir, franzir o cenho e enrugar o nariz em desagrado, argumentou, eram coisas que todo ser humano fazia como parte da adaptação evolucionária. Para Darwin, comunicar nossas emoções com precisão e rapidez era tão crucialmente importante à sobrevivência da espécie humana que o rosto havia se desenvolvido numa espécie de painel para o coração.

A ideia de Darwin é profundamente intuitiva. Crianças em todas as partes sorriem quando estão felizes, fecham a cara quando estão tristes e dão risadinhas quando estão se divertindo, não é mesmo? Não são apenas pessoas assistindo a *Friends* na sala de estar em Cleveland, Toronto ou Sydney que conseguem entender o que Ross e Rachel estão sentindo. Todos conseguem.

As audiências para fixar fiança descritas no Capítulo Dois são igualmente um exercício de transparência. O juiz não se corresponde com as partes em um processo judicial por e-mail nem por telefone. Juízes acreditam que é essencial *olhar* para as pessoas que estão julgando. Uma mulher muçulmana em Michigan foi a requerente em uma ação judicial alguns anos atrás, e ela chegou ao tribunal usando o tradicional *niqab*, um véu cobrindo o rosto todo exceto os olhos. O juiz pediu a ela que o retirasse. Ela se recusou. Assim, o juiz indeferiu seu processo. Ele achou que não conseguiria julgar com justiça uma discordância entre duas partes sem conseguir ver uma delas. Ele disse à mulher:

> Uma das coisas que preciso fazer quando estou ouvindo um depoimento é... eu preciso ver o seu rosto e preciso ver o que está acontecendo. E a não ser que retire isto, não conseguirei ver seu rosto e não poderei saber se você está me dizendo a verdade ou não, e não serei capaz de ver certas coisas sobre sua atitude e seu temperamento que preciso ver num tribunal de justiça.*

Você acha que o juiz tinha razão? Suponho que muitos de vocês acham que sim.

Não passaríamos tanto tempo assim olhando para o rosto das pessoas se não acreditássemos que existe ali algo valioso a ser aprendido. Nos romances, lemos que "seus olhos se arregalaram de choque" e "seu rosto desabou de desapontamento", e aceitamos sem questionar que olhos realmente se arregalam e rostos realmente desabam em reação às sensações de choque e desapontamento. Conseguimos assistir ao 4C + 5D + 7C + 10E + 16E + 25E + 26E de Ross e saber o que significa – com o som desligado – porque milhares de anos de evolução transformaram 4C + 5D + 7C + 10E + 16E + 25E + 26E na expressão que seres humanos exibem quando estão cheios de choque e raiva. Acreditamos que a atitude de alguém é uma janela para sua alma. Mas isso nos traz de volta ao Segundo Enigma. Os juízes em audiências para fixar fiança dispõem de uma janela para a alma do réu. No entanto, são bem piores em prever quem reincidirá no crime do que o computador de Sendhil Mullainathan, que não tem uma janela para a alma de ninguém.

Se a vida real fosse como *Friends*, os juízes superariam os computadores. Mas não superam. Então talvez a vida real *não seja* como *Friends*.

---

* A requerente era Ginnah Muhammad. Sua resposta: "Bem, antes de mais nada, sou uma muçulmana praticante e este é meu modo de vida. Acredito no Alcorão Sagrado, e Deus vem em primeiro lugar na minha vida. Eu não teria problema em retirar o véu diante de uma juíza, por isso gostaria de saber: vocês têm uma mulher perante a qual eu possa ficar? Aí não haverá problema. Caso contrário, não poderei acatar essa ordem."

4.

O conjunto de ilhas conhecido como Trobriand fica 160 quilômetros a leste de Papua-Nova Guiné, no meio do mar de Salomão. O arquipélago é minúsculo, abrigando 40 mil pessoas. É isolado e tropical. As pessoas que vivem ali pescam e cultivam a terra como faziam seus ancestrais milhares de anos atrás, e seus antigos costumes se mostraram notadamente duradouros, mesmo em face das intromissões inevitáveis do século XXI. Assim como as montadoras de automóveis levam seus modelos ao Ártico para testá-los sob as condições mais extremas possíveis, cientistas sociais às vezes gostam de submeter suas hipóteses ao "crivo" em lugares como Trobriand. Se algo funciona em Londres ou Nova York *e* funciona nas Trobriand, você pode ter certeza de que descobriu algo universal — e foi esse motivo que levou dois cientistas sociais espanhóis às ilhas Trobriand em 2013.

Sergio Jarillo é antropólogo. Ele já havia trabalhado nas Trobriand antes e conhecia a língua e a cultura. Carlos Crivelli é psicólogo. Dedicou a parte inicial de sua carreira a testar os limites da transparência. Certa vez, examinou dezenas de vídeos de judocas que haviam vencido suas lutas a fim de descobrir quando, exatamente, sorriam. Seria no momento exato da vitória? Ou eles venciam e *depois* sorriam? Outra vez ele assistiu a vídeos de pessoas se masturbando para descobrir qual a expressão do rosto delas no momento do clímax. Presume-se que um orgasmo seja um momento de verdadeira felicidade. Essa felicidade é evidente e observável no momento? Nos dois casos, não era — o que não faz sentido se nossas emoções são realmente um painel para o coração. Esses estudos tornaram Crivelli um cético, fazendo com que ele e Jarillo decidissem pôr Darwin à prova.

Jarillo e Crivelli começaram com seis fotos de pessoas parecendo felizes, tristes, zangadas, assustadas e enojadas — com uma última foto de alguém com uma expressão neutra. Antes de partirem para as Trobriand, os dois homens levaram suas fotos para uma escola primária em Madri e as testaram com um grupo de crianças. Colocavam todas as seis fotos diante de uma criança e perguntavam: "Qual destes é um rosto triste?" Depois iam para a segunda criança e perguntavam: "Qual destes é um rosto zangado?", e assim por diante, percorrendo todas as seis fotos repetidas vezes. Como mostram os resultados, as crianças não tiveram dificuldade com o exercício:

Rótulo da emoção	"Feliz": Sorrindo	"Triste": Fazendo beicinho	"Zangado": Carrancudo	"Medo": Olhos arregalados e boca aberta	"Nojo": Nariz franzido	Neutro
			Espanhóis (n = 113)			
Felicidade	**1,00**	0,00	0,00	0,00	0,00	0,00
Tristeza	0,00	**0,98**	0,00	0,00	0,00	0,02
Raiva	0,00	0,00	**0,91**	0,00	0,09	0,00
Medo	0,00	0,07	0,00	**0,93**	0,00	0,00
Nojo	0,00	0,02	0,00	0,15	**0,83**	0,00

Depois, Jarillo e Crivelli voaram até as ilhas Trobriand e repetiram o processo.

Os ilhéus de Trobriand eram amigáveis e cooperativos. Tinham uma linguagem rica e cheia de nuances, tornando-os um caso de teste ideal para o estudo da emoção. Jarillo explicou:

> Para expressarem que algo realmente os surpreendeu de forma positiva, eles dizem que isso "arrebatou minha mente", ou "capturou minha mente". Aí, quando você repete: "Esta coisa capturou sua mente?", eles retrucam: "Bem, não, isto aqui é mais semelhante a ter retirado meu estômago".

Ou seja, aquelas não eram pessoas que ficariam desconcertadas com o pedido de decifrar a verdade emocional de alguma coisa. Se Darwin estivesse certo, os ilhéus de Trobriand seriam tão exímios em interpretar os rostos das pessoas quanto os alunos de Madri. As emoções são programadas pela evolução. Isso significa que as pessoas no meio do mar de Salomão deveriam possuir o mesmo sistema operacional das pessoas em Madri. Certo?

Errado.

Dê uma olhada na tabela seguinte, que compara a taxa de acertos dos habitantes de Trobriand com aquela dos alunos de 10 anos da escola de Madri. Os habitantes de Trobriand *penaram* com o exercício.

Rótulo da emoção	"Feliz": Sorrindo	"Triste": Fazendo beicinho	"Zangado": Carrancudo	"Medo": Olhos arregalados e boca aberta	"Nojo": Nariz franzido	Neutro
Ilhéus de Trobriand (n = 68)						
Felicidade	**0,58**	0,08	0,04	0,08	0,00	0,23
Tristeza	0,04	**0,46**	0,04	0,04	0,23	0,19
Raiva	0,20	0,17	**0,07**	0,30	0,20	0,07
Medo	0,08	0,27	0,04	**0,31**	0,27	0,04
Nojo	0,18	0,11	0,08	0,29	**0,25**	0,11
Espanhóis (n = 113)						
Felicidade	**1,00**	0,00	0,00	0,00	0,00	0,00
Tristeza	0,00	**0,98**	0,00	0,00	0,00	0,02
Raiva	0,00	0,00	**0,91**	0,00	0,09	0,00
Medo	0,00	0,07	0,00	**0,93**	0,00	0,00
Nojo	0,00	0,02	0,00	0,15	**0,83**	0,00

Os "rótulos emocionais" no canto esquerdo da tabela são as fotos das pessoas fazendo os diferentes tipos de expressão que Jarillo e Crivelli mostraram aos seus voluntários. Os rótulos no topo são como os voluntários identificaram aquelas fotos. Assim, 100% dos 113 alunos espanhóis identificaram o rosto de felicidade como tal. Mas somente 58% dos ilhéus de Trobriand identificaram, enquanto 23% olharam para um rosto sorrindo e o chamaram de "neutro". E a felicidade é a emoção em que existe mais concordância entre os habitantes de Trobriand e as crianças espanholas. Em todo o resto, a ideia em Trobriand do aspecto externo de uma emoção parece ser totalmente diferente da nossa.

"O que mais nos surpreendeu foi o fato de que o que consideramos, nas sociedades ocidentais, um rosto de medo, de alguém assustado, acaba sendo reconhecido nas ilhas Trobriand mais como uma ameaça", disse Crivelli. Para demonstrar, ele imitou o que é conhecido como rosto espantado: olhos arregalados, o rosto da famosa pintura *O grito*, de Edvard Munch.

"Em nossa cultura, meu rosto seria tipo 'estou assustado; estou com medo de você'." Crivelli prosseguiu: "Na cultura deles, este [...] é o rosto de alguém que está tentando assustar outra pessoa. [...] É o contrário [do que significa para nós]."

A sensação de medo, para um ilhéu de Trobriand, não difere do medo que você ou eu sentimos. Eles têm a mesma sensação ruim na boca do estômago. Mas por algum motivo não a exibem da mesma maneira que nós.

A raiva foi igualmente mal. Você poderia supor – não é mesmo? – que todo mundo sabe como é um rosto zangado. Uma emoção tão fundamental.

Isto é raiva, certo?

Os olhos duros. A boca comprimida. Mas a raiva *desconcertou* os habitantes de Trobriand. Veja as notas para o rosto zangado: 20% qualificaram como rosto feliz; 17% qualificaram como rosto triste; 30% qualificaram como rosto assustado; 20% pensaram que era sinal de repulsa – e apenas 7% o identificaram como quase todos os alunos espanhóis. Crivelli disse:

> Eles deram vários descritores diferentes. [...] Diziam "estão franzindo a testa". Ou usavam um desses provérbios que dizem [...] significa que sua testa está escura, o que obviamente pode ser interpretado como "ele está franzindo a testa". Eles não inferiam que aquilo significava que essa pessoa está zangada.

Para se certificarem de que os habitantes de Trobriand não eram alguma espécie de caso especial, Jarillo e Crivelli então viajaram até Moçambique a fim de estudar um grupo de pescadores de subsistência isolados chamados mwani. De novo, os resultados desapontaram. Os mwani saíram-se ligeiramente melhor do que o acaso com os rostos sorridentes, mas pareceram desconcertados por rostos tristes e zangados. Outro grupo, liderado por Maria Gendron, viajou até as montanhas do noroeste da Namíbia para ver se as pessoas ali conseguiam separar corretamente fotografias em pilhas de acordo com a expressão emocional da pessoa. Não conseguiram.

Até os historiadores entraram na discussão. Se você pudesse viajar numa máquina do tempo e mostrar a gregos e romanos antigos os retratos de pessoas modernas com um amplo sorriso, eles interpretariam a expressão da mesma maneira que nós? É provável que não. Como escreveu a classicista Mary Beard em seu livro *Laughter in Ancient Rome* (O riso na Roma Antiga):

> O que não quer dizer que os romanos nunca curvassem o canto da boca numa formação que para nós pareceria um sorriso. Claro que sim. Mas esse movimento não queria dizer muita coisa na gama de gestos sociais e culturais significativos em Roma. Inversamente, outros gestos, que significariam pouco para nós, eram bem mais relevantes.

Se você exibisse aquele episódio de *Friends* para os ilhéus de Trobriand, eles veriam Ross confrontando Chandler e achariam que Chandler estava zangado e Ross, assustado. Eles interpretariam a cena de forma completamente errada. E se você mostrasse *Friends* na Roma Antiga para Cícero, o imperador e vários de seus amigos, eles olhariam as caretas e contorções extravagantes nos rostos dos atores e pensariam: *que raios é isto?*

5.

Muito bem. Mas e *dentro* de uma cultura? Se nos limitarmos ao mundo desenvolvido – e esquecermos os que estão de fora e a Roma Antiga –, será que as regras da transparência funcionam agora? Não, não funcionam.

Imagine o seguinte cenário. Você é conduzido por um corredor longo e estreito até uma sala escura. Ali você se senta e ouve uma gravação de um conto de Franz Kafka, seguida de um teste de memória do que você acabou de ouvir. Você termina o teste e anda de volta ao corredor. Mas, enquanto você estava ouvindo Kafka, uma equipe esteve trabalhando. O corredor era na verdade feito de divisórias temporárias. Agora elas foram removidas para criar um amplo espaço aberto. O aposento tem paredes verde-claras. Uma única lâmpada pendurada no teto ilumina uma cadeira vermelha brilhante. E sentado na cadeira está seu melhor amigo, parecendo solene. Você sai achando que vai percorrer o mesmo corredor estreito e PIMBA: eis que surge um aposento onde não deveria haver nenhum. E seu amigo encara você como um personagem de filme de terror.

Você se surpreenderia? Claro que sim. E como estaria seu semblante? Bem, você não teria a mesma cara de um morador das Trobriand nessa situação, nem de um cidadão da Roma Antiga. Mas, dentro de nossa cultura, nesta época e neste lugar, a expressão de surpresa parece bem consolidada. Existe um exemplo perfeito dela naquele mesmo episódio de *Friends*. Joey corre até o apartamento de Monica e descobre dois de seus melhores amigos tentando matar um ao outro, e seu rosto informa tudo que você precisa saber: AU 1 + 2 (sobrancelhas se elevando) mais AU 5 (olhos se arregalando) mais AU 25 + 26, que é seu queixo caindo. Você exibiria a mesma expressão de Joey, certo? Errado.

Dois psicólogos alemães, Schützwohl e Rainer Reisenzein, criaram exatamente esse cenário do longo corredor e fizeram com que 60 pessoas o percorressem. Em uma escala de 1 a 10, aqueles 60 voluntários deram às suas sensações de surpresa, ao abrirem a porta após sua sessão com Kafka, uma nota 8,14. Estavam aturdidos! E, quando indagados, quase todos estavam convencidos de que a surpresa estava estampada em seus rostos. Só que não estava. Schützwohl e Reisenzein instalaram uma câmera no canto, usando-a para codificar as expressões de todos, da mesma forma como Fugate havia codificado o episódio de *Friends*. Em apenas 5% dos casos acharam olhos arregalados, sobrancelhas elevadas e queixos caídos. Em 17% dos casos, acharam duas dessas expressões. No restante, acharam certa combinação de nenhuma expressão, uma expressão ligeira e expressões – como sobrancelhas franzidas – que você não associaria necessariamente à surpresa.*

"Os participantes em todas as condições superestimaram fortemente sua expressividade de surpresa", escreveu Schützwohl. Por quê? Eles "infe-

---

* A cifra de 17% inclui as três pessoas (5%) que exibiram todas as três expressões. Apenas 7% exibiram exatamente duas expressões. Além disso, embora a grande maioria das pessoas acreditasse ter exprimido sua surpresa, uma pessoa incrivelmente autoconsciente disse que não achava que sua surpresa tivesse sido expressa.

riram suas prováveis expressões faciais ao evento surpreendente com base em [...] crenças da psicologia popular sobre associações emoção-rosto". A psicologia popular é o tipo de psicologia grosseira que apreendemos de fontes culturais como as sitcoms. Mas não é assim que as coisas acontecem na vida real. A transparência é um mito – uma ideia que assimilamos por ver televisão demais e ler romances demais em que o herói fica "de queixo caído" ou com os "olhos arregalados de surpresa". Schützwohl prosseguiu: "Os participantes aparentemente raciocinaram que, por se sentirem surpresos e pelo fato de a surpresa estar associada a uma exibição facial característica, deviam tê-la exibido. Na maioria dos casos, tal inferência estava errada."

Não acho que este erro – esperar que o que está acontecendo exteriormente corresponda com perfeição ao que vem ocorrendo interiormente – importa quando lidamos com nossos amigos. Parte do que significa vir a conhecer alguém é passar a entender quão idiossincrásicas podem ser suas expressões emocionais. Certa vez, de férias, meu pai estava tomando banho num bangalô alugado quando ouviu minha mãe gritar. Ele veio correndo e encontrou um jovem robusto com uma faca na garganta dela. O que meu pai fez? (Lembre-se de que se trata de um homem de 70 anos, nu e molhado.) Ele apontou o dedo para o agressor e disse em alto e bom som: "Saia AGORA." E o homem saiu.

Por dentro, meu pai estava apavorado. A coisa mais preciosa de sua vida – sua esposa amada por meio século – estava sendo ameaçada por alguém com uma faca. Mas duvido que o medo tenha se manifestado em seu rosto. Seus olhos não se arregalaram de terror e sua voz não se elevou em uma oitava. Se você conhecesse meu pai, o teria visto em outras situações estressantes e viria a entender que o rosto "apavorado", por qualquer que seja a causa, simplesmente não fazia parte do seu repertório. Em uma crise, ele ficava mortalmente calmo. Mas, se você *não* o conhecesse, o que teria pensado? Teria concluído que ele era frio? Insensível? Quando confrontamos um estranho, temos que substituir a experiência direta por uma ideia – um estereótipo. E esse estereótipo com grande frequência está errado.

Por sinal, você sabe como os habitantes de Trobriand mostram surpresa? Quando Crivelli chegou à ilha, tinha um pequeno iPod da Apple, e os ilhéus reuniram-se em volta, admirados. "Estavam se aproximando de mim. Eu estava lhes mostrando. [...] Estavam surtando, mas não faziam cara de espanto."

Ele imitou um AU 1 + 2 + 5 perfeito. "Não. Estavam fazendo isto." E fez um ruído com a língua contra seu palato. "Estavam fazendo *clic, clic, clic*."

6.

Esta é a explicação do Segundo Enigma, no Capítulo Dois, sobre por que os computadores se saem bem melhor nas decisões sobre fianças. O computador não consegue ver o réu. Os juízes conseguem, e parece óbvio que esse pouquinho de informação extra deveria melhorar suas decisões. Solomon, o juiz do estado de Nova York, examinaria o rosto da pessoa de pé à sua frente em busca de sinais de doença mental: um olhar vidrado, uma emoção atribulada, aversão ao contato visual. O réu não está a mais de 3 metros diante dele, e Solomon tem a chance de obter uma ideia da pessoa que está avaliando. Mas todas essas informações extras na verdade não têm utilidade. Pessoas surpresas não parecem necessariamente surpresas. Pessoas com problemas emocionais nem sempre parecem sofrer de problemas emocionais.

Alguns anos atrás, ocorreu um famoso caso no Texas em que um jovem chamado Patrick Dale Walker encostou um revólver na cabeça de sua ex-namorada – mas a arma emperrou quando ele puxou o gatilho. O juiz nesse caso fixou a fiança em 1 milhão de dólares e a reduziu para 25 mil após Walker passar quatro dias na prisão, sob a alegação de que aquilo fora suficiente para ele "levar um susto". Walker, o juiz explicou depois, tinha ficha limpa, "nem sequer uma multa de trânsito". Ele era educado: "Era um jovem tranquilo, gentil. O rapaz, pelo que eu entendo, é realmente inteligente. Foi o orador de sua turma na formatura do colégio. Formou-se na universidade. Aquela era supostamente sua primeira namorada." Mais importante, de acordo com o juiz: Walker mostrou remorso.

O juiz achou que Walker fosse transparente. Mas o que significa "mostrar remorso"? Ele exibiu um rosto triste, abaixou o olhar e a cabeça, da forma como havia visto pessoas mostrarem remorso em milhares de programas de televisão? E por que achamos que, se alguém exibe um rosto triste e abaixa o olhar e a cabeça, algum tipo de transformação profunda ocorreu em seu coração? A vida não é *Friends*. Ver Walker não ajudou o juiz. Prejudicou-o. Permitiu que ele justificasse o simples fato de que Walker tinha encostado um revólver na cabeça de sua namorada e só não a matou porque a arma falhou. Quatro meses depois, enquanto estava livre sob fiança, Walker matou sua namorada com um tiro.

A equipe de Mullainathan escreveu:

> Quaisquer que sejam essas variáveis inobserváveis que levam os juízes a se desviarem das previsões – sejam estados internos, como estado de espírito, ou aspectos específicos do caso que sejam salientes e superavaliados, como a aparência do réu –, elas não são uma fonte de informações privadas e sim uma fonte de previsões erradas. Os inobserváveis criam ruído, não sinais.

Tradução: a vantagem de um juiz sobre o computador não é realmente uma vantagem.

Deveríamos levar o estudo de Mullainathan à sua conclusão lógica? Deveríamos esconder o réu do juiz? Talvez, quando uma mulher aparecer numa sala de tribunal usando um *niqab*, a reação correta não seja indeferir a causa – e sim exigir que todos usem um véu. Por sinal, vale a pena questionar se você deve encontrar pessoalmente a babá antes de contratá-la, ou se seu empregador fez a coisa certa ao marcar uma entrevista cara a cara antes de lhe fazer uma proposta de emprego.

Mas é claro que não podemos dar as costas ao encontro cara a cara, não é mesmo? O mundo não vai funcionar se cada transação importante for realizada de forma anônima. Fiz ao juiz Solomon esta mesma pergunta, e sua resposta merece ser apreciada.

Eu: E se você não visse o réu? Faria alguma diferença?
Solomon: Se eu preferiria isso?
Eu: Você preferiria isso?
Solomon: Existe uma parte do meu cérebro que diz que eu preferiria, porque pareceria menos difícil tomar a decisão de pôr alguém na prisão. Mas isso não é correto. [...] Você tem um ser humano sendo preso pelo Estado, e o Estado tem que justificar por que está retirando a liberdade de um ser humano, certo? Mas agora pensarei neles como um objeto.

O problema da transparência termina no mesmo lugar do problema da verdade como pressuposto. Nossas estratégias para lidar com estranhos são profundamente falhas, mas também são socialmente necessárias. Precisamos que o sistema de justiça criminal, o processo de contratação e a seleção de babás sejam humanos. Mas esse requisito de humanidade implica termos que tolerar uma enorme quantidade de erros. Tal é o paradoxo de falar com estranhos. Precisamos falar com eles. Mas somos péssimos nisso – e, como veremos nos próximos dois capítulos, nem sempre somos honestos uns com os outros sobre quão péssimos somos nisso.

> **Solomon:** Assim, embora eu suponha que existe uma parte do meu cérebro que está dizendo "Sim, seria mais fácil não olhar", tenho a pessoa olhando para mim e eu olhando para ela. Tem a família sentada atrás acenando para mim durante a argumentação da defesa, veja bem, são três familiares lá. Você deve saber que está impactando uma pessoa. Isso não deveria ser feito de forma irrefletida.

CAPÍTULO SETE

Uma (breve) explicação do caso Amanda Knox

1.

Na noite de 1º de novembro de 2007, Meredith Kercher foi assassinada por Rudy Guede. Após uma tonelada de argumentações, especulações e controvérsias, a culpa dele é uma certeza. Guede era um sujeito suspeito que esteve rondando a casa na cidade italiana de Perúgia onde Kercher, uma estudante universitária, estava fazendo intercâmbio havia um ano. Guede tinha histórico criminal. Ele confessou ter estado na casa de Kercher na noite em que foi assassinada – e só conseguiu dar as razões menos plausíveis para estar por lá. A cena do crime estava repleta do DNA dele. Depois que o corpo de Kercher foi descoberto, ele imediatamente fugiu da Itália para a Alemanha.

Mas Rudy Guede não foi o único foco da investigação policial, ficando em segundo plano no tsunami de cobertura da mídia após a descoberta do corpo de Kercher. O foco, em vez disso, foi a colega de quarto de Kercher. O nome dela é Amanda Knox. Ela voltou para casa certa manhã e encontrou sangue no banheiro. Ela e o namorado, Raffaele Sollecito, ligaram para a polícia. A polícia chegou e encontrou Kercher morta no quarto dela. E em questão de horas adicionou Knox e Sollecito à lista de suspeitos. O crime, a polícia acreditava, fora um jogo sexual que deu errado, alimentado por drogas e álcool, envolvendo Guede, Sollecito e Knox. Os três foram presos, acusados, condenados e mandados para a prisão, com cada detalhe sendo obsessivamente relatado pelos tabloides.

"Um assassinato sempre atrai o interesse das pessoas. Um pouco de intriga. Um pouco de mistério. Uma história de detetives", diz Nick Pisa, um jornalista britânico, no documentário *Amanda Knox* – uma das produções do vasto acervo que inclui livros, ensaios acadêmicos, artigos de revista, filmes e programas de notícias gerados pelo caso. "E aqui temos esta bonita e pitoresca cidade, no alto de uma montanha, no meio da Itália. Foi um assassinato particularmente pavoroso. Garganta cortada. Corpo seminu, sangue por toda parte. O que mais você quer numa história?"

Outras histórias de crimes singulares, como os casos de O. J. Simpson ou JonBenét Ramsey, são igualmente fascinantes quando você os redescobre 5 ou 10 anos depois. Já o caso de Amanda Knox não é. É completamente inexplicável quando se olha em retrospecto. Nunca houve nenhuma prova física ligando Knox ou o namorado dela ao crime. Muito menos uma explicação plausível para Knox – uma menina imatura, superprotegida, de classe média de Seattle – estar interessada em se envolver em jogos sexuais homicidas com um vagabundo problemático que ela mal conhecia. A investigação policial contra ela mostrou-se escandalosamente inadequada. As análises das provas de DNA que supostamente ligavam Knox e Sollecito ao crime foram malfeitas. O promotor agiu de modo irresponsável, obcecado com fantasias sobre crimes sexuais elaborados. Ainda assim foi necessária uma deliberação da Suprema Corte da Itália, *oito* anos após o crime, para Knox enfim ser declarada inocente. Mesmo então, muitas pessoas normalmente inteligentes e ponderadas discordaram. Quando Knox foi libertada da cadeia, uma multidão enfurecida se reuniu na praça central da cidade de Perúgia para protestar contra a decisão. O caso de Amanda Knox não faz nenhum sentido.

Eu poderia fornecer uma análise detalhada de todos os erros na investigação do assassinato de Kercher. E ela poderia facilmente ocupar o mesmo número de páginas deste livro. Eu também poderia recomendar algumas das análises acadêmicas mais abrangentes das deficiências da investigação legal, como o meticuloso "Analysis and Implications of the Miscarriages of Justice of Amanda Knox and Raffaele Sollecito" (Análises e implicações dos erros judiciais no caso de Amanda Knox e Raffaele Sollecito), de Peter Gill, que saiu na edição de julho de 2016 da revista de criminologia *Forensic Science International* e inclui parágrafos como este:

> O produto de DNA ampliado na amostra B foi também sujeito à eletroforese capilar em gel. O gráfico eletroforético mostrou picos que estavam abaixo do limiar de notificação e desequilíbrio dos alelos na maioria dos *loci*. Contei apenas seis alelos que estavam acima do limiar de notifica-

ção. O gráfico eletroforético mostrou um perfil parcial do DNA que, ao que se alegou, combinava com Meredith Kercher. Consequentemente, a amostra B era fronteiriça para interpretações.

Em vez disso, vou dar a mais simples e curta de todas as teorias possíveis sobre Amanda Knox. O caso dela é sobre transparência. Se você acredita que a forma como um estranho se expressa e o jeito como age são uma pista confiável sobre o que ele sente – se você aceita a falácia de *Friends* –, então você vai cometer erros. Amanda Knox foi um desses erros.

2.

Vamos voltar, por um momento, às teorias de Tim Levine que mencionei no Capítulo Três. Levine, como você lembrará, preparou uma armadilha para estudantes universitários. Deu a eles um teste de cultura geral para fazerem na hora. No meio do teste, a instrutora saía da sala, deixando as respostas sobre sua escrivaninha. Depois, Levine entrevistou os estudantes e perguntou se eles tinham trapaceado. Alguns mentiram. Outros disseram a verdade. Então ele mostrou vídeos dessas entrevistas para algumas pessoas e perguntou se conseguiriam identificar quais estudantes estavam mentindo.

Cientistas sociais fizeram versões desse experimento por anos. Você tem um "emissor" – um voluntário – e um "juiz", e avalia quão preciso é o juiz em apontar as mentiras do emissor. O que Levine descobriu é o que os psicólogos sempre constatam nesses casos: que a maioria de nós não é muito boa em detectar mentiras. Na média, juízes conseguem identificar mentirosos corretamente 54% das vezes – apenas um pouco melhor do que o acaso. E isso se confirma não importa quem esteja julgando. Estudantes são péssimos. Policiais do FBI são péssimos. Agentes da CIA são péssimos. Advogados são péssimos. Talvez exista um punhado de "superdetectores" que superem as probabilidades. Mas se eles existem, são raros. Por quê?

A primeira resposta é aquela que abordamos no Capítulo Três. Nós temos uma tendência a acreditar que é verdade. Pelo que se revelaram boas razões, damos o benefício da dúvida e partimos da premissa de que as pessoas com quem estamos falando estão sendo honestas. Mas Levine não estava satisfeito com essa explicação. O problema é claramente mais profundo que ter a verdade como pressuposto. Em particular, ele se impressionou com a descoberta de que as mentiras são detectadas com mais frequência apenas após o fato – semanas, meses, às vezes anos mais tarde.

Por exemplo, quando Scott Carmichael disse para Ana Montes durante aquela primeira reunião: "Olha, Ana, tenho razões para suspeitar que você pode estar envolvida numa operação de influência de contrainteligência", ela apenas ficou sentada olhando para ele, como um veado olhando os faróis do carro. Em retrospecto, Carmichael acreditou que aquele foi um sinal de perigo. Se ela fosse inocente, teria dito algo, gritado, protestado. Mas ela "não fez porra nenhuma a não ser ficar ali sentada".

Naquele momento, no entanto, Carmichael deixou passar aquela pista. Montes foi desmascarada somente por acaso, quatro anos depois. O que Levine descobriu é que nós, quase sempre, deixamos passar as pistas cruciais no momento em questão – e isso o intrigou. Por quê? O que acontece no momento em que alguém nos diz uma mentira que *especificamente* nos desencaminha? Para achar uma resposta, Levine voltou aos seus vídeos.

Aqui está um trecho de outro dos vídeos que Levine me mostrou. É de uma jovem – vamos chamá-la de Sally. Levine conduziu-a pelas perguntas diretas sem incidente. Aí veio o momento crucial:

Entrevistador: Então, ocorreu alguma trapaça quando Rachel saiu da sala?
Sally: Não.
Entrevistador: Você está me dizendo a verdade?
Sally: Sim.
Entrevistador: Quando eu entrevistar sua parceira, vou fazer a mesma pergunta. O que ela vai dizer?

Sally faz uma pausa, parecendo insegura.

Sally: Provavelmente... a mesma coisa.
Entrevistador: Ok.

No momento em que Levine pergunta "Ocorreu alguma trapaça?", os braços e o rosto de Sally começam a ficar vermelhos. Chamar isso de rubor é pouco. Então vem a pergunta decisiva: "O que sua parceira vai dizer?" Corando, Sally nem consegue emitir um convincente "Ela vai concordar comigo". Ela hesita e diz, com voz fraca: "Provavelmente... a mesma coisa." *Provavelmente*? A Sally Enrubescida estava mentindo, e *todo mundo* que foi chamado para julgar o vídeo percebe que ela está mentindo.

Agora o vídeo que Levine me mostrou em seguida. É de uma mulher que passou toda a entrevista mexendo obsessivamente no cabelo. Vamos chamá-la de Nelly Nervosa.

Entrevistador: Então, Rachel foi chamada e saiu da sala. Ocorreu alguma trapaça quando ela estava fora?

Nelly Nervosa: Na verdade, minha parceira queria olhar as respostas, e eu disse não. "Eu quero saber quantas acertamos", foi o que falei, porque eu não trapaceio. Acho isso errado, por isso não fiz. Eu disse não pra ela. Falei: "Não quero fazer isso." Mas aí ela disse: "Bem, a gente olha só uma resposta." E eu: "Não, não quero fazer isso." Eu não sei se fazia parte ou não, mas não, a gente não fez isso.

Entrevistador: Ok, então você está me dizendo a verdade sobre a trapaça?

Nelly Nervosa: Sim, nós não fizemos nada. Ela queria... vou ser sincera, minha colega disse: "A gente olha só uma." E eu: "Não, isso não é legal, eu não quero fazer isso." A única coisa que eu disse foi: "Estou surpresa que deixaram todo o dinheiro aqui." Eu realmente não roubo nem trapaceio, sou uma pessoa do bem. Eu só estava surpresa, porque, em geral, quando as pessoas deixam dinheiro para trás, você vai lá e pega – é o que todo mundo faz. Mas não, nós não trapaceamos. Não roubamos nada.

Ela enrola o cabelo o tempo todo. Não para com suas explicações hesitantes, abertamente defensivas, repetitivas, nem de se mexer e de ficar um pouco agitada.

Entrevistador: Ok, então quando eu chamar a sua parceira para uma entrevista, que resposta ela vai dar a essa pergunta?

Nelly Nervosa: Eu acho que ela vai dizer que quis olhar.

Entrevistador: Ok.

Nelly Nervosa: Mas se ela disser outra coisa, isso não vai ser legal, porque eu disse: "Não, eu não quero trapacear de jeito nenhum." Ela apenas falou: "Por que não olhamos só uma? As respostas estão bem ali", e eu: "Não, eu não vou fazer isso. Isso não é da minha índole. Não é o que costumo fazer."

Eu estava convencido de que Nelly Nervosa estava mentindo. Você também estaria se a tivesse visto em ação. *Todo mundo* pensou que Nelly Nervosa estava mentindo. Mas ela não estava! Quando a parceira deu seu relato a Levine, confirmou tudo que Nelly Nervosa tinha dito.

Levine encontrou esse padrão várias e várias vezes. Em um dos experimentos, por exemplo, havia um grupo de entrevistados que 80% dos juízes avaliaram errado. E outro grupo que mais de 80% avaliaram corretamente.

Então qual seria a explicação? Levine argumenta que este é o pressuposto da transparência em ação. Nós tendemos a julgar a honestidade das pessoas baseados na maneira como se expressam. Pessoas que falam bem, que demonstram confiança, que têm um aperto de mão firme e são amigáveis e interessantes são vistas como confiáveis. Pessoas nervosas, evasivas, gaguejantes, que se mostram pouco à vontade e dão explicações confusas e enroladas não são. Numa pesquisa de sinais corporais relacionados à trapaça, conduzida poucos anos atrás, que envolveu milhares de pessoas em 58 países no mundo todo, 63% dos entrevistados disseram que o sinal mais usado para identificar um mentiroso era a "aversão ao contato visual". Nós achamos que os mentirosos da vida real se comportam como os mentirosos se comportariam em *Friends* – sinalizando seus sentimentos internos com olhos inquietos e esquivos.

Isto é – para falar o mínimo – absurdo. Mentirosos não desviam o olhar. Mas o argumento de Levine é que nossa crença obstinada em algum conjunto de comportamentos não verbais associados à dissimulação explica o padrão encontrado nos seus vídeos de mentiras. As pessoas que todos avaliam corretamente são aquelas *coerentes* – cujo nível de sinceridade por acaso é compatível com o que aparentam por fora. Sally Enrubescida se enquadra nesse grupo. Ela age como o nosso estereótipo de um mentiroso agiria. *E* ela também por acaso está mentindo. Por isso todos a avaliam corretamente. No episódio de *Friends*, quando Monica enfim dá a notícia a seu irmão sobre seu relacionamento, ela pega na mão de Ross e diz: "Sinto muito que você tenha descoberto desse jeito. Sinto muito. Mas é verdade. Eu o amo também." Nós acreditamos nela naquele momento – que ela de fato sente muito e está apaixonada, porque ela é perfeitamente coerente. Ela está sendo sincera e parece sincera.

Porém, quando um mentiroso age como uma pessoa honesta, ou quando uma pessoa honesta age como um mentiroso, nós ficamos desconcertados. Nelly Nervosa é incoerente. Ela aparenta estar mentindo, mas não está. Ela está apenas nervosa! Em outras palavras, seres humanos não são péssimos detectores de mentiras. Somos péssimos detectores de mentiras *naquelas situações em que a pessoa que estamos julgando é incoerente.*

Num certo momento de sua perseguição a Bernie Maddoff, Harry Markopolos abordou Michael Ocrant, um experiente jornalista que cobria o setor financeiro. Markopolos persuadiu Ocrant a acreditar que Madoff era uma fraude potencial, a ponto de Ocrant entrevistar Madoff pessoalmente. Mas o que aconteceu?

"Não foram tanto suas respostas que me impressionaram, e sim toda a sua postura", disse Ocrant anos mais tarde.

> Era quase impossível sentar-se ao lado dele e acreditar que fosse uma fraude completa. Eu me lembro de ter pensado comigo mesmo: *Se [o pessoal do Markopolos] estiver certo e ele está dirigindo um esquema Ponzi, ou ele é o melhor ator que já vi ou um sociopata.* Não havia um sinal sequer de culpa, vergonha ou remorso. Ele estava supertranquilo, quase como se estivesse achando a entrevista divertida. A atitude dele era do tipo: "Quem em sã consciência poderia duvidar de mim? Não acredito que as pessoas realmente se importem com isso."

Madoff era incoerente. Ele era um mentiroso com a postura de um homem honesto. E Ocrant – que sabia, num nível intelectual, que alguma coisa não estava certa – foi tão influenciado pelo encontro com Madoff que abandonou o caso. Dá para culpá-lo? Primeiro existe a questão da verdade como pressuposto, que dá ao vigarista uma vantagem inicial. Mas quando você adiciona a incoerência, não fica difícil entender por que Madoff enganou tanta gente durante tanto tempo.

E por que tantos políticos britânicos que se encontraram com Hitler o interpretaram de maneira tão equivocada? Porque Hitler também era incoerente. Lembra-se da observação de Chamberlain de como Hitler o cumprimentou com um aperto de mão duplo, que o britânico acreditava que Hitler reservava às pessoas em quem confiava e de quem gostava? Para muitos de nós, um aperto de mãos caloroso e efusivo significa que é exatamente assim que nos sentimos em relação à pessoa que estamos cumprimentando. Mas não Hitler. Ele é a pessoa desonesta que age como uma pessoa honesta.*

3.

Então qual foi o problema com Amanda Knox? Ela era incoerente. Ela é a pessoa inocente que age como culpada. Ela é Nelly Nervosa.

Knox era – para aqueles que não a conheceram – desconcertante. Na época do crime, tinha 20 anos e era bonita, com maçãs do rosto salientes e olhos azuis impressionantes. O apelido dela era "Foxy Knoxy" (*foxy* vem de

---

* Eis outro exemplo: Dzhokhar Tsarnaev, um dos dois irmãos chechenos que plantaram bombas mortais na Maratona de Boston em 2013. A principal questão no julgamento de Tsarnaev foi se ele pegaria pena de morte. A promotora, Nadine Pellegrine, argumentou que ele deveria pegar, porque não sentia remorso. A certa altura, Pellegrine mostrou ao júri uma fotografia de Tsarnaev em sua cela, levantando o dedo do meio para a câmera de vídeo no canto da parede. "Ele tinha uma última mensagem para mandar", disse ela, qualificando Tsarnaev como "indiferente, impenitente e inalterado". Na revista *Stale*, na véspera do veredicto, Seth Stevenson escreveu: "E embora seja arriscado interpretar de maneira profunda a postura relaxada e os tiques, Tsarnaev não fez muito esforço para parecer arrependido diante do júri. As câmeras que estavam transmitindo do tribunal para a sala da imprensa não tinham resolução suficiente para que eu possa garantir cem por cento, mas tenho quase certeza de que, depois que Pellegrini mostrou aquela foto dele fazendo um gesto obsceno com o dedo médio, Tsarnaev sorriu."
Como era de se esperar, Tsarnaev foi considerado culpado e sentenciado à morte. Depois, 10 dos 12 jurados disseram que acreditavam que ele não sentiu nenhum remorso.
Porém, como observa a psicóloga Lisa Feldman Barrett, toda essa discussão é um exemplo perfeito das armadilhas da transparência. O júri supôs que o que Tsarnaev sentia em seu coração seria automaticamente informado em seu rosto, de uma forma coerente com as ideias americanas de como as emoções devem ser demonstradas. *Mas Tsarnaev não era americano*. No seu livro *How emotions are made* (Como são criadas as emoções), Barrett escreve: "Se por acaso Tsarnaev sentiu remorso, como isso seria demonstrado? Ele teria chorado abertamente? Implorado o perdão de suas vítimas? Explicado o erro dos seus feitos? Talvez, se ele tivesse seguido o estereótipo americano de expressar remorso, ou se aquele tivesse sido um julgamento num filme de Hollywood. Mas Tsarnaev é um jovem muçulmano da Chechênia. [...] De acordo com a cultura chechena, os homens devem se manter impassíveis diante de uma adversidade. Se perdem uma batalha, devem bravamente aceitar a derrota, uma mentalidade conhecida como 'lobo checheno'. Então, se Tsarnaev sentiu remorso, pode perfeitamente ter permanecido impassível."

fox, "raposa" em inglês, e também pode ser uma gíria para "mulher atraente"). Os tabloides conseguiram uma lista, feita por ela mesma, de todos os homens com quem havia dormido. Ela era a mulher fatal – insolente e sensual. No dia seguinte ao assassinato brutal da colega de quarto, foi vista comprando roupa íntima vermelha numa loja de lingerie junto com o namorado.

Na verdade, o apelido "Foxy Knoxy" não tinha cunho sexual. Foi dado a ela aos 13 anos pelas colegas do time de futebol por sua habilidade com a bola. Ela estava comprando lingerie vermelha no dia seguinte ao assassinato de sua colega de quarto porque sua casa era uma cena de crime e ela estava sem acesso às próprias roupas. Ela não era uma mulher fatal.* Era uma jovem imatura recém-saída de uma adolescência em que era estranha e tinha espinhas no rosto. Insolente e sensual? Na realidade, Amanda Knox era um pouco desajustada.

"Eu era a garota esquisita que andava com os leitores de mangá mal-humorados, com os jovens gays marginalizados e os *geeks* do teatro", escreveu ela em suas memórias, publicadas em 2011, após ter sido enfim libertada da prisão na Itália.

No ensino médio, ela era a jovem de classe média que recebia ajuda financeira vivendo em meio aos colegas de classe abastados. "Eu estudava japonês e cantava bem alto nos corredores enquanto andava de uma sala para outra. Já que eu não me encaixava, agia como eu mesma, o que me deixava ainda mais excluída."

Pessoas coerentes correspondem às nossas expectativas. Suas intenções são coerentes com seu comportamento. As incoerentes são desconcertantes e imprevisíveis: "Eu fazia coisas que constrangeriam a maioria dos adolescentes e adultos – descendo a rua imitando uma egípcia ou um elefante –, mas que a garotada achava hilárias."

O assassinato de Kercher mudou o jeito como seu círculo de amigos se comportava. Eles choraram calados, abafaram suas vozes, murmuraram sua solidariedade. Knox não.

Leiam algumas citações que eu extraí – aleatoriamente – do livro *Death in Perugia* (Morte em Perúgia), do jornalista britânico John Follain. Acredi-

---

* A lista de parceiros de Knox também não era o que parecia. Com a intenção de intimidá-la, a polícia italiana mentiu para Knox e disse que ela era soropositiva. Assustada e sozinha em sua cela, ela escreveu uma lista com o nome de seus parceiros sexuais para tentar descobrir como isso poderia ter sido possível.

tem, há mais como estas. Eis Follain descrevendo o que aconteceu quando os amigos de Kercher encontraram Knox e Sollecito na delegacia um dia após o assassinato.

"Nossa, Amanda, sinto muito!", exclamou Sophie, enquanto instintivamente colocava seus braços em volta dela e lhe dava um abraço apertado.

Amanda não abraçou Sophie de volta. Em vez disso, ela se enrijeceu, mantendo os braços pendentes dos lados. Amanda não disse nada.

Surpresa, depois de alguns segundos, Sophie largou Amanda e deu um passo para trás. Não havia qualquer traço de emoção no rosto de Amanda. Raffaele aproximou-se de Amanda e segurou sua mão. O casal ficou ali parado, ignorando Sophie e se olhando.

Depois:

Amanda sentou-se com os pés no colo de Raffaele [...] os dois se acariciavam e se beijavam, às vezes até davam risadas.

Como Amanda podia agir daquela forma?, perguntou Sophie para si mesma. *Ela não se importa?*

Depois:

Enquanto a maioria dos amigos de Meredith estava chorando e parecia arrasada, Amanda e Raffaele estalavam os lábios quando se beijavam ou mandavam beijos um para o outro.

E mais adiante:

– Espero que ela não tenha sofrido – disse Natalie.

– É isso que você acha? Cortaram a garganta dela, Natalie. Ela sangrou até a morte, porra! – retrucou Amanda.

As palavras de Amanda causaram arrepios em Natalie. Ela estava surpresa tanto por Amanda falar de diversos assassinos quanto pelo tom de voz frio. Natalie pensou que era como se a morte de Meredith não a abalasse.

Ao entrevistar Knox, Diane Sawyer, da ABC News, mencionou esse último diálogo, travado na delegacia de polícia, em que Knox foi rude com a amiga de Kercher e disse: "Ela sangrou até a morte, porra!"

Knox: Sim. Eu estava com raiva. Estava andando de um lado para outro, pensando naquilo pelo que Meredith deve ter passado.
Sawyer: Arrependida disso agora?
Knox: Eu gostaria de ter sido mais madura em relação a isso, sim.

Em uma situação que tipicamente requer uma reação de solidariedade, Knox estava falando alto e com raiva. A entrevista continua:

Sawyer: Você consegue entender que isso não parece luto. Não é visto como luto.

A entrevista foi conduzida muito tempo depois que o erro judicial no caso de Kercher se tornou óbvio. Knox havia acabado de ser posta em liberdade após passar quatro anos numa prisão italiana pelo crime de não ter se comportado do jeito que nós pensamos que as pessoas deveriam se comportar depois que uma colega de quarto é assassinada. No entanto, o que Diane Sawyer diz a ela? Ela a repreende por não ter se comportado do jeito que nós acreditamos que as pessoas devem se comportar depois que uma colega de quarto é assassinada.

Na apresentação da entrevista, a âncora de notícias diz que o caso de Knox continua controverso porque, em parte, "suas alegações de inocência pareciam para muitas pessoas algo frio e calculista, e não remorso" – que é uma coisa ainda mais bizarra de se dizer, não é mesmo? Por que esperaríamos que Knox estivesse com remorso? Nós esperamos remorso do culpado. Knox não fez nada. Mas continua sendo criticada por ter sido "fria e calculista". O tempo todo, Knox não consegue escapar da crítica à sua *esquisitice*.

Knox: Eu acho que a reação de cada pessoa quando algo horrível acontece é diferente.

Ela está certa! Por que uma pessoa não pode ficar brava em reação a um assassinato, em vez de triste? Se você fosse amigo de Amanda Knox, nada disso o surpreenderia. Você teria visto Knox andando pela rua imitando um elefante. Mas, com estranhos, somos intolerantes às reações emocionais que não correspondem às expectativas.

Enquanto aguardava para ser interrogada pela polícia, quatro dias depois do corpo de Kercher ser descoberto, Knox decidiu se alongar. Ela tinha ficado sentada, curvada, por horas. Ela tocou os dedos dos pés, levantou os braços acima da cabeça. O policial de plantão lhe disse: "Você parece bastante flexível."

> Eu respondi: "Eu costumava fazer muita ioga." Ele disse: "Pode me mostrar? O que mais você consegue fazer?" Eu me aproximei um pouco do elevador e abri um espacate. Foi muito bom sentir que ainda conseguia. Enquanto eu estava no chão, pernas estendidas, as portas do elevador se abriram. Rita Ficarra, a policial que repreendeu Raffaele e a mim no dia anterior por termos nos beijado, apareceu. "O que você está fazendo?", perguntou ela, com a voz cheia de desdém.*

O investigador principal do caso, Edgardo Giobbi, afirma que teve dúvidas sobre Knox desde o momento em que ela percorreu com ele a cena do crime. Assim que colocou as sapatilhas de proteção, ela girou os quadris e disse: "*Tchã-rã!*"

"Nós conseguimos determinar a culpa", explicou Giobbi, "observando de perto as reações psicológicas e comportamentais da suspeita durante o interrogatório. Não precisamos nos basear em outros tipos de investigação."

O promotor público do caso, Giuliano Mignini, afastou as críticas crescentes à maneira como seu departamento lidou com o assassinato. Por que as pessoas focaram tanto na análise de DNA malfeita? "Todas as provas têm aspectos de incerteza", disse ele. A questão real foi a *Amanda* incoerente. "Eu

---

* Existe uma quantidade incessante desse tipo de coisa. Para o promotor do caso, o momento revelador foi quando ele levou Knox até a cozinha para olhar a gaveta de facas, para ver se algo estava faltando. "Ela começou a bater com as palmas das mãos nas orelhas. Como se houvesse a lembrança de um barulho, um som, um grito. O grito de Meredith. Sem dúvida, eu comecei a suspeitar de Amanda."

Ou isto: ao jantar num restaurante com os amigos de Meredith, Amanda de repente começou a cantar. "Mas o que extraía gargalhadas em Seattle provocou olhares constrangidos em Perúgia", escreve ela. "Ainda não tinha me ocorrido que as mesmas peculiaridades que meus amigos em casa achavam engraçadinhas poderiam realmente ofender pessoas menos abertas às diferenças."

preciso lembrar a vocês que o comportamento dela foi totalmente inexplicável. Totalmente irracional. Não existe dúvidas quanto a isso."*

De Bernard Madoff a Amanda Knox, não nos saímos bem com os incoerentes.

4.

O mais perturbador nas descobertas de Tim Levine foi quando ele mostrou seus vídeos das mentiras para um grupo de agentes da lei veteranos – pessoas com 15 anos ou mais de experiência em interrogatórios. Ele havia usado antes, no papel de juiz, estudantes e adultos de profissões comuns. Eles não se saíram bem, mas talvez isso fosse de se esperar. Se você é um corretor de imóveis ou um estudante de filosofia, identificar uma dissimulação num interrogatório não é algo que faz todos os dias. Mas Levine pensou que talvez pessoas cujo trabalho é fazer exatamente o tipo de coisa que ele estava avaliando seriam melhores.

E, em certo aspecto, elas foram. Nos emissores "coerentes", os interrogadores veteranos foram perfeitos. Eu ou você provavelmente chegaríamos em 70% ou 75% naquele conjunto de vídeos. Mas *todos* no grupo de especialistas superexperientes de Levine acertaram *cada* emissor coerente. Com os emissores incoerentes, no entanto, o desempenho deles foi péssimo: conseguiram 20% de acertos. E na subcategoria dos mentirosos se fazendo de sinceros, eles acertaram 14% – uma pontuação tão baixa que causaria arrepios a qualquer um que alguma vez seja conduzido a uma sala de interrogatórios com um agente do FBI. Quando confrontados com o caso mais fácil da Sally Enrubescida, eles são perfeitos. Mas quando se trata das Amandas Knox e Bernies Madoff do mundo, são um fracasso.

Isso é preocupante porque não precisamos de agentes da lei experientes para nos ajudarem com estranhos coerentes. Todos nós somos bons em saber

---

* "O que me fascina no caso de Amanda Knox é que foi sua sutil esquisitice que a derrubou, a esquisitice diária que pode ser encontrada em todo pátio escolar e em todo ambiente de trabalho", escreveu o crítico Tom Dibblee em seus ensaios perspicazes sobre o caso. "Esse é o tipo moderado de esquisitice que provoca desconfiança e fofocas sussurradas, o tipo moderado de esquisitice que se manifesta em nossa vida diária e rege com quem escolhemos nos relacionar e de quem escolhemos manter distância."

quando esse tipo de pessoa está nos enganando ou dizendo a verdade. Precisamos de ajuda com estranhos incoerentes – os casos difíceis. Um interrogador treinado deveria ser exímio em ler nas entrelinhas dos sinais confusos de comportamento, em compreender que, quando Nelly Nervosa se explica demais e fica na defensiva, é porque ela é assim – alguém que se explica demais e fica na defensiva. O policial deveria ser a pessoa que vê a garota excêntrica e inadequada numa cultura bem diferente da sua dizendo "*Tchã-rã*" e percebe que é somente uma menina excêntrica numa cultura bem diferente da sua. Mas isso não é o que acontece. Em vez disso, as pessoas incumbidas de determinar inocência e culpa parecem tão ruins *ou ainda piores* do que o resto de nós quando se trata dos casos mais difíceis.

Será que isso é parte da razão das condenações injustas? Seria o sistema jurídico constitucionalmente incapaz de tratar com justiça os incoerentes? Quando um juiz toma uma decisão de fiança e tem um desempenho pior que o de um computador, será essa a causa? Estamos mandando pessoas inofensivas para a prisão enquanto aguardam o julgamento apenas porque não aparentam o que deveriam aparentar? Todos aceitamos as imperfeições e imprecisões do julgamento institucional quando acreditamos que esses erros são aleatórios. Mas a pesquisa de Tim Levine mostra que eles não são aleatórios – que construímos um mundo que sistematicamente discrimina uma classe de pessoas que, sem terem qualquer culpa disso, violam nossas ridículas ideias sobre transparência. A história de Amanda Knox merece ser recontada não porque foi uma saga criminal singular: uma mulher bonita, uma cidade italiana pitoresca no alto de uma montanha, um assassinato tenebroso. Merece ser recontada porque acontece o tempo todo.

"Os olhos dela não pareciam mostrar nenhuma tristeza, e eu me peguei pensando se ela poderia estar envolvida", disse um dos amigos de Meredith Kercher.

Amanda Knox ouviu esse tipo de coisa durante *anos* – perfeitos estranhos pretendendo saber quem ela era baseados apenas em suas expressões faciais.

"Não há vestígios meus no quarto onde Meredith foi assassinada", diz Knox, no fim do documentário. "Mas vocês estão tentando achar a resposta nos meus olhos. [...] Vocês estão me olhando. Por quê? Estes são apenas os meus olhos. Não são provas objetivas."

CAPÍTULO OITO

Estudo de caso:
A festa da fraternidade

1.

Acusação: E em algum ponto do seu percurso para a casa Kappa Alpha vocês observaram algo anormal?
Jonsson: Sim.
Acusação: O que vocês viram?
Jonsson: Observamos um homem em cima de uma... ou uma pessoa em cima de outra pessoa, eu diria.
Acusação: E onde foi isso?
Jonsson: Bem perto da casa Kappa Alpha.

Palo Alto, Califórnia, 18 de janeiro de 2015. Algum momento perto da meia-noite. Dois estudantes de pós-graduação suecos estão andando de bicicleta pelo campus da Universidade Stanford a caminho de uma festa de fraternidade. Eles veem o que parece ser duas pessoas, deitadas no chão, do lado de fora da casa da fraternidade, onde uma festa está rolando. Diminuem a velocidade para não perturbar o casal. "Achamos que era um momento pessoal deles", um dos estudantes, Peter Jonsson, diria ao depor no tribunal. Ao se aproximarem, viram que o homem estava em cima. E sob o homem estava uma jovem mulher.

Acusação: E quanto à pessoa em cima? Vocês viram algum movimento ou gesto daquela pessoa?
Jonsson: Sim. Primeiro, estava se movendo só um pouquinho. E aí começou a investir mais intensamente. [...]

Acusação: E vocês conseguiram ver o que a pessoa embaixo estava fazendo?
Jonsson: Não.

Jonsson e seu amigo, Carl-Fredrik Arndt, saltaram de suas bicicletas e se aproximaram. Jonsson perguntou: "Ei, está tudo bem?" O homem em cima levantou seu corpo e ergueu o olhar. Jonsson chegou mais perto. O homem ficou de pé e começou a recuar.

Jonsson perguntou: "Ei, que porra você está fazendo? Ela está inconsciente." Jonsson disse pela segunda vez: "Ei, que porra você está fazendo?" O homem se pôs a correr. Jonsson e seu amigo foram atrás e o detiveram.

A pessoa que Jonsson deteve era Brock Turner. Com 19 anos, era calouro em Stanford e membro da equipe de natação da universidade. Menos de uma hora antes, tinha conhecido uma mulher na festa da Kappa Alpha. Turner diria mais tarde à polícia que haviam dançado juntos, conversado, saído e deitado no chão. A mulher havia se formado recentemente pela faculdade e passou a ser conhecida, sob a proteção da lei do assédio sexual, como Emily Doe. Ela tinha ido à festa com um grupo de amigas. Agora estava inerte sob um pinheiro, perto de uma caçamba de lixo. Sua saia estava levantada em torno da cintura. Sua roupa íntima estava no chão ao seu lado. A parte superior de sua roupa estava parcialmente puxada para baixo, revelando um de seus seios. Quando ela chegou ao hospital algumas horas depois naquela manhã, um policial lhe contou que ela podia ter sofrido um abuso sexual. Ela estava confusa. Acordou, foi ao banheiro e descobriu que suas roupas íntimas tinham sumido. Haviam sido recolhidas como provas.

Acusação: O que aconteceu depois que você usou o toalete?
Doe: Senti coceira no pescoço e percebi que eram agulhas de pinheiro. E achei que eu pudesse ter caído de uma árvore, pois não sabia por que estava ali.
Acusação: Tinha um espelho no toalete?
Doe: Sim.
Acusação: Dava para ver seus cabelos no espelho?
Doe: Sim.
Acusação: Pode descrever o aspecto dos seus cabelos?
Doe: Desgrenhados e com umas coisinhas saindo para fora.

Acusação: Tem alguma ideia de como seus cabelos acabaram ficando assim?
Doe: Nenhuma ideia.
Acusação: O que você fez depois que acabou de usar o toalete?
Doe: Voltei para a cama. Então me deram um lençol e eu me cobri. E voltei a dormir.

2.

Todos os anos, ao redor do mundo, ocorrem encontros como esse que acabou tão terrivelmente no gramado perto da fraternidade Kappa Alpha, na Universidade Stanford. Dois jovens que não se conhecem bem se encontram e conversam. Pode ser rápido. Ou pode se estender por horas. Podem ir para casa juntos. Ou as coisas podem terminar antes disso. Mas às vezes, em algum ponto da noite, as coisas dão errado. Estima-se que uma em cada cinco alunas universitárias americanas diz ter sido vítima de abuso sexual. Uma grande porcentagem desses casos se enquadra nesse padrão.

O desafio nesses tipos de caso é reconstituir o encontro. As duas partes consentiram? Uma parte objetou e a outra parte ignorou essa objeção? Ou entendeu mal? Se o pressuposto da transparência é um problema para policiais tentando interpretar suspeitos, ou para juízes tentando "ler" os réus, será claramente um problema para adolescentes e jovens adultos navegando por um dos mais complexos domínios humanos.

Vejamos os resultados de uma pesquisa do *The Washington Post*/Fundação Kaiser Family de 2015 feita com mil estudantes universitários. Perguntou-se aos estudantes se achavam que qualquer das seguintes condutas "estabelece consentimento para *mais* atividade sexual".

Tirar as próprias roupas

	Sim	Não	Depende	Sem opinião
Todos	47	49	3	1
Homens	50	45	3	2
Mulheres	44	52	3	1

Pegar uma camisinha

	Sim	Não	Depende	Sem opinião
Todos	40	54	4	1
Homens	43	51	4	2
Mulheres	38	58	4	1

Assentir com a cabeça

	Sim	Não	Depende	Sem opinião
Todos	54	40	3	3
Homens	58	36	3	3
Mulheres	51	44	3	3

Envolver-se em preliminares como beijar ou tocar

	Sim	Não	Depende	Sem opinião
Todos	22	74	3	*
Homens	30	66	3	*
Mulheres	15	82	3	*

Não dizer "não"

	Sim	Não	Depende	Sem opinião
Todos	18	77	3	1
Homens	20	75	4	1
Mulheres	16	80	2	1

O consentimento seria uma questão objetiva se todos os estudantes universitários concordassem que pegar uma camisinha significa consentimento implícito ao sexo, ou se todos concordassem que preliminares, como beijar e tocar, *não* constituem um convite para algo mais sério. Quando as regras são claras, cada parte pode inferir, com facilidade e precisão, o que a outra espera de seu comportamento. Mas o que as pesquisas mostram é que não existem regras. Em cada uma das questões existem mulheres que pensam de um jeito e mulheres que pensam de outro; homens que pensam como algumas mulheres mas não como outras; e um número desconcertante de pessoas, de ambos os sexos, sem nenhuma opinião.

Na situação a seguir, diga se você acha que CONFIGURA abuso sexual, NÃO CONFIGURA abuso sexual ou não está claro.

Atividade sexual quando ambas as pessoas não deram seu consentimento claro

	É	Não é	Incerto	Sem opinião
Todos	47	6	46	*
Homens	42	7	50	1
Mulheres	52	6	42	–

O que significa o fato de que metade dos homens e mulheres jovens estão "incertos" se um consentimento claro é necessário para a atividade sexual? Significa que não pensaram a respeito antes? Significa que prosseguiriam baseados em cada caso individual? Significa que se reservam o direito de às vezes prosseguir sem consentimento explícito e outras vezes insistir nele? Amanda Knox desconcertou o sistema jurídico porque houve uma dissociação entre como agiu e como se sentiu. Mas aqui temos uma falha da transparência elevada ao cubo. Quando um estudante universitário conhece outro – mesmo nos casos em que ambos têm as melhores das intenções –, a tarefa de inferir a intenção sexual com base na conduta é essencialmente uma decisão de cara ou coroa. Como indaga a especialista em direito Lori Shaw: "Como podemos esperar que estudantes respeitem limites se não existe consenso sobre quais são esses limites?"

Mas existe um segundo elemento complicador em muitos desses encontros. Quando você lê os detalhes dos casos de abuso sexual no campus, que se tornaram tão lamentavelmente comuns, o fato notável é quantos envolvem um cenário quase idêntico. Uma mulher jovem e um homem jovem se conhecem em uma festa e depois tragicamente entendem de forma errada as intenções um do outro – *e estão bêbados*.

3.

Defesa: O que você bebeu?
Turner: Bebi umas cinco cervejas Rolling Rock.

Brock Turner começou a beber bem antes de ir para a festa da Kappa Alpha. Tinha passado no apartamento de seu amigo Peter mais cedo naquela noite.

Defesa: Além das cinco cervejas Rolling Rock que mencionou, você tomou alguma outra bebida alcoólica no quarto de Peter?
Turner: Sim, um pouco de uísque Fireball.
Defesa: E como foi consumido? [...]
Turner: Direto da garrafa.

Quando Turner chegou à festa, continuou bebendo. Na Califórnia, o limite de embriaguez legal para motoristas é uma concentração de álcool no sangue de 0,08% (0,08g de álcool por 100ml de sangue). Acima desse valor você é considerado embriagado. No fim daquela noite, o nível de álcool no sangue de Turner era o dobro.

Emily Doe chegou à festa em grupo, com sua irmã e suas amigas Colleen e Trea. Naquela mesma noite, Trea já havia consumido uma garrafa inteira de espumante, entre outras coisas. Lá se juntou a elas sua amiga Julia, que também vinha bebendo.

Acusação: Você tomou alguma bebida no jantar?
Julia: Sim.
Acusação: O que você bebeu?
Julia: Uma garrafa inteira de vinho.

E depois:

Acusação: O que você fez depois do jantar?
Julia: Depois do jantar fui de Uber até um lugar chamado Griffin Suite. [...]
Acusação: E o que estava acontecendo ali no Griffin Suite?
Julia: Um *esquenta*.
Acusação: O que é isto?
Julia: Ah, desculpa. É gíria. É uma pré-festa que envolve bebedeira.

Após o esquenta, Julia foi para a festa da Kappa Alpha, onde descobriu uma garrafa fechada de vodca no porão.

Julia: Abri a garrafa, despejamos em copos e tomamos umas doses.

Vejamos Emily Doe.

Acusação: Então você começou com a dose de uísque, e aí quantas... quantos drinques tomou antes de sair de casa?
Doe: Quatro.
Acusação: E foi o mesmo tipo de drinque – uma dose de uísque – que você tomou inicialmente?
Doe: Tomei quatro doses de uísque e uma taça de espumante.
Acusação: Ok. Então você sabe aproximadamente qual foi o intervalo de tempo durante o qual tomou as quatro doses de uísque e uma taça de espumante?
Doe: Provavelmente entre 22h e 22h45.

Depois, ela e suas amigas foram para a festa.

Acusação: Então vocês estavam se divertindo, sendo o comitê de boas--vindas... e o que vocês, garotas, fizeram?
Doe: Julia achou um garrafão de vodca.
Acusação: Ok. E qual é a sua descrição de um "garrafão de vodca"?
Doe: Provavelmente deste tamanho... tamanho gigante.
Acusação: E o que aconteceu quando ela ofereceu a vodca?
Doe: Eu despejei direto num copo descartável.
Acusação: Ok. Você mediu de alguma maneira quanta vodca havia no copo?

Doe: Mais ou menos. Acho que coloquei umas três ou quatro doses. O copo era grande.
Acusação: Era um copo descartável?
Doe: Sim.
Acusação: Do tipo que se costuma ver em festas?
Doe: Sim...
Acusação: Ok. Então, quando você estava... depois que você se serviu de vodca, fez o quê?
Doe: Bebi.
Acusação: Como você bebeu?
Doe: Simplesmente... de uma vez.
Acusação: Tudo de uma vez?
Doe: Praticamente tudo de uma vez. Então eu já estava bêbada, porque fui capaz de fazer aquilo.

E então:

Acusação: Como... descreva para nós seu nível de embriaguez naquele ponto.
Doe: Hmm, cabeça meio oca. Fico meio que imprestável, expressão vazia, sem articular muita coisa. Só ali parada.*
Acusação: Tem alguma ideia da hora da noite?
Doe: Talvez em torno da meia-noite.

Foi naquele ponto que Brock Turner se aproximou de Emily Doe. Ele diz que ela estava dançando sozinha. Diz que se aproximou dela e falou que gostou do jeito dela de dançar. Diz que ela riu. Diz que conversaram. Diz que a convidou para dançar. Diz que ela disse sim. Diz que dançaram por 10 minutos. Diz que começaram a se beijar.

Defesa: Ela pareceu receptiva ao beijar você de volta?
Turner: Sim.

---

* No momento do incidente, a concentração de álcool no sangue dela era de 0,249%. A concentração dele era de 0,171%. Ela estava três vezes acima do limite legal. Ele estava duas vezes acima. As taxas das concentrações de álcool são de depoimentos de testemunhas especialistas.

Defesa: Você teve mais alguma conversa com ela de que se lembre?
Turner: Sim. Perguntei se ela queria ir ao meu dormitório.
Defesa: Ok. E ela respondeu?
Turner: Sim.
Defesa: O que ela disse?
Turner: Ela disse "Claro".
Defesa: Aproximadamente, isto teria sido após meia-noite e meia, certo?
Turner: Sim.
Defesa: Você ficou sabendo o nome dela naquela noite?
Turner: Sim. Perguntei seu nome enquanto estávamos dançando, mas não memorizei.

Ele conta que pôs o braço em volta dela e os dois deixaram a festa. Ao andarem pelo gramado de trás, ele diz que os dois escorregaram.

Turner: Ela perdeu o equilíbrio e meio que caiu. E se agarrou em mim para tentar impedir a queda, e aquilo me fez cair também...
Defesa: O que aconteceu depois?
Turner: Rimos daquilo e perguntei se ela estava bem.
Defesa: Ela respondeu?
Turner: Sim. Ela disse que achava que sim.
Defesa: O que aconteceu então?
Turner: Começamos a nos beijar.

Normalmente, num caso de abuso sexual, a acusação apresentaria testemunhas para questionar o relato do réu. Mas isso não aconteceu no caso *O povo contra Brock Turner*. Àquela altura, Trea ficara tão bêbada que a irmã de Emily e sua amiga Colleen tiveram que levá-la de volta ao dormitório de Julia. O amigo de Turner, Peter, nem conseguiu chegar à festa: estava bêbado demais e precisou ser levado de volta ao seu dormitório por dois outros amigos de Turner. Presume-se que poderia haver outras pessoas na festa que pudessem corroborar ou refutar a história de Turner. Mas passava da meia-noite, a iluminação havia sido diminuída e pessoas estavam dançando sobre as mesas.

De modo que temos apenas o relato de Turner:

Defesa: O que aconteceu então?

Turner: Nos beijamos um pouco depois daquilo e aí perguntei se ela queria que eu a masturbasse com o dedo.

Defesa: Ela respondeu?

Turner: Sim.

Defesa: O que ela disse?

Turner: Ela disse que sim. [...]

Defesa: Depois que você obteve a concordância ou permissão para masturbá-la, e você a masturbou, o que aconteceu então?

Turner: Eu a toquei por um minuto. E achei que ela teve um orgasmo. E então eu... bem, durante aquele momento, perguntei se ela gostou, e ela disse: "A-hã."

E então:

Defesa: E então, depois daquilo, o que você fez?

Turner: Comecei a beijá-la de novo e então começamos a simular uma relação sexual.

De acordo com a lei da Califórnia, uma pessoa é incapaz de dar consentimento para a atividade sexual se está inconsciente ou tão embriagada que está "impedida de resistir". Diz a especialista em direito Lori Shaw:

> Não basta que a vítima estivesse embriagada até certo ponto, ou que a embriaguez reduzisse as inibições sexuais da vítima. [...] Em vez disso, o nível de embriaguez e a incapacidade mental resultante devem ter sido tão grandes que a vítima não podia mais exercitar um julgamento razoável em relação àquela questão. Como explicou um promotor público da Califórnia, "a vítima embriagada deve estar tão 'fora de si' que não entende o que está fazendo ou o que ocorre à sua volta. Não é uma situação na qual a vítima apenas 'bebeu demais'".

Então Doe foi uma participante voluntária no momento da atividade sexual – e perdeu os sentidos depois? Ou *já* estava incapaz de consentir no momento em que Turner pôs o dedo dentro dela? *O povo contra Brock Turner* é um caso sobre *álcool*. O caso inteiro girou em torno do grau de embriaguez de Emily Doe.

No fim, o corpo de jurados decidiu contra Turner. Sua versão dos acontecimentos simplesmente não foi convincente. Se – como Turner afirma – eles tiveram um encontro caloroso, consensual, por que ele correu no momento em que foi desafiado pelos dois estudantes de pós-graduação? Por que ele estava "simulando sexo" depois que ela desmaiou? Logo após a meia-noite, Doe deixou uma mensagem de voz para seu namorado. A gravação da conversa foi reproduzida para os jurados. Ela mal tem coerência. Se o padrão legal é "tão 'fora de si' que não entende o que está fazendo", então ela parece bem perto disto.

Durante os argumentos finais do julgamento, a promotoria mostrou aos jurados uma fotografia de Doe, tirada quando ela estava deitada no solo, desacordada. Suas roupas estão parcialmente tiradas. Seus cabelos estão desgrenhados. Ela está deitada num leito de agulhas de pinheiro. Uma caçamba de lixo está no fundo. "Nenhuma mulher que se preze e saiba o que está acontecendo quer ser penetrada naquele lugar", disse a promotora. "Esta foto sozinha pode lhes informar que ele tirou proveito de alguém que não sabia o que estava acontecendo." Turner foi condenado em três acusações de crime doloso associado ao uso ilegal de seu dedo: abuso com a intenção de cometer estupro numa pessoa embriagada ou inconsciente, penetração sexual de pessoa embriagada e penetração sexual de pessoa inconsciente. Foi sentenciado a seis meses de prisão e foi registrado como agressor sexual pelo resto da vida.

O *quem* do caso Brock Turner nunca esteve em dúvida. O *o quê* foi decidido pelo júri. Mas ainda resta o *por quê*. Como um encontro aparentemente inofensivo numa pista de dança acabou em crime? Sabemos que nossa crença equivocada na transparência das pessoas leva a todo tipo de problemas entre estranhos. Leva-nos a confundir o inocente com o culpado e o culpado com o inocente. Sob a melhor das circunstâncias, a falta de transparência transforma um encontro numa festa entre um homem e uma mulher em um evento problemático. Então o que acontece quando o álcool é acrescentado à mistura?

4.

Dwight Heath era um estudante de pós-graduação em antropologia na Universidade Yale em meados da década de 1950 quando decidiu fazer o trabalho de campo para sua dissertação na Bolívia. Ele e sua esposa, Anna Heath, voaram para Lima com seu bebê, depois aguardaram cinco horas enquanto mecânicos colocavam propulsores auxiliares nos motores do avião. "Aqueles eram aviões que os Estados Unidos haviam descartado depois da Segunda Guerra Mundial", recorda Heath. "Não deveriam voar acima de 3 mil metros. Mas La Paz, para onde estavam indo, ficava a 3.650 metros." Ao sobrevoarem os Andes, diz Anna Heath, olharam para baixo e viram as carcaças de "todos os aviões cujos propulsores não funcionaram".

De La Paz, percorreram 800 quilômetros para o interior da Bolívia oriental, até uma pequena cidade remota chamada Montero. Era a parte da Bolívia onde a bacia Amazônica encontra a região do Chaco – vastas extensões de floresta e pradarias verdejantes. A área era habitada pelos cambas, um povo mestiço descendente das populações indígenas e dos colonizadores espanhóis. Os cambas falavam uma língua que era uma mistura das línguas indígenas locais com o espanhol andaluz do século XVII. "Era um ponto vazio no mapa", explica Heath. "Havia uma ferrovia chegando. Havia uma rodovia chegando. Havia um governo nacional [...] chegando."

Eles foram morar numa casinha fora da cidade. "Não havia pavimentação, nem calçadas", relembra Anna Heath.

> Se havia carne na cidade, jogavam o couro na frente, para que você soubesse onde ela estava, e você levaria folhas de bananeira na mão, que funcionariam como seu prato. Havia casas de adobe com estuque e teto de telhas, e a praça da cidade, com três palmeiras. Você ouvia o som de carros de boi. Os padres tinham um jipe. Algumas das mulheres serviam uma grande tigela de arroz com algum molho. Aquele era o restaurante. O sujeito que preparava o café era alemão. No ano em que viemos à Bolívia, um total de 85 estrangeiros entraram no país. Não era exatamente um ponto badalado.

Em Montero, o casal Heath dedicou-se à etnografia à moda antiga – "vasculhando tudo", diz Dwight, "aprendendo tudo". Convenceram os cambas de que não eram missionários, já que fumavam cigarros abertamente. Tiraram milhares de fotografias. Caminhavam pela cidade e conversavam com quem pudessem, depois Dwight Heath voltava para casa e passava a noite datilografando suas anotações. Após um ano e meio, os Heaths empacotaram suas fotografias e anotações e retornaram para New Haven. Ali, Dwight Heath se pôs a escrever sua dissertação – apenas para descobrir que quase deixara passar o que foi talvez o fato mais fascinante sobre a comunidade que haviam estudado. "Você percebeu", disse à sua mulher ao examinar suas anotações, "que todos os fins de semana que passamos na Bolívia saímos para beber?".

Todas as noites de sábado, durante o período que estiveram por lá, os Heaths foram convidados para festas regadas a álcool. O anfitrião comprava a primeira garrafa e mandava os convites. Cerca de uma dúzia de pessoas aparecia, e a festa rolava – muitas vezes até todos voltarem ao trabalho na segunda-feira seguinte. A composição do grupo era informal: às vezes pessoas passando na rua eram chamadas. Mas a estrutura da festa era fortemente ritualizada.

O grupo sentava-se em círculo. Alguém podia tocar tambores ou violão. Uma garrafa de rum de uma das refinarias de açúcar locais e uma pequena taça de vidro eram postas sobre uma mesa. O anfitrião se levantava, enchia a taça de rum e caminhava até alguém do círculo. Postava-se diante do "brindado", assentia com a cabeça e erguia a taça. O brindado sorria e assentia em retribuição. O anfitrião então bebia metade da taça, entregando-a ao brindado, que terminava de beber. O brindado acabava se levantando, enchendo de novo a taça e repetindo o ritual com outra pessoa do círculo. Quando as pessoas ficavam cansadas demais ou bêbadas demais, encolhiam-se no chão e desmaiavam, reingressando na festa quando acordavam.

"O álcool que eles bebiam era horroroso", recordou Anna. "Literalmente, você lacrimejava. A primeira vez que tomei, pensei: quero ver o que vai acontecer se eu vomitar no chão. Nem mesmo os cambas gostavam daquilo. Diziam que tinha gosto ruim. Queimava. No dia seguinte, estavam suando aquele negócio. Dava para sentir o cheiro." Mas os Heaths corajosamente perseveraram.

"O estudante de pós-graduação de antropologia nos anos 1950 sentia que tinha que se adaptar", disse Dwight. "Você não quer ofender ninguém, não quer recusar nada. Eu rangia os dentes e aceitava aquelas bebidas."

"Nós não ficávamos tão embriagados", prosseguiu Anna, "porque não recebíamos tantos brindes como o resto do pessoal. Éramos forasteiros. Mas certa noite teve uma festa de arromba, com 70 a 80 pessoas. Eles beberiam, depois desmaiariam. Então acordariam e festejariam por um tempo. E descobri, nos seus padrões de bebedeira, que eu poderia entregar minha bebida ao Dwight. O marido é obrigado a beber por sua esposa. E uma hora Dwight estava segurando uma lamparina a querosene com os braços envoltos nela, e eu disse: 'Dwight, seu braço está queimando.'" Ela imitou seu marido afastando seu antebraço da superfície quente da lamparina. "E ele disse, bem deliberadamente: 'Eu também estou.'"

Quando os Heaths retornaram para New Haven, mandaram analisar uma garrafa do rum dos cambas e descobriram que seu teor alcoólico era de 90%. Era álcool de *laboratório* – a concentração usada por cientistas para preservar tecidos. Ninguém bebe álcool de laboratório. Aquela foi a primeira das descobertas espantosas da pesquisa dos Heaths – e, como era de se esperar, ninguém acreditou de início.

"Um dos maiores fisiologistas do álcool do mundo estava no Yale Center", recordou Heath. "Seu nome era Leon Greenberg. Ele me disse: 'Ei, você contou uma boa história. Mas não pode realmente ter bebido esse negócio.' E me provocou até obter uma resposta que achasse satisfatória. Então eu disse: 'Quer que eu beba? Tenho uma garrafa.' Assim, num sábado, bebi um pouco sob condições controladas. Ele tirava amostras de sangue minhas a cada 20 minutos, e de fato eu bebi aquilo, como disse que beberia."

Greenberg tinha uma ambulância pronta para levar Heath para casa, mas ele decidiu andar. Anna o aguardava no apartamento de terceiro andar que alugaram numa residência estudantil sem elevador. "Eu estava debruçada na janela esperando por ele, e eis que vem a ambulância ao longo da rua, bem devagar, e ao lado dela está Dwight. Ele acena e parece bem. Depois sobe os três lances de escada e diz: 'Ah, estou bêbado', e cai de cara no chão. Ficou inconsciente por três horas."

Aqui temos uma comunidade de pessoas em uma parte pobre e subdesenvolvida do mundo que promove festas envolvendo bebidas com teor alcoólico de 90% *todo fim de semana*, da noite de sábado até a manhã de segunda. Os cambas devem ter pagado um alto preço por seus excessos, certo? Errado.

"Não havia nenhuma patologia social – nenhuma", disse Dwight Heath. "Nenhuma discussão, nenhuma briga, nenhuma agressão sexual, nenhuma agressão verbal. Havia conversa agradável ou silêncio." Ele prosseguiu: "A bebedeira não interferia no trabalho. [...] Não atraía a polícia. E não havia alcoolismo tampouco."

Heath expôs suas descobertas num artigo agora famoso para o periódico *Quarterly Journal of Studies on Alcohol*. Nos anos seguintes, um sem-número de outros antropólogos relatariam a mesma coisa. O álcool às vezes levava as pessoas a elevarem suas vozes e brigarem e dizerem coisas de que normalmente se arrependeriam. Mas várias outras vezes, não levava. Os astecas chamavam o *pulque* – a tradicional bebida alcoólica do México central – de "400 lebres" por causa da variedade aparentemente infinita de comportamentos que podia criar. O antropólogo Mac Marshall viajou à ilha de Truk, no Pacífico Sul, e descobriu que, para os homens jovens ali, a embriaguez criava agressão e violência. Mas quando os ilhéus chegavam aos 35 anos, o efeito se invertia.

Em Oaxaca, no México, os índios mixes eram famosos por se envolverem em violentas brigas de socos quando bêbados. Mas quando o antropólogo Ralph Beals começou a observar as brigas, viu que não pareciam nem um pouco descontroladas. Todas pareciam seguir o mesmo roteiro:

> Embora eu provavelmente tenha visto centenas de brigas, não vi nenhuma arma sendo usada, ainda que quase todos os homens portassem facões e muitos portassem rifles. A maioria das brigas começa com uma discussão entre bêbados. Quando o tom de voz atinge certo ponto, todos esperam uma briga. Os homens entregam suas armas aos espectadores e depois começam a brigar com os punhos, golpeando ferozmente até um deles cair no chão, [ponto em que] o vitorioso ajuda seu oponente a se levantar, e geralmente eles se abraçam.

Nada disso faz sentido. O álcool é uma droga poderosa. Ele *desinibe*. Rompe o conjunto de restrições que mantêm nosso comportamento sob controle. Por isso, não parece surpreendente que a embriaguez esteja tão esmagadoramente ligada a violência, acidentes de carro e abuso sexual.

Mas se as bebedeiras dos cambas tinham tão poucos efeitos colaterais sociais, e se os índios mixes do México parecem estar seguindo um roteiro mesmo durante suas brigas de bêbados, então nossa percepção do álcool como um agente desinibidor não pode estar correta. Deve ser outra coisa. A experiência de Dwight e Anna Heath na Bolívia desencadeou uma reformulação completa de nossa compreensão da embriaguez. Muitos daqueles que estudam o álcool já não o consideram um agente de desinibição. Acham que é um agente de miopia.

5.

A teoria da miopia foi sugerida pela primeira vez pelos psicólogos Claude Steele e Robert Josephs, e o que eles quiseram dizer por *miopia* é que o efeito principal do álcool é estreitar nossos campos de visão emocional e mental. Ele cria, em suas palavras, "um estado de miopia em que aspectos imediatos, superficialmente entendidos, da experiência exercem uma influência desproporcional sobre o comportamento e as emoções". O álcool torna a coisa em primeiro plano ainda mais saliente e a coisa no fundo menos importante. Faz fatores de curto prazo ganharem importância e fatores de prazo maior, mais cognitivamente exigentes, desaparecerem.

Eis um exemplo. Muita gente bebe quando se sente triste porque acha que a bebida vai afastar seus problemas. É a tese da inibição: o álcool vai liberar meu bom humor. Mas não é o que ocorre. *Às vezes* o álcool nos anima. Mas outras vezes, quando uma pessoa ansiosa bebe, fica ainda mais ansiosa. A teoria da miopia tem uma resposta para esse enigma: depende do que a pessoa ansiosa e bêbada está fazendo. Se está num jogo de futebol cercado de torcedores exaltados, a empolgação e o drama ocorrendo à sua volta irão temporariamente afastar suas preocupações mundanas prementes. A partida está na frente e no centro. Suas preocupações, não. Mas se o mesmo homem está num canto silencioso de um bar, bebendo sozinho, ficará mais deprimido. Agora não há nada para distraí-lo. Beber põe você à mercê do seu ambiente. Anula tudo, exceto as experiências mais imediatas.*

---

* Um grupo de psicólogos canadenses encabeçados por Tara MacDonald recentemente foi a uma série de bares e pediu aos fregueses que lessem uma breve vinheta. Eles deveriam imaginar que haviam conhecido uma pessoa atraente no bar, levado essa pessoa até sua casa e ido para a cama com ela – apenas para

Eis outro exemplo. Uma das observações centrais da teoria da miopia é que a embriaguez exerce seu maior efeito em situações de "alto conflito" – onde existem dois conjuntos de fatores, um próximo e outro distante, que se opõem. Assim, suponha que você seja um comediante profissional de sucesso. O mundo acha você bem engraçado. Você se acha bastante engraçado. Se você se embebeda, não se julga ainda mais engraçado. Não existe conflito sobre sua hilaridade que o álcool possa resolver. Mas suponha que você se ache engraçado, mas o mundo não. Na verdade, sempre que você tenta entreter um grupo com uma história engraçada, um amigo o chama de lado na manhã seguinte e educadamente o desencoraja a fazê-lo de novo. Sob circunstâncias normais, a ideia dessa conversa constrangedora com seu amigo mantém você sob controle. Mas e quando você está bêbado? O álcool faz o conflito desaparecer. Você já não pensa no feedback corretivo futuro sobre suas piadas ruins. Agora você consegue acreditar que é realmente engraçado. Quando você está bêbado, *sua compreensão de seu verdadeiro eu se modifica.*

Essa é a implicação crucial da embriaguez como miopia. A velha ideia da desinibição implicava que o que era revelado quando alguém se embriagava era uma espécie de versão despojada, destilada de seu eu sóbrio – sem qualquer um dos efeitos complicadores da civilidade e do decoro sociais. Você obtinha o verdadeiro eu. Como diz o velho ditado, *In vino veritas*: "No vinho, a verdade."

Mas é o contrário. Os tipos de conflito que normalmente mantêm nossos impulsos sob controle são uma parte crucial de como formamos nosso caráter. Todos nós desenvolvemos nossa personalidade gerindo o conflito entre fatores imediatos, próximos, e fatores mais complicados, de prazo maior. É isso que significa ser ético, produtivo ou responsável. O bom pai é alguém

---

descobrir que nenhum deles tinha uma camisinha. Pediu-se então aos entrevistados que respondessem qual a probabilidade, numa escala de 1 (muito improvável) a 9 (muito provável), de fazer sexo numa situação dessa. Você pensaria que os entrevistados que vinham bebendo pesado estariam mais propensos a dizer que fariam sexo – e foi exatamente o que aconteceu. As pessoas bêbadas tiveram uma média de 5,36 numa escala de 9 pontos. As pessoas sóbrias tiveram uma média de 3,91. Os bebedores não conseguiam examinar as consequências de longo prazo do sexo sem proteção. Mas então MacDonald voltou aos bares e carimbou as mãos de alguns dos fregueses com a frase "aids mata". Os bebedores com a mão carimbada foram ligeiramente *menos propensos que as pessoas sóbrias* a quererem fazer sexo naquela situação: elas não conseguiram examinar as racionalizações necessárias para pôr de lado o risco da aids. Quando as normas e os padrões são claros e óbvios, o bebedor pode ser mais cumpridor das regras do que seu colega sóbrio.

disposto a sacrificar suas próprias necessidades imediatas (ter privacidade, conseguir dormir sossegado) às metas de prazo maior (educar bem um filho). Quando o álcool remove essas restrições de prazo maior do nosso comportamento, apaga nosso verdadeiro eu.

Assim, quem eram os cambas, na realidade? Heath diz que sua sociedade era marcada por uma falta singular de "expressão comunitária". Eram trabalhadores rurais itinerantes. Os laços de afinidade eram fracos. Seu trabalho diário tendia a ser solitário; as horas, longas. Havia poucas comunidades ou grupos cívicos. As exigências diárias da vida deles dificultavam a vida social. Assim, nos fins de semana, usavam o poder transformador do álcool para criar a "expressão comunitária" tão em falta de segunda a sexta-feira. Aproveitavam a miopia do álcool para criarem temporariamente um mundo diferente para si mesmos. Impunham-se regras rigorosas: uma garrafa de cada vez, uma série organizada de brindes, todos sentados ao redor de um círculo, somente nos fins de semana, nunca sozinhos. Bebiam apenas dentro de uma estrutura, e a estrutura daqueles círculos de bebedeira no interior boliviano era um mundo de música suave e conversa tranquila: ordem, amizade, previsibilidade e ritual. Aquela era uma nova sociedade camba, produzida com o auxílio de uma das drogas mais poderosas da Terra.

O álcool não é um agente de revelação. É um agente de transformação.

6.

Em 2006, a Inglaterra teve sua própria versão do julgamento de Brock Turner, um caso famoso envolvendo um projetista de software de 25 anos chamado Benjamin Bree e uma mulher identificada pelo tribunal apenas como "M". Um exemplo perfeito das complicações criadas pela miopia do álcool.

Os dois se conheceram no apartamento do irmão de Bree e saíram naquela mesma noite. No transcorrer da noite, M consumiu quase um litro de sidra e entre quatro e seis drinques de vodca misturada com Red Bull. Bree, que já vinha bebendo desde mais cedo naquele dia, acompanhou-a rodada após rodada. Filmagens das câmeras de circuito fechado mostraram os dois caminhando para o apartamento dela, braços dados, por volta de uma da manhã. Fizeram sexo. Bree achou que fosse consensual. M disse que não foi. Ele foi condenado por estupro e sentenciado a cinco anos de cadeia – veredicto este derrubado na apelação. Se você leu quaisquer outros relatos desses tipos de caso, os detalhes serão deprimentemente familiares: dor, arrependimento, mal-entendido e raiva.

Eis Bree descrevendo seu lado da história.

> Eu não estava querendo dormir no chão e achei que talvez pudesse dividir a cama com ela, o que em retrospecto parece algo estúpido de fazer.
>
> Não estava em busca de sexo, apenas de um colchão e companhia. Ela acordou, e eu me deitei ao lado dela e acabamos nos abraçando, e depois nos beijando.
>
> Foi um tanto inesperado, mas legal. Ficamos nas preliminares por uns 30 minutos e parecia que ela estava gostando.

Depois, trecho da decisão do tribunal:

> Ele insistiu que M parecia acolher seus avanços, que progrediram de carinhos de natureza reconfortante a toques sexuais. Ela nada disse nem fez para detê-lo. Ele contou ao júri que é preciso ter certeza do consentimento, motivo pelo qual a acariciou por tanto tempo. A reclamante não pôde contestar que essas preliminares duraram algum tempo. Ele acabou pondo a ponta dos dedos por dentro do elástico da calça do pijama dela, o que daria a ela uma oportunidade de desencorajá-lo. Ela não o fez. Parecia particularmente receptiva quando ele pôs a mão dentro da calça do pijama. Após o toque sexual, ele gesticulou para que ela tirasse a calça do pijama. Ele a abaixou ligeiramente, depois ela a retirou por completo.

Bree achou que pudesse inferir o estado interior de M a partir de seu comportamento. Ele presumiu que ela estava sendo transparente. Ela não estava. Eis, pelos arquivos do tribunal, como M estava realmente se sentindo:

> Ela não fazia ideia do tempo que durou a relação sexual. Quando terminou, ela continuou virada para a parede. Ela não sabia se o apelante tinha de fato usado camisinha ou não, nem se ele havia ejaculado ou não. Depois, ele perguntou se ela queria que ele ficasse. Ela disse "Não". Em

sua mente ela pensou "Saia do meu quarto", embora não o tenha dito de fato. Ela não sabia "o que dizer ou pensar, se ele ia se virar e bater nela. Lembro-me dele saindo, da porta se fechando". Ela se levantou e trancou a porta, para depois voltar a se deitar na sua cama enroscada numa bola, mas não conseguiu lembrar por quanto tempo.

Às cinco da madrugada, M ligou para sua melhor amiga, aos prantos. Bree, nesse ínterim, estava tão alheio sobre o estado interior dela que bateu na porta de M poucas horas depois e perguntou se ela queria ir comprar peixe com fritas para o almoço.

Após vários meses na prisão, Bree foi libertado quando um tribunal de apelação concluiu que era impossível descobrir no que os dois consentiram ou não no quarto de M naquela noite. O juiz escreveu:

> Ambos eram adultos. Nenhum deles agiu fora da lei ao beber em excesso. Ambos eram livres para escolher quanto beber e com quem. Ambos eram livres, se quisessem, para ter relações sexuais. Não há nada de anormal, surpreendente ou mesmo incomum em homens e mulheres terem relações consensuais quando um deles ou ambos consumiram voluntariamente uma grande quantidade de álcool. [...] A realidade prática é que existem algumas áreas do comportamento humano que são inapropriadas para estruturas legislativas detalhadas.*

Você pode ou não concordar com essa decisão final. Mas é difícil discordar da queixa fundamental do juiz: que acrescentar álcool ao processo de entender

---

* O consentimento de alguém embriagado continua sendo consentimento? Precisa ser, segundo a decisão judicial. Senão a grande maioria das pessoas alegremente fazendo sexo enquanto bêbadas deveria estar presa, junto com o pequeno número de pessoas para quem fazer sexo enquanto embriagadas constitui um ato criminoso. Além disso, se M pode dizer que não foi responsável por suas decisões por estar bêbada, por que Benjamin Bree não poderia alegar a mesma coisa? O princípio de que o "consentimento de um embriagado continua sendo consentimento", observa a decisão judicial, "também serve de lembrete de que um homem bêbado que pretende cometer estupro e comete não é desculpado pelo fato de sua intenção ser a de um bêbado". Depois a decisão judicial sobre Bree chega à pergunta levantada pelo consentimento na Califórnia. E se uma das partes estiver *realmente* bêbada? Bem, como é que podemos decidir o que "*realmente* bêbado" significa? Nós não queremos que nossos legisladores criem algum tipo de algoritmo elaborado com multivariáveis decidindo quando podemos ou não fazer sexo na privacidade de nosso quarto. O juiz conclui: "Os problemas não surgem dos princípios legais. Eles residem nas infinitas circunstâncias do comportamento humano, geralmente ocorrendo privadamente, sem indícios independentes, e nas dificuldades consequentes de provar esse delito gravíssimo."

as intenções dos outros faz com que um problema difícil se torne pura e simplesmente impossível. O álcool é uma droga que remodela seu consumidor de acordo com os contornos de seu ambiente imediato. No caso dos cambas, essa remodelação da personalidade e do comportamento era benigna. Seu ambiente imediato era cuidadosa e deliberadamente construído: eles queriam consumir álcool para criar uma versão temporária – e, em suas mentes, melhor – de si mesmos. Mas quando os jovens hoje em dia bebem em excesso, não o estão fazendo num ambiente ritualizado e previsível, cuidadosamente construído para criar uma versão melhor de si mesmos. Estão fazendo isso no caos de sexualidade exacerbada das festas de fraternidade e dos bares.

> **Defesa:** Qual foi a observação que você fez sobre o tipo de atmosfera existente nas festas na Kappa Alpha?
> **Turner:** Com muita ralação e...
> **Defesa:** O que você quer dizer por muita ralação?
> **Turner:** Garotas dançando... de costas para o sujeito, e o sujeito atrás roçando nelas.
> **Defesa:** Tudo bem. Então você está descrevendo uma posição em que... ambos estão virados para a mesma direção?
> **Turner:** Sim.
> **Defesa:** Mas o rapaz está atrás da moça?
> **Turner:** Sim.
> **Defesa:** E quão próximos estão seus corpos durante essa dança?
> **Turner:** Estão se tocando.
> **Defesa:** Isso é comum nessas festas que você observou?
> **Turner:** Sim.
> **Defesa:** As pessoas dançavam em cima das mesas? Isto era algo comum também?
> **Turner:** Sim.

O consentimento é algo que duas partes negociam, pressupondo que cada lado numa negociação seja quem alega ser. Mas como você pode verificar o consenso quando, no momento da negociação, ambas as partes estão tão distantes de seu verdadeiro eu?

7.

O que acontece conosco quando nos embebedamos é uma funcionalidade do caminho particular que o álcool toma ao se infiltrar por nosso tecido cerebral. Os efeitos começam nos lobos frontais, a parte de nosso cérebro atrás da testa que governa a atenção, a motivação, o planejamento e o aprendizado. O primeiro drinque "amortece" a atividade nessa região. Torna-nos um pouco mais burros, menos capazes de lidar com fatores conflitantes complicados. Atinge os centros de recompensa do cérebro, as áreas que governam a euforia, dando-lhes uma pequena sacudida. Abre caminho até a amígdala. A função da amígdala é nos informar como reagir ao mundo à nossa volta. Estamos sendo ameaçados? Deveríamos sentir medo? O álcool reduz o nível de atividade de nossa amígdala. Da combinação desses três efeitos advém a miopia. Perdemos a capacidade mental de lidar com fatores mais complexos, de prazo maior. Somos distraídos pelo prazer inesperado do álcool. Nosso alarme neurológico contra ladrões é desligado. Tornamo-nos versões alteradas de nós mesmos, presos ao momento. O álcool também chega ao cerebelo, bem na base do cérebro, que está envolvido no equilíbrio e na coordenação. Por isso, você começa a tropeçar e cambalear quando embriagado. Esses são os efeitos previsíveis do porre.

Mas sob certas circunstâncias bem específicas – especialmente se você bebe muito álcool bem rapidamente – algo mais acontece. O álcool atinge o hipocampo – pequenas regiões, parecidas com salsichas, dos dois lados do cérebro responsáveis por formar lembranças. Num nível de álcool no sangue de uns 0,08% – o limite legal da embriaguez na Califórnia – o hipocampo começa a ter dificuldades. Quando você acorda de manhã após uma festa regada a bebida e lembra que conheceu alguém mas não consegue de jeito nenhum lembrar o nome da pessoa ou a história que ela lhe contou, é porque as duas doses de uísque que você tomou em rápida sucessão alcançaram seu hipocampo. Se beber um pouco mais, as lacunas aumentam – a ponto de talvez você recordar partes da noitada, mas outros detalhes só conseguirem ser evocados com grande dificuldade.

Aaron White, da unidade dos National Institutes of Health (centros de pesquisa biomédica) que fica nas proximidades de Washington, é um dos maiores especialistas do mundo em apagões de memória e diz que inexiste uma lógica específica para quais partes são lembradas e quais não. "A importância emocional não parece ter um impacto sobre as chances de seu hipocampo registrar algo", explicou ele. "O que significa que você poderia, sendo uma mulher, ir a uma festa e lembrar que tomou um drinque no porão, mas não se lembrar de ter sido estuprada. Mas aí você recorda que entrou num táxi." No nível seguinte – um nível de álcool no sangue de uns 0,15% –, o hipocampo simplesmente desliga por completo.

"No apagão de memória real, puro", disse White, "simplesmente não existe nada. Nada para lembrar."

Num dos primeiros estudos dos apagões de memória, um pesquisador do álcool chamado Donald Goodwin reuniu 10 homens de uma fila de desempregados em St. Louis, ofereceu a cada um quase uma garrafa inteira de bourbon por um período de quatro horas, depois os submeteu a uma série de testes de memória. Goodwin escreveu:

> Um desses eventos era mostrar à pessoa uma frigideira tampada, sugerir a ela que poderia estar faminta, puxar a tampa e mostrar na panela três camundongos mortos. Pode-se assegurar que indivíduos sóbrios se lembrarão dessa experiência provavelmente pelo resto de sua vida.

E os bebedores de bourbon? Nada. Nem 30 minutos depois, nem na manhã seguinte. Os três camundongos mortos nunca chegaram a ser registrados.

Num estado de apagão – naquela janela de extrema embriaguez antes que o hipocampo volte a funcionar –, os bebuns são como autômatos, vagando pelo mundo sem reter nada.

Goodwin certa vez começou um ensaio sobre apagões de memória com a seguinte história:

> Um vendedor de 39 anos acordou num quarto de hotel estranho. Estava com uma leve ressaca, mas, tirando isso, sentia-se normal. Suas roupas estavam penduradas no armário. Ele estava barbeado. Vestiu-se e desceu à recepção. Soube pelo recepcionista que estava em Las Vegas e fizera seu check-in dois dias antes. Era óbvio que estivera bebendo, o recepcionista disse, mas não parecera muito bêbado. A data era sábado, 14. Sua última lembrança era de estar sentado num bar de St. Louis na segunda-feira, dia 9.

Ele estivera bebendo o dia inteiro e estava embriagado, mas conseguia se lembrar de tudo perfeitamente até umas três da tarde, quando, "como uma cortina caindo", sua memória sofreu um branco. Permaneceu em branco por uns cinco dias. Três anos depois, o branco continuava. Ele ficou tão apavorado com a experiência que se absteve do álcool por dois anos.

O vendedor havia deixado o bar em St. Louis, ido até o aeroporto, comprado uma passagem de avião, voado até Las Vegas, achado um hotel, feito o check-in, pendurado o terno, se barbeado e aparentemente funcionado perfeitamente no mundo durante o modo de apagão de memória. Assim funcionam os apagões. Em torno da marca de 0,15%, o hipocampo deixa de funcionar e as lembranças param de se formar, mas é inteiramente possível que os lobos frontais, o cerebelo e a amígdala daquele mesmo bebedor – ao mesmo tempo – possam continuar funcionando mais ou menos normalmente.

"Num apagão, você consegue fazer tudo que consegue fazer quando bêbado", disse White.

> Você só não vai se lembrar do que fez. Como encomendar algo na Amazon. Ouço isso o tempo todo. [...] As pessoas conseguem realizar coisas bem complicadas – comprar passagens, viajar, todos os tipos de coisa – e não se lembrar.

Além disso, é bem difícil saber, só de olhar para alguém, se a pessoa está sob um apagão de memória. É como tentar descobrir se alguém está com dor de cabeça exclusivamente pela expressão de seu rosto. "Posso parecer um pouco bêbado, posso parecer chapado, mas consigo conversar com você", disse White.

> Consigo ter uma conversa com você. Consigo ir pegar uns drinques para nós. Consigo fazer coisas que exigem uma armazenagem de informações de curto prazo. Consigo conversar com você sobre termos crescido juntos. [...] Mesmo esposas de alcoólatras inveterados dizem que não sabem exatamente quando seu cônjuge está ou não num apagão de memória.*

---

* Aliás, também é surpreendentemente difícil saber se alguém está simplesmente bêbado. Um teste óbvio são as blitzes da lei seca. Um policial para uma série de pessoas numa rua movimentada em uma noite de sexta-feira, fala com cada motorista, dá uma espiada em cada carro – e depois submete ao bafômetro

Quando Goodwin estava fazendo seu trabalho pioneiro na década de 1960, supunha que apenas alcoólatras tivessem apagões de memória. Os apagões eram raros. Os cientistas escreviam sobre eles nas revistas médicas do jeito que escreveriam sobre uma doença antes desconhecida. Dê uma olhada nos resultados de uma das primeiras pesquisas abrangentes sobre os hábitos de bebida nas universidades. Foi realizada no fim da década de 1940 e início da década de 1950, em 27 faculdades dos Estados Unidos. Os estudantes foram indagados sobre quanto bebiam, em média, em "uma sentada". (Para os fins do questionário, as quantidades de bebida foram divididas em três grupos. "Menor" significava não mais de dois cálices de vinho, duas garrafas de cerveja ou dois drinques mistos. "Médio" era de três a cinco cervejas ou cálices de vinho, ou três a quatro drinques mistos. E "maior" era qualquer coisa acima disso.)

	Cerveja	
	Homem (%)	Mulher (%)
Menor	46	73
Médio	45	26
Maior	9	1
	Vinho	
	Homem (%)	Mulher (%)
Menor	79	89
Médio	17	11
Maior	4	0
	Bebidas destiladas	
	Homem (%)	Mulher (%)
Menor	40	60
Médio	31	33
Maior	29	7

---

quem acredite estar acima do limite legal. Descobrir quem parece suficientemente bêbado para se submeter ao bafômetro acaba sendo *realmente* difícil. O melhor indício é que mais de metade dos motoristas bêbados escapam ilesos dessas blitzes. Num estudo em Orange County, na Califórnia, mais de mil motoristas foram desviados para um estacionamento tarde da noite. Após preencherem um questionário sobre sua noite, foram interrogados por estudantes de pós-graduação treinados em detecção de embriaguez. Como o motorista falava? Andava? Tinha bafo de álcool? Havia garrafas ou latas de cerveja nos seus carros? Depois que os entrevistadores fizeram seu diagnóstico, os motoristas foram submetidos a um exame para detectar o nível de álcool no sangue. Eis quantos motoristas bêbados foram corretamente identificados pelos entrevistadores: 20%.

Nesses níveis de consumo, pouquíssimas pessoas estão bebendo o suficiente para atingir o apagão.

Atualmente, dois fatos sobre essas tabelas mudaram. Primeiro, os bebedores pesados de hoje estão bebendo bem mais do que os de 50 anos atrás. "Quando você conversa com estudantes [hoje] sobre quatro ou cinco drinques, eles dizem: 'Ah, isso é só para começar os trabalhos'", informa a pesquisadora do álcool Kim Fromme. Ela diz que a categoria de bebedores ultrapesados agora normalmente inclui pessoas que tomam 20 drinques numa sentada. Os apagões, outrora raros, tornaram-se comuns. Aaron White recentemente pesquisou mais de 700 estudantes da Universidade Duke. Dos bebedores no grupo, mais de metade havia sofrido um apagão em algum ponto da vida, 40% haviam "apagado" no ano anterior e quase um em cada 10 havia tido um apagão de memória nas últimas duas semanas.*

Segundo fato: a diferença de consumo entre homens e mulheres, tão acentuada uma geração atrás, reduziu-se consideravelmente – em particular entre mulheres brancas. (As mesmas tendências não são tão marcantes entre asiáticos, hispânicos ou afro-americanos.)

"Acho que é uma questão de empoderamento", argumentou Fromme:

> Presto muita consultoria às forças armadas, e é mais fácil para mim observar isso ali, porque nas forças armadas as mulheres realmente devem atender os mesmos padrões que os homens em termos de treinamento e tudo aquilo. Elas se esforçam muito para poderem dizer: "Somos iguais aos homens, logo podemos beber feito os homens."

---

* Num ensaio notável publicado no *The New York Times*, Ashton Katherine Carrick, uma estudante da Universidade da Carolina do Norte, descreve uma brincadeira de bebedeira chamada "algemar e entornar". Duas pessoas são algemadas juntas até que consigam entornar uma garrafa de bebida alcoólica. Ela escreve: "Para os supercompetitivos, canetas Sharpie eram usadas para anotar o número de doses no seu braço, estabelecendo uma relação entre as bebidas e o tempo transcorrido até a pessoa apagar – uma relação elevada era motivo de orgulho entre os caras." Ela continua:

> A forma como nós, estudantes, tratamos o apagão de nossos colegas é também parcialmente responsável por sua onipresença. Nós achamos divertido. Fazemos piada no dia seguinte sobre quão ridículas pareciam nossas amigas desmaiadas no chão do banheiro ou mandando mensagens enquanto dançavam e se agarravam com um sujeito qualquer, validando assim suas ações e encorajando-as a fazer aquilo novamente. O apagão de memória tornou-se tão normal que, mesmo que você pessoalmente não faça, entende por que os outros fazem. É um método mutuamente reconhecido de alívio da tensão. Tratá-lo como algo diferente seria intolerante.

Por razões fisiológicas, essa tendência tem sujeitado as mulheres a um risco bastante aumentado de apagões de memória. Se um homem americano de peso mediano toma oito drinques em quatro horas – o que o tornaria um bebedor moderado numa festa de fraternidade típica –, ele acabaria com uma medição do álcool no sangue de 0,107%. Está bêbado demais para dirigir, mas bem abaixo do nível 0,15% tipicamente associado aos apagões. Se uma mulher de peso mediano toma oito drinques em quatro horas, em contraste, seu nível de álcool no sangue é 0,173%. Ela fica "apagada".*

A coisa ainda piora. As mulheres estão também bebendo cada vez mais vinho e destilados, que aumentam os níveis de álcool no sangue bem mais rápido que a cerveja. "As mulheres também tendem, mais do que os homens, a pular refeições quando bebem", afirmou White.

> Ter comida no seu estômago quando você bebe reduz em um terço sua concentração de álcool máxima no sangue. Em outras palavras, se você bebe de barriga vazia vai atingir uma concentração bem maior, e bem mais rápido; e se estiver bebendo destilados e vinho com a barriga vazia, a concentração de álcool no sangue também aumentará bem mais rápido. E se você é mulher, menos água no corpo [produz] uma concentração maior, bem mais rápido.

E qual é a consequência de um apagão? As mulheres ficam em uma posição de vulnerabilidade. Nossa memória, em qualquer interação com um estranho, é nossa primeira linha de defesa. Conversamos com alguém numa festa durante meia hora e avaliamos o que descobrimos. Usamos a memória para entender quem é a outra pessoa. Coletamos coisas que nos contaram, e que fizeram, e isso molda nossa reação. Não se trata de um exercício imune a erros no melhor dos momentos. Mas é um exercício necessário, particularmente se a questão em pauta é se você vai dormir com aquela pessoa. No entanto, se você não consegue se lembrar de nada do que acabou de descobrir, necessariamente não está tomando uma decisão da mesma qualidade

---

*Tampouco se trata de uma questão de peso. Existem também diferenças importantes em como os sexos metabolizam o álcool. As mulheres têm bem menos água no corpo do que os homens, então o álcool entra na corrente sanguínea delas bem mais depressa. Se uma mulher de 89 quilos bebe tanto quanto um homem do mesmo peso durante quatro horas, ele estará em 0,107%. Ela estará em 0,140%.

que tomaria se seu hipocampo ainda estivesse funcionando. Você cedeu o controle da situação.

"Sejamos bem claros: os criminosos são os responsáveis por cometerem seus crimes e devem ser submetidos à justiça", escreveu a crítica Emily Yoffe na revista *Slate*:

> Mas não estamos informando às mulheres que, quando se tornam indefesas, coisas terríveis podem ser feitas com elas. As mulheres jovens estão obtendo uma mensagem distorcida de que seu direito de beber como os homens é uma questão feminista. A verdadeira mensagem feminista deveria ser que, quando você perde a capacidade de ser responsável por si mesma, aumenta drasticamente as chances de atrair os tipos de pessoas que, digamos, não visam o seu melhor interesse. Não se trata de culpar a vítima, mas de tentar evitar mais vítimas.

E quanto ao estranho que fala com você? Ele pode não saber que você está "apagada". De repente ele se aproxima e a toca, e você se enrijece. Aí, 10 minutos depois, ele volta, um pouco mais astuto. Normalmente você se enrijeceria de novo, porque reconheceria o padrão do estranho. Mas não o faz desta segunda vez, porque não se lembra da primeira vez. E o fato de você não se enrijecer do mesmo jeito faz o estranho pensar, sob o pressuposto da transparência, que você está gostando dos avanços. Normalmente ele seria cauteloso em agir sob esse pressuposto: ser amigável não é o mesmo que um convite à intimidade. Mas ele está de porre também. Está nas garras da miopia do álcool, e o tipo de fatores de longo prazo que normalmente restringiriam seu comportamento (o que acontecerá amanhã se eu tiver interpretado mal esta situação?) sumiu de vista.

Será que o álcool transforma todo homem em monstro? Claro que não. A miopia resolve o grande conflito: remove as restrições de ordem maior ao nosso comportamento. O homem reservado, normalmente tímido demais para declarar seus sentimentos, poderia deixar escapar alguma intimidade. O homem sem graça, normalmente consciente de que o mundo não curte suas piadas, poderia começar a bancar o comediante. Esses são inofensivos. Mas e quanto ao adolescente sexualmente agressivo – cujos impulsos são normalmente contidos pela compreensão da impropriedade desses comportamentos? Uma versão da advertência que Emily Yoffe deu às mulheres também pode ser dada aos homens:

> Mas não estamos informando aos homens que, quando eles se tornam míopes, podem fazer coisas terríveis. Os homens jovens estão obtendo uma mensagem distorcida de que beber em excesso é uma prática social inofensiva. A verdadeira mensagem deve ser que, quando você perde a capacidade de ser responsável por si mesmo, aumenta drasticamente as chances de cometer um crime sexual. Reconhecer o papel do álcool não é desculpar a conduta dos criminosos. É tentar evitar que mais homens jovens se tornem criminosos.

É impressionante como se subestima o poder da miopia. No estudo do *The Washington Post*/Fundação Kaiser Family, pediu-se a estudantes que listassem as medidas que julgavam mais eficazes para reduzir os abusos sexuais. No topo da lista ficaram punições mais duras aos agressores, treinamento de defesa pessoal para as vítimas e ensinar os homens a respeitarem mais as mulheres. Quantos acharam que seria "muito eficaz" beberem menos? Apenas 33%. Quantos acharam que restrições maiores ao álcool no campus seriam bem eficazes? Só 15%.*

Trata-se de posições contraditórias. Os estudantes consideram uma boa ideia ser treinado em defesa pessoal e *não* tão boa ideia restringir o consumo de álcool. Mas de que adianta dominar as técnicas de defesa pessoal se você está caindo de bêbado? Os estudantes acham uma boa ideia que os homens respeitem mais as mulheres. Mas a questão não é como os homens se comportam em relação às mulheres enquanto sóbrios. É como se comportam em relação às mulheres quando bêbados, transformados pelo álcool em pessoas que interpretam bem diferentemente o mundo à sua volta. O respeito pelos outros requer um cálculo complicado em que uma parte concorda em moderar seus próprios desejos, levar em conta as consequências de longo prazo de sua própria conduta e pensar em mais do que naquilo que está à sua frente. E é exatamente isso que a miopia que advém da embriaguez torna tão difícil.

---

* O sentimento dos adultos é bem diferente. Cerca de 58% deles acham que "beber menos" seria muito eficaz na redução do abuso sexual.

A lição da miopia é realmente bem simples. Se você quer que as pessoas sejam elas mesmas num encontro social com um estranho – que representem seus próprios desejos com honestidade e clareza –, elas não podem estar caindo de bêbadas. E se *estão* caindo de bêbadas, e portanto à mercê de seu ambiente, o pior lugar possível para estar é um ambiente onde homens e mulheres estão se roçando na pista e pulando sobre as mesas. Uma festa da fraternidade Kappa Alpha não é um círculo de bebedeira dos cambas.

"As pessoas aprendem sobre a embriaguez o que suas sociedades mostram para elas e, comportando-se em consonância com essas compreensões, tornam-se confirmações vivas dos ensinamentos de sua sociedade", concluem Craig MacAndrew e Robert Edgerton em sua obra clássica de 1969 *Drunken Comportment* (Comportamento embriagado). "Como as sociedades, à semelhança dos indivíduos, obtêm os tipos de comportamento embriagado que permitem, elas merecem o que obtêm."

8.

Então: na festa da Kappa Alpha em Stanford, em algum momento após a meia-noite, Emily Doe sofreu um apagão de memória. É o que acontece quando você começa sua noite com um jantar leve e quatro doses de uísque e uma taça de espumante – seguidos de três ou quatro doses de vodca num copo descartável.

> **Acusação:** E em certo ponto, você se lembra da sua irmã saindo da festa?
> **Doe:** Não lembro.
> **Acusação:** Qual a sua próxima lembrança após ir ao toalete lá fora, voltar ao pátio, tomar as cervejas e ver alguns rapazes bebendo cerveja direto da lata que furaram?
> **Doe:** Acordar no hospital.

Emily Doe não tem nenhuma lembrança de ter encontrado Brock Turner, nenhuma lembrança de ter dançado ou não com ele, nenhuma lembrança de tê-lo beijado ou não, concordado em ir para o dormitório dele, e nenhuma lembrança de se foi uma participante voluntária ou involuntária na atividade sexual deles. Ela resistiu quando deixaram a festa? Ela lutou? Flertou com ele? Apenas cambaleou cegamente atrás dele? Jamais saberemos. Depois do fato consumado, quando ficou sóbria, Doe estava convicta de que nunca teria deixado voluntariamente a festa com outro homem. Ela estava num relacionamento sério. Mas não foi a Emily Doe real quem encontrou Brock Turner. Foi uma Emily Doe bêbada e desmemoriada, e nossos eus bêbados e desmemoriados são diferentes dos nossos eus sóbrios.

Brock Turner afirmou que se lembrava do que aconteceu naquela noite e que, em cada passo do caminho, Emily Doe foi uma participante voluntária. Mas esta é a história que contou em seu julgamento, após meses de preparação e criação de estratégias com seus advogados. Na noite de sua detenção, ao sentar-se, chocado, na sala de interrogatório da delegacia local, não teve a mesma certeza sobre Emily Doe.

> **Policial:** Vocês já estavam de amassos ali antes ou... antes de irem para outro lugar?
> **Turner:** Acho que sim. Mas não sei exatamente quando começamos a nos beijar, para ser sincero.

Então o policial pergunta por que ele correu quando dois estudantes de pós-graduação o flagraram com Emily Doe no chão.

> **Turner:** Não acho que corri.
> **Policial:** Você não se lembra de ter corrido?
> **Turner:** Não.

Lembre-se de que o acontecimento em questão *acabara* de ocorrer naquela mesma noite e de que, enquanto está falando, Turner está tratando de um pulso que machucou quando foi atacado ao tentar escapar. Mas tudo evaporou da mente dele.

> **Policial:** Você deu uma olhada nela enquanto... aquilo estava continuando, enquanto os caras estavam se aproximando e falando com você?
> **Turner:** Não.
> **Policial:** É possível que ela estivesse desmaiada àquela altura?

Turner: Honestamente, não sei, porque... tipo, eu realmente não lembro. Tipo, eu... eu acho que estava meio inconsciente, e, tipo, do ponto em que fui... tipo, ficando com ela, até, tipo, eu no chão com aqueles outros caras. Tipo, eu realmente não lembro como aquilo aconteceu.

Eu acho que estava meio inconsciente. Então toda a história sobre flertar e beijar e Emily Doe concordar em ir ao seu dormitório foi uma ficção: foi o que ele esperava que tivesse acontecido. O que realmente ocorreu será para sempre um mistério. Talvez Turner e Emily Doe tenham ficado lá postados na pista de dança, repetindo as mesmas coisas um para o outro, várias vezes, sem perceberem que estavam presos num ciclo infinito de apagão de memória.

No fim do julgamento, Emily Doe leu uma carta em voz alta ao tribunal, dirigida a Brock Turner. Todo jovem que vai a um bar ou uma festa de fraternidade deveria ler a carta de Emily Doe. É corajosa e eloquente, um lembrete poderoso das consequências do abuso sexual: de que o que acontece entre dois estranhos, na ausência de consentimento real, causa dor e sofrimento genuínos.

O que aconteceu naquela noite, ela disse, abalou-a:

> Minha independência, alegria natural, gentileza e o estilo de vida estável que eu vinha curtindo se distorceram até ficarem irreconhecíveis. Tornei-me fechada, enraivecida, autodepreciativa, cansada, irritável, vazia. O isolamento em alguns momentos foi insuportável.

> Chegava atrasada ao trabalho, depois ia chorar no vão da escada. Chorava até adormecer à noite e de manhã punha colheres geladas sobre os olhos a fim de reduzir o inchaço.

> Não consigo dormir sozinha à noite sem uma luz acesa, como aos 5 anos, porque tenho pesadelos em que estou sendo tocada sem conseguir acordar. Cheguei a esperar o sol raiar e me sentir segura para dormir. Por três meses, fui para a cama às seis da manhã.

> Eu me orgulhava de minha independência. Agora tenho medo de caminhar à noite, de comparecer a eventos sociais, bebendo entre amigos, onde deveria estar à vontade. Virei um grude, sempre precisando estar ao lado de alguém, ter meu namorado postado perto de mim, dormindo

do meu lado, me protegendo. É constrangedor quão frágil me sinto, quão timidamente me movo pela vida, sempre cautelosa, pronta para me defender, pronta para sentir raiva.

Depois ela chega à questão do álcool. Foi um *fator* no que transcorreu naquela noite? Claro que sim. Mas aí ela falou:

> Não foi o álcool que me despiu, me masturbou, arrastou minha cabeça contra o chão, comigo quase totalmente nua. Beber demais foi um erro de amadora que admito, mas não é crime. Todos nesta sala tiveram uma noite em que se arrependeram de ter bebido demais, ou conhecem alguém próximo que teve uma noite em que se arrependeu de ter bebido demais. Lastimar ter bebido não é o mesmo que lastimar um abuso sexual. Ambos estávamos bêbados. A diferença é que não tirei as calças e a cueca dele, nem o toquei inapropriadamente e saí correndo. Essa é a diferença.

Em sua própria declaração ao tribunal, Turner disse que esperava criar uma campanha para estudantes a fim de "manifestar-se contra a cultura do campus de bebedeira e promiscuidade sexual que a acompanha". Doe foi mordaz:

> Cultura de bebedeira do campus? É contra isso que estamos falando? Você acha que é por isso que passei o último ano lutando? Não pela consciência sobre abuso sexual, ou estupro, no campus, ou aprender a reconhecer o consentimento. A cultura de bebedeira do campus. Abaixo Jack Daniels. Abaixo Skyy Vodka. Se você quer falar com as pessoas sobre bebedeira, vá a uma reunião dos AA. Você percebe que um problema de bebedeira é diferente de beber e depois tentar fazer sexo à força com alguém? Mostre aos homens como respeitar as mulheres, não como beber menos.

Mas isso não está totalmente certo, está? Esta última frase deveria ser: "Mostre aos homens como respeitar as mulheres *e* como beber menos", porque as duas coisas estão interligadas. Pediu-se que Brock Turner fizesse algo de crucial importância naquela noite: interpretar os desejos e as motivações de uma pessoa estranha. Uma tarefa difícil para todos nós nas melhores circunstâncias, porque o pressuposto da transparência com que contamos nesses encontros é muito falho. Pedir a um jovem bêbado e imaturo de 19 anos que o faça, no caos hipersexualizado de uma festa de fraternidade, é um convite ao desastre.

O resultado do caso *O povo contra Brock Turner* trouxe uma medida de justiça para Emily Doe. Mas enquanto nos recusarmos a reconhecer o efeito do álcool nas interações entre estranhos, aquela noite na Kappa Alpha será repetida de novo. E de novo.

> **Acusação:** Você ouviu aquela mensagem de voz de [Emily], não foi?
> **Turner:** Sim.

Turner está sendo interrogado pela acusação. Esta se refere à chamada telefônica ininteligível de Emily Doe ao seu namorado em algum momento após perder a memória.

> **Acusação:** Você concorda comigo que naquela mensagem de voz ela parece bem embriagada?
> **Turner:** Sim.
> **Acusação:** Era assim que ela estava com você naquela noite, não era?
> **Turner:** Sim.
> **Acusação:** Ela estava bem bêbada, não estava?
> **Turner:** Não mais que qualquer outra pessoa com quem eu tenha estado.

PARTE IV
LIÇÕES

CAPÍTULO NOVE

KSM: O que acontece quando o estranho é um terrorista?

1.

"Meu primeiro pensamento foi que ele parecia um *troll*", recorda James Mitchell. "Ele estava zangado, beligerante, fuzilando-me com os olhos. Eu estava fazendo uma sondagem neutra, de modo que falava com ele basicamente como estou falando com você. Tirei o capuz e disse: 'Como gostaria que eu o chamasse?'"

O homem respondeu num inglês com sotaque: "Me chama de Mukhtar. *Mukhtar* significa *o cérebro*. Fui o emir dos ataques do 11 de Setembro."

Era março de 2003, numa prisão secreta da CIA em algum ponto "do outro lado do mundo", disse Mitchell. Mukhtar era Khalid Sheikh Mohammed, ou KSM, como era também conhecido – um dos mais altos dirigentes da Al-Qaeda já capturados. Estava nu, mãos e pés algemados, mas desafiador.

"Eles tinham raspado sua cabeça àquela altura, e também sua barba", contou Mitchell. "Mas ele era simplesmente a pessoa mais peluda que já vi na minha vida, e pequeno, realmente pequeno. Tinha uma pança enorme como a de um porco vietnamita. Pensei: este sujeito matou todos aqueles americanos?"

Mitchell possui a estrutura física de um corredor, alto e esguio, com cabelos brancos repartidos ao meio e uma barba bem aparada. Fala com ligeiro sotaque sulista. "Pareço o tio de alguém", é como se descreve, o que talvez seja autodepreciativo demais. Passa uma sensação de autoconfiança inabalável, como se sempre dormisse bem à noite, não importa o que tenha feito a alguém naquele dia ou o que alguém tenha feito a ele.

Mitchell é psicólogo por formação. Após o 11 de Setembro, ele e um colega, Bruce Jessen, foram trazidos pela CIA por conta de suas habilidades especiais em interrogatórios "de vital importância". Jessen é maior do que Mitchell, mais quieto, com cabelos curtos estilo militar. Mitchell diz que parece um "[Jean-] Claude van Damme mais velho". Jessen não fala publicamente. Se você procurar na internet, pode achar trechos de um depoimento filmado em vídeo que ele e Mitchell deram certa vez num processo envolvendo as práticas de interrogatório deles. Mitchell está calmo, discursivo, quase desdenhoso do processo. Jessen é conciso e defensivo: "Éramos soldados fazendo o que fomos instruídos a fazer."

Sua primeira missão, após a queda das torres, foi ajudar a interrogar Abu Zubaydah, um dos primeiros agentes de alto nível da Al-Qaeda a serem capturados. Eles prosseguiriam interrogando muitos outros terroristas suspeitos de "grande valor" no decorrer de oito anos em várias prisões secretas ao redor do mundo. Dentre todos eles, KSM foi a maior presa.

"Ele me deu a impressão de ser brilhante", recordou Mitchell. Durante suas sessões, Mitchell fazia uma pergunta e KSM respondia: "Esta não é a pergunta que eu faria. Você obterá uma resposta e a achará útil, e pensará que é tudo de que precisa. Mas a pergunta que eu faria é esta." Mitchell disse que fazia então a pergunta sugerida pelo próprio KSM "e este dava uma resposta bem mais detalhada, bem mais global". KSM falava longamente sobre as táticas do engajamento terrorista, sua visão estratégica, as metas da jihad. Se não tivesse sido capturado, KSM tinha todo tipo de continuações ao 11 de Setembro planejadas. "Suas descrições dos ataques de lobos solitários, de baixa tecnologia, foram assustadoras", disse Mitchell. "O fato de que está à toa pensando sobre economia de escala quando se trata de matar pessoas..." Deixou a frase no ar e balançou a cabeça.

"Ele me deu arrepios quando falou sobre Daniel Pearl. Aquilo foi o mais... Eu chorei e ainda choro, porque foi abominável." Daniel Pearl foi o repórter do *The Wall Street Journal* sequestrado – e depois morto – no Paquistão em janeiro de 2002. KSM trouxe esse tema à tona sem ser indagado, depois se levantou da cadeira e demonstrou – com o que Mitchell achou que foi um toque de prazer – a técnica que usara ao decapitar Pearl com uma faca. "O horrível naquilo foi que ele agiu como se tivesse algum tipo de relacionamento próximo com Daniel. Ficou chamando-o de 'Daniel' naquela voz não como se fossem namorados, mas melhores amigos ou algo assim. Foi a coisa mais horripilante."

Mas tudo isso veio depois – após KSM se abrir. Em março de 2003, quando Mitchell e Jessen o confrontaram pela primeira vez, miúdo, peludo e pançudo, a situação era bem diferente.

"Você tem que lembrar que naquela época específica dispúnhamos de indícios confiáveis de que a Al-Qaeda tinha outra grande onda de ataques planejada", disse Mitchell.

> Havia muito blá-blá-blá. Sabíamos que Osama bin Laden havia se encontrado com cientistas paquistaneses que estavam distribuindo tecnologia nuclear, e sabíamos que os cientistas paquistaneses tinham dito a Bin Laden: "O maior problema é obter o material nuclear." Bin Laden havia retrucado: "E se nós já dispusermos dele?" Aquilo causou calafrios em toda a comunidade da inteligência.

Agentes da CIA vinham percorrendo Manhattan com contadores Geiger, em busca de uma bomba suja. Washington estava em alerta máximo. E quando KSM foi capturado, a sensação era a de que, se alguém sabia algo sobre os ataques planejados, seria ele. Mas KSM não estava falando, e Mitchell não estava otimista. KSM era um caso difícil.

O primeiro grupo de interrogadores enviados para interrogar KSM havia tentado ser amigável. Deixaram-no à vontade, prepararam chá para ele e fizeram perguntas respeitosas. Não chegaram a lugar algum. Ele simplesmente olhava para eles e se balançava para a frente e para trás.

Então KSM foi entregue a alguém que Mitchell denomina o "novo xerife da cidade", um interrogador que, segundo Mitchell, transpôs a fronteira do sadismo – contorcendo KSM numa variedade de posições de "tensão", como prender suas mãos nas costas, depois elevá-las acima da cabeça, de modo que seus ombros quase saltassem para fora. "Esse sujeito me contou que havia aprendido suas abordagens de interrogatório na América do Sul com rebeldes comunistas", disse Mitchell. "Ele travou uma batalha de vontades com KSM. O novo xerife tinha essa ideia de querer ser chamado de senhor. Foi nisso que se concentrou." KSM não tinha a menor intenção de chamar alguém de senhor. Após uma semana de tentativas, o novo xerife desistiu. O prisioneiro foi entregue a Mitchell e Jessen.

O que aconteceu depois é tema de grande controvérsia. Os métodos de interrogatório usados em KSM têm sido alvo de processos, investigações do

Congresso e um debate público sem fim. Aqueles que aprovam referem-se às medidas como "técnicas de interrogatório aprimoradas". Aqueles do outro lado as chamam de tortura. Mas deixemos de lado essas questões éticas mais amplas por um momento e vamos nos concentrar no que o interrogatório de KSM pode nos informar sobre os dois enigmas.

As dissimulações de Ana Montes e Bernard Madoff, a confusão em torno de Amanda Knox, a provação de Graham Spanier e Emily Doe são todos indícios de nosso problema subjacente de interpretar pessoas que não conhecemos. O pressuposto da verdade é uma estratégia de crucial importância que ocasional e inevitavelmente nos desencaminha. A transparência é uma aparente premissa do senso comum que acaba se revelando ilusória. Ambas, porém, suscitam a mesma questão: uma vez que reconheçamos nossas deficiências, o que deveríamos fazer?

Antes de retornarmos a Sandra Bland – e ao que exatamente aconteceu naquela beira de estrada no Texas –, gostaria de conversar sobre talvez a versão mais extrema do problema de falar com estranhos: um terrorista que quer esconder seus segredos e um interrogador que está disposto a fazer quase qualquer coisa para desvendá-los.

2.

Mitchell e Jessen se conheceram em Spokane, estado de Washington, onde ambos eram psicólogos do programa da Força Aérea chamado SERE – *Survival* (Sobrevivência), *Evasion* (Evasão), *Resistance* (Resistência), *Escape* (Fuga). Todos os ramos das forças armadas norte-americanas dispõem de suas próprias versões do SERE, que envolve ensinar ao pessoal-chave o que fazer caso caia em mãos inimigas.

O exercício começava com a polícia local capturando soldados da Força Aérea, sem aviso prévio, e levando-os para um centro de detenção que simulava um campo de prisioneiros de guerra do inimigo. "Eles simplesmente os detêm e os prendem", disse Mitchell. "Depois os entregam para quem vai fazer o teste de prontidão operacional."

Um exercício envolvia tripulações dos bombardeiros que carregam armas nucleares. Tudo em sua missão é confidencial. Se seus aviões caíssem em território hostil, dá para imaginar a curiosidade de seus captores sobre sua carga. O programa SERE deveria preparar a tripulação para o que pudesse acontecer.

As cobaias passavam frio, fome, sendo forçadas a permanecer de pé – acordadas – dentro de um cubículo, durante dias. Depois vinha o interrogatório. "Você veria se conseguia arrancar aquelas informações deles", disse Mitchell. Ele conta que a coisa toda era "bem realista". Uma técnica particularmente eficaz desenvolvida no SERE era a da cabeça na parede (*walling*): enrolar uma toalha no pescoço de alguém para sustentar sua cabeça, depois batê-la contra uma parede especialmente construída. Mitchell explicou:

> Você faz isso numa parede falsa. Ela tem uma matraca atrás que faz um barulhão, e há muita resiliência, e então seus ouvidos começam a rodopiar. Você não faz isso para causar dano à pessoa. Quer dizer, é como uma lona de luta, só que mais barulhento. Não é doloroso, só é desconcertante. É disruptivo para seu fluxo de pensamentos, e você fica desestabilizado.

A responsabilidade de Mitchell era ajudar a projetar o programa SERE, o que significava que ocasionalmente ele próprio se submetia ao protocolo de treinamento. Certa vez, ele diz, fez parte de um exercício do SERE envolvendo um dos truques mais antigos do ramo do interrogatório: o interrogador ameaça não o interrogado, mas um colega dele. Na experiência de Mitchell, homens e mulheres reagem de maneira bem diferente a esse cenário. Os homens tendem a ceder. As mulheres, não.

"Se diziam a uma mulher piloto que iam fazer algo com outro aviador, a atitude de muitas delas era: 'É horrível que seja com você'", disse ele. "'Você faz o seu serviço, eu vou fazer o meu. Vou proteger os segredos. Sinto muito que isso tenha acontecido, mas você sabia disso quando se alistou.'" Mitchell viu isso pela primeira vez quando interrogou mulheres que haviam sido mantidas prisioneiras de guerra durante a Tempestade no Deserto.

> Eles arrastavam essas mulheres para fora e ameaçavam bater nelas sempre que os homens se negavam a falar. E [as mulheres] ficavam zangadas com os homens por não resistirem e diziam: "Talvez eu tivesse sido espancada, talvez eu tivesse sido sexualmente molestada, mas isso aconteceria uma só vez. Ao mostrar-lhes que a forma de obter o que queriam

era me arrastar para fora, aquilo acontecia todas as vezes. Portanto, me deixe fazer meu serviço. Você faz o seu."

No exercício do SERE, Mitchell foi juntado a uma mulher, uma oficial de alto escalão da Força Aérea. Seus interrogadores disseram que torturariam Mitchell se ela não falasse. Como manda o figurino, ela disse: "Não vou falar." Mitchell contou:

> Eles me colocaram dentro de um barril de 200 litros que foi enterrado no chão, puseram uma tampa, cobriram de terra. No alto do barril, projetando-se pela tampa, havia uma mangueira despejando água fria. [...] Não pude ver, por conta da posição em que me colocaram, que os orifícios de drenagem estavam bem no alto, no nível do meu nariz.

Lentamente, o barril foi se enchendo de água.

Mitchell: Eu estava certo de que eles não iam matar o próprio psicólogo do curso, estava bem certo disso, mas não estava convencido. Sabe o que quero dizer?

Eu: Como você se sentiu enquanto aquilo estava acontecendo?

Mitchell: Eu não estava contente, porque seus joelhos estão erguidos de encontro ao tórax e você não consegue sair. Seus braços estão pendendo do seu lado. Não dá para se mover. Eles colocam uma alça sob você e o abaixam naquele negócio.

Eu: Em que ponto você foi removido?

Mitchell: Mais ou menos uma hora depois.

Eu: Qual era a altura da água?

Mitchell: Chega até o nariz. Vai subindo, de modo que você não consegue saber até onde vai. Quer dizer, a coisa está subindo em volta do seu pescoço, está subindo em volta das suas orelhas.

Eu: Você estava no escuro?

Mitchell: Ah, sim. [...] Talvez não tenha sido uma hora, talvez tenha sido menos, porque senão eu teria tido hipotermia. Mas pareceu durar uma hora. De qualquer modo, estou neste negócio, e eles o abaixam, e eu penso: "Vão me colocar num barril para ver se sou claustrofóbico. Não sou. Nenhum grande problema para mim." Ah, não. Eles enfiam a mangueira lá dentro, colocam aquela pequena tampa de metal e depois cobrem tudo de pedras.

Eu: Eles dizem a você antes o que vão fazer?

Mitchell: Eles dizem enquanto estão fazendo.

Eu: Tudo que faziam com quem era treinado no SERE também faziam com você?

Mitchell: Ah, sim.

Nas palavras de Mitchell, "muita gente passava algum tempo naquele barril". Na época, fazia parte do curso padrão.

Mitchell: Também fiz o curso avançado. Se você acha que o curso básico é dureza. [...] Cara.

3.

Era esta a origem do programa de "Interrogatório Aprimorado" da CIA. A CIA procurou Mitchell e Jessen e pediu seu conselho. Os dois vinham trabalhando havia anos, projetando e implementando o que acreditavam ser a mais eficaz técnica de interrogatório imaginável, e a agência queria saber o que funcionava. Assim, Mitchell e Jessen fizeram uma lista, no alto da qual vinham a privação do sono, a técnica da cabeça na parede e o afogamento simulado. Afogamento simulado é quando você é colocado numa maca, com sua cabeça mais baixa que os pés, um pano colocado sobre seu rosto e água despejada em sua boca e seu nariz para produzir a sensação de afogamento. Acontece que o afogamento simulado era uma das poucas técnicas que Mitchell e Jessen *não* usaram no SERE. Da perspectiva da Força Aérea, o afogamento simulado era eficiente demais. Eles estavam tentando ensinar ao seu pessoal que resistir à tortura era possível, portanto fazia pouco sentido expô-los a uma técnica que, para a maioria das pessoas, tornava a resistência impossível.* Mas usar em sus-

---

* No entanto, houve muitas experiências com o afogamento simulado no SERE da escola naval. Ali, a filosofia de treinamento era um pouco diferente. "A visão da Marinha era que as pessoas entram naquela situação esperando conseguir resistir, conseguir ser petulante. Quando aquilo acontece [não resistir],

peitos de terrorismo? Para muitos na CIA, aquilo fazia sentido. Como medida de precaução, ele e Jessen testaram-no neles primeiro, cada um submetendo o outro ao afogamento simulado – duas sessões para cada um, usando o protocolo mais agressivo, o fluxo de 40 segundos.

"Queríamos ter certeza de que os médicos conseguiriam desenvolver procedimentos de segurança e os guardas saberiam o que fazer, e queríamos saber o que [os detentos] iriam sentir", disse ele.

Eu: Então descreva como foi.
Mitchell: Você já esteve num prédio superalto e pensou que poderia saltar lá de cima? Sabendo que não iria saltar, mas que *poderia* saltar? Foi essa a minha sensação. Eu não senti que iria morrer, senti que estava com medo de que fosse morrer.

Quando o Departamento de Justiça enviou dois advogados, um homem e uma mulher, para o local de interrogatório a fim de confirmar a legalidade das técnicas sob consideração, Mitchell e Jessen os submeteram também ao afogamento simulado. A advogada, ele recorda, sentou-se depois, secou seu cabelo e disse simplesmente: "É, foi uma droga."

Mitchell e Jessen desenvolveram um protocolo. Se um detido relutasse em responder às perguntas, eles começariam com a mais branda das "medidas aprimoradas". Se o detido persistisse, eles aumentariam a dose. A técnica da cabeça na parede era uma das favoritas, bem como a privação do sono. Pelas regras do Departamento de Justiça, o máximo era de 72 horas de privação do sono, mas Mitchell e Jessen acharam aquilo desnecessário. O que preferiam fazer era deixar alguém dormir, mas não o suficiente, sistematicamente interrompendo as fases REM (de *rapid eye movement*, ou movimento rápido dos olhos).

O afogamento simulado era a técnica do último recurso. Usavam uma maca hospitalar, com inclinação de 45 graus. O Departamento de Justiça permitia que despejassem água em intervalos de 20 a 40 segundos, separados

---

você fica devastado e não se recupera", disse Mitchell. "Assim, parte do que tentam fazer na escola naval é mostrar aos militares que você realmente cederá em certo ponto. Mas seu dever como soldado americano é resistir da melhor forma que puder." A Marinha queria mostrar aos seus aprendizes quão ruins as coisas podiam ficar. A Força Aérea achava que era melhor seus aprendizes não saberem daquilo.

por três respirações, num total de 20 minutos. Eles preferiam um fluxo de 40 segundos, dois fluxos de 20 segundos e o restante em três a 10 segundos. Mitchell contou:

> O ponto principal é que você não quer que [a água] vá até os pulmões, só quer que entre pelos seios faciais. Não tínhamos interesse em afogar a pessoa. Originalmente usávamos água mineral de uma garrafa de um litro, mas os médicos quiseram que usássemos solução salina porque algumas pessoas engoliam a água e eles não queriam [que elas] tivessem intoxicação por água.

Antes do primeiro fluxo, pegavam uma camiseta preta e a colocavam no rosto da pessoa, cobrindo seu nariz. "O pano vai assim", mostrou Mitchell, imitando a camiseta sendo abaixada.

> E então você levanta o pano, e depois abaixa o pano, e depois levanta o pano, e depois abaixa o pano, e levanta o pano, e abaixa o pano.
> Quando você levanta o pano, o despejador para de despejar. Há um sujeito ali com um cronômetro e ele está contando os segundos, portanto eu sei quantos segundos está durando. Temos um médico bem ali.

A sala ficava lotada. Tipicamente, estariam ali o chefe da base, o analista de inteligência responsável pelo caso e um psicólogo, entre outros. Um segundo grupo ficava do lado de fora, observando os procedimentos numa grande tela de TV: mais experts da CIA, um advogado, guardas – um grupo grande.

Nenhuma pergunta era feita durante o processo. Aquilo ficava para depois.

> **Mitchell:** Você não está berrando com o sujeito. Está despejando a água e dizendo para ele, num tom não exatamente de conversa mas também não agressivo: "Não precisa ser deste jeito. Queremos informações para deter as operações dentro dos Estados Unidos. Sabemos que você não tem todas elas, mas sabemos que tem algumas..." Estou dizendo isso para ele enquanto aquilo está acontecendo: "Não precisa ser deste jeito. A escolha é sua."

Eu: Como você sabe – em geral, com as técnicas de interrogatório aprimorado – que foi tão longe quanto precisa?
Mitchell: Eles começam a falar com você.

Falar significa pormenores: detalhes, nomes, fatos.

Mitchell: Você dá para ele uma foto e pergunta: "Quem é este sujeito?" Ele diria: "Bem, este sujeito é fulano, mas veja bem, o sujeito atrás, este sujeito atrás é sicrano, e é neste lugar que ele está..." Portanto ele iria além da pergunta.

Mitchell e Jessen concentravam-se na aquiescência. Queriam que seus interrogados falassem, fornecessem informações e respondessem às perguntas. E, desde o início com KSM, estavam convictos de que precisariam de cada técnica de seu arsenal para fazê-lo falar. Ele não era um soldado raso à margem da Al-Qaeda, alguém ambivalente sobre sua participação nos atos terroristas. Soldados rasos são fáceis. Têm pouco a dizer – e pouco a perder abrindo o bico. Eles cooperarão com seus interrogadores porque percebem que é a melhor chance de obterem sua liberdade.

Mas KSM sabia que nunca mais veria a luz do dia. Não tinha incentivo para cooperar. Mitchell conhecia todas as técnicas psicológicas de interrogatório usadas pelas pessoas que não acreditavam no interrogatório aprimorado, e achou que funcionariam perfeitamente com os chamados "terroristas comuns que você captura no campo de batalha, como os jihadistas que vinham combatendo os americanos". Mas não com os "sujeitos do núcleo duro".

E KSM era um sujeito do núcleo duro. Mitchell e Jessen poderiam usar somente a técnica da cabeça na parede e a da privação do sono para fazê-lo falar, porque, por incrível que pareça, a simulação de afogamento não funcionava com ele. De algum modo, KSM era capaz de abrir seus seios faciais, e a água que fluía para seu nariz simplesmente saía pela boca. Ninguém entendia como ele fazia aquilo. Mitchell chama de truque de mágica. Após algumas sessões, KSM captou a cadência dos fluxos. Ele então zombava da sala, fazendo a contagem regressiva dos segundos restantes nos seus dedos, depois fazendo um gesto de corte com a mão quando acabavam. Certa vez, no meio de uma sessão, Mitchell e Jessen retiraram-se da sala para consultar um colega. Quando voltaram, KSM estava roncando. "Ele estava dormindo", disse Mitchell, rindo da lembrança. "Sei que estou rindo dessa imagem potencialmente horrorosa que as pessoas têm, mas existe um pouco de..." Ele balançou a cabeça em sinal de espanto. "Eu nunca tinha ouvido falar daquilo", continuou ele. "Quando a CIA estava fazendo a diligência prévia, chamaram a JRPA." A JPRA é uma agência do Pentágono que monitora os diversos programas SERE conduzidos pelos departamentos do serviço. Ela tinha um arquivo sobre afogamento simulado. "A pessoa com quem conversaram lá disse que é cem por cento eficaz em nossos alunos. Jamais alguém deixou de ceder."

Mitchell e Jessen deram a KSM o tratamento completo por três semanas. Finalmente, ele parou de resistir. Mas a complacência arduamente conquistada de KSM não significou que seu caso agora era simples e evidente. Na verdade, as dificuldades estavam apenas começando.

4.

Alguns anos antes do 11 de Setembro, um psiquiatra chamado Charles Morgan estava numa conferência de neurociência militar. Ele vinha pesquisando o transtorno do estresse pós-traumático, tentando entender por que alguns veteranos sofrem dessa perturbação e por que outros, que passam exatamente pelas mesmas experiências, saem incólumes. Morgan estava conversando com seus colegas sobre como era difícil estudar a questão, porque o ideal seria identificar um grupo de pessoas *antes* de terem a experiência traumática e acompanhar sua reação em tempo real. Mas como fazer isso? Nenhuma guerra vinha ocorrendo na época, e não dava para fazer com que seus voluntários de pesquisa fossem simultaneamente sofrer um assalto a mão armada ou alguma perda devastadora.

No entanto, depois um coronel do Exército foi até Morgan e disse: "Acho que sei como resolver seu problema." O coronel trabalhava numa escola do SERE em Fort Bragg, na Carolina do Norte. Convidou Morgan para ir visitá-la. Era a versão do Exército da escola da Força Aérea em Spokane onde Mitchell e Jessen trabalhavam. "Era meio surreal", conta Morgan. O Exército havia construído uma réplica de um campo de prisioneiros de guerra – o tipo que você pode encontrar na Coreia do Norte ou em algum canto remoto da antiga União Soviética. "Percorri o complexo inteiro quando nada estava acontecendo, numa manhã realmente enevoada, cinzenta. Lembrou-me de algum filme de guerra, com aquele campo de concentração sem ninguém por ali."

Morgan prosseguiu:

> Cada ciclo de treinamento sempre se encerrava com um ex-prisioneiro de guerra falando para a turma: "Isso aconteceu comigo. Vocês passaram três horas numa pequena gaiola. Eu vivi numa delas por quatro anos. Eis como eles tentaram me ludibriar."

Morgan ficou fascinado, mas cético. Estava interessado no estresse traumático. A escola do SERE era uma simulação realista do que significava ser capturado e interrogado pelo inimigo, mas ainda era uma simulação. Ao fim do dia, todos os participantes ainda estavam na Carolina do Norte e ainda podiam sair, tomar uma cerveja e ver um filme com seus amigos quando tivessem terminado. "Eles sabem que estão num curso e sabem que estão em treinamento. Como isso poderia ser estressante?", perguntou. Os instrutores do SERE apenas sorriram como resposta à pergunta dele. "Depois me convidaram para vir e disseram que eu poderia monitorar a escola por um período de mais ou menos seis meses. Assim, a cada mês, por duas semanas, eu ia para lá e atuava como uma espécie de antropólogo, tomando notas."

Ele começou pela fase de interrogatório do treinamento, extraindo amostras de sangue e saliva dos soldados depois de serem interrogados. Eis como Morgan descreveu os resultados na revista científica *Biological Psychiatry*:

> O estresse realista do laboratório de treinamento produzia mudanças rápidas e profundas no cortisol, na testosterona e nos hormônios da tireoide. Essas alterações eram de uma magnitude [...] comparável às documentadas em indivíduos submetidos a estressores físicos como grandes cirurgias ou o combate real.

Aquele era um interrogatório de faz de conta. As sessões duravam meia hora. Vários dos submetidos a ele eram Boinas Verdes e Forças Especiais – a nata. *E eles estavam reagindo como se estivessem em combate real.* Morgan observou chocado um soldado após o outro irromper em lágrimas. "Fiquei perplexo com aquilo", disse Morgan. "Foi difícil de entender."

> Bem, pensei, estas são todas pessoas bem duronas – vai ser tipo um jogo. Eu não tinha previsto ver pessoas tão angustiadas ou chorando. E não foi por causa da pressão física. Não foi porque alguém estava coagindo você.

Aqueles eram soldados – organizados, disciplinados, motivados –, e Morgan percebeu que era a incerteza de sua situação que os deixava perturbados.

> Muitos [deles] sempre operaram com base em "eu deveria conhecer as regras do jogo para saber o que fazer". E acho que grande parte do estresse, como vim a saber com o tempo, era causada sobretudo por uma sensação interior de alarme real, como: "Não sei qual a resposta certa."

Depois ele resolveu submeter os alunos do SERE ao denominado teste da Figura Complexa Rey-Osterrieth. Você recebe isto:

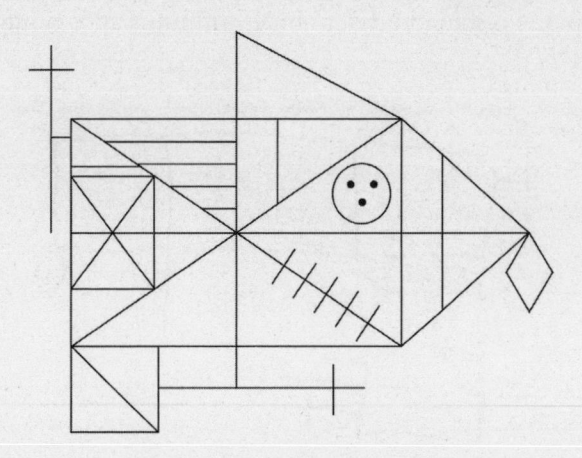

Primeiro, você precisa copiar o desenho. Depois, o original é removido e você deve desenhá-lo de cabeça. A maioria dos adultos consegue executar bem essa tarefa e usa a mesma estratégia: começam desenhando os contornos da figura, depois preenchem os detalhes. Já as crianças usam uma abordagem fragmentada: aleatoriamente fazem um trecho do desenho, depois passam para outro trecho.

Antes do interrogatório, os alunos do SERE navegavam pelo teste com grande sucesso. Afinal, conseguir memorizar e reproduzir rapidamente uma exibição visual complexa é o tipo de coisa que os soldados Boinas Verdes ou de Forças Especiais são treinados a fazer. Eis um exemplo típico de figura Rey-Osterrieth desenhada de cabeça por um dos soldados antes do interrogatório. Os caras são feras.

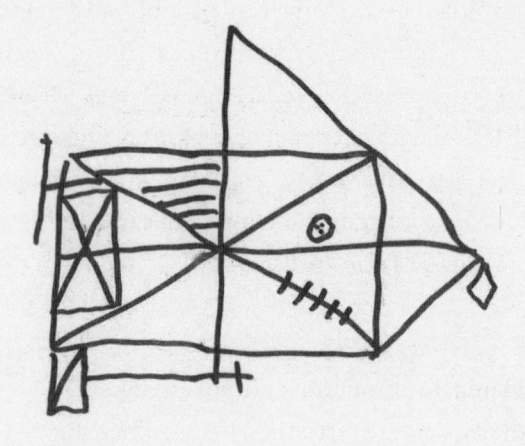

Mas veja o que o soldado desenhou 15 minutos após o interrogatório:

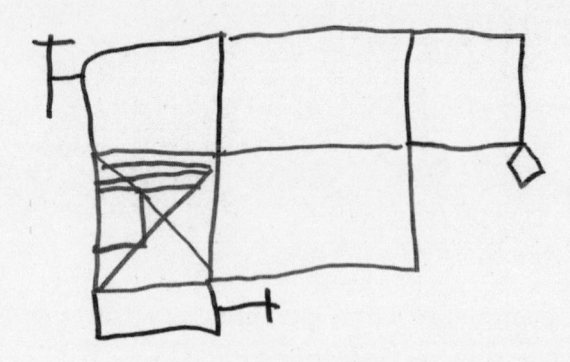

Numa versão do experimento, diz Morgan, após um interrogatório estressante, 80% da amostra desenharia a figura de forma fragmentada, "como uma criança pré-púbere, o que significa que seu córtex pré-frontal ficou bloqueado por um tempo".

Para qualquer um que trabalhasse com interrogatórios, o trabalho de Morgan foi profundamente preocupante. O intuito do interrogatório era fazer o indivíduo falar – desvendar a memória do interrogado e acessar o que estava dentro. Mas e se o processo de assegurar a aquiescência se mostrasse tão estressante para o interrogado a ponto de afetar o que ele conseguia realmente lembrar? Morgan estava vendo adultos se transformarem em crianças.

"Eu estava no complexo coletando saliva dos diferentes alunos", diz Morgan, lembrando um incidente do início de seu período no SERE:

> E voltei para fora porque agora tinham aberto os portões e as famílias estavam ali. Todos se cumprimentaram. Eu me aproximei de um grupo de alunos:
> – Então, é bom ver vocês longe daquelas condições.
> E lembro que alguns deles disseram:
> – Quando você chegou aqui?
> – Como assim quando cheguei aqui? – perguntei. – Coletei saliva de vocês há 20 minutos. E pedi que preenchessem...
> – Não lembro disso.
> Então eu insisti:
> – E vi vocês naquela outra noite quando estavam sendo interrogados.
> – Não lembro de nada – responderam.
> Olhei para um dos instrutores e exclamei:
> – Que doideira!
> – Acontece o tempo todo – comentou o instrutor. – Eles nem sequer se lembram de mim, e sou o sujeito que estava berrando com eles 30 minutos atrás.

Morgan ficou tão atônito que decidiu realizar um teste de campo rápido. Reuniu o equivalente a uma fila de identificação policial, enchendo-a de instrutores, soldados e algumas pessoas de fora.

"O médico daquela unidade havia acabado de retornar das férias. [...] Eu disse: 'Você vai entrar nesta fila hoje.' E o incluímos lá."

Depois, Morgan deu suas instruções aos soldados. "Estamos realmente interessados na pessoa que dirigiu o campo e ordenou todas as suas punições.

Se estiver aqui, por favor indiquem. Se não estiver, digam: 'Não está aqui.'" Ele queria que identificassem o homem no comando.

"Dos 52 alunos, 20 deles apontaram para aquele médico. [...] E ele disse: 'Mas eu nem estava aqui! Estava no Havaí!'"*

Se um dos soldados tivesse errado, seria compreensível. Pessoas cometem erros. Idem com duas identificações erradas, ou mesmo três. Mas 20 erraram. Em qualquer tribunal, o pobre médico teria ido parar atrás das grades.

Após o 11 de Setembro, Morgan foi trabalhar para a CIA. Ali, tentou convencer seus colegas da importância de suas descobertas. A agência tinha espiões e fontes confidenciais ao redor do mundo. Possuíam informações coletadas de pessoas que haviam capturado ou coagido a cooperarem. Aquelas fontes eram pessoas que muitas vezes falavam com grande confiança. Algumas eram consideradas altamente críveis, outras davam informações que eram consideradas bem fidedignas. Mas o argumento de Morgan era que, se as informações que vinham compartilhando tivessem sido obtidas sob tensão – se tivessem passado por algum pesadelo no Iraque, no Afeganistão ou na Síria –, o que diziam podia ser inexato ou enganoso, e as fontes não o saberiam. Elas diriam: *É o médico! Sei que foi o médico*, embora o médico estivesse a mil quilômetros de distância. "Eu disse para os outros analistas: 'Vejam bem, a implicação disso é realmente alarmante.'"

Então, o que Charles Morgan achou quando soube o que Mitchell e Jessen estavam prestes a fazer com KSM em sua prisão secreta remota?

> Eu disse às pessoas... isto foi antes do meu ingresso na CIA, e eu disse às pessoas enquanto estava lá: "Tentar obter informações de alguém que você está privando do sono é como tentar obter um sinal melhor de um rádio que você está arrebentando com uma marreta. [...] Para mim não faz o menor sentido."

---

* Em outro estudo maior, Morgan constatou que 77 dentre 114 soldados identificaram incorretamente seus interrogadores numa fila de identificação em uma foto – e aquilo foi 24 horas *após* o interrogatório! Quando aqueles soldados foram indagados sobre o grau de confiança em suas respostas, não houve relação entre confiança e exatidão.

5.

KSM fez sua primeira confissão pública na tarde de 10 de março de 2007, pouco mais de quatro anos após sua captura pela CIA em Islamabad, no Paquistão. A ocasião foi uma audiência de tribunal realizada na base naval americana da baía de Guantánamo, em Cuba. Oito pessoas estavam presentes, além de KSM – um "representante pessoal" designado para o prisioneiro, um intérprete e oficiais de cada um dos quatro ramos do serviço militar americano.

Perguntou-se a KSM se ele entendia a natureza dos procedimentos. Ele disse que sim. Uma descrição das acusações contra ele foi lida em voz alta. Através de seu representante, ele fez pequenas correções: "Meu nome está escrito errado no Sumário de Provas. Deveria ser *S-h-a-i-k-h* ou *S-h-e-i-k-h*, mas não *S-h-a-y-k-h*, como está na linha do assunto." Pediu uma tradução de um versículo do Alcorão. Umas poucas outras questões de administração foram discutidas. Então o representante pessoal de KSM leu sua confissão:

> Admito por meio deste e afirmo sem coação o seguinte:
> Jurei *bay'aat* [lealdade] ao xeique Osama bin Laden para conduzir a Jihad [...]
>
> Fui diretor operacional do xeique Osama bin Laden para organização, planejamento, acompanhamento e execução da Operação do 11 de Setembro. [...]
>
> Estive diretamente encarregado, após a morte do xeique Abu Hafs Al-Masri Subhi Abu Sittah, da gestão e do acompanhamento na Célula para a Produção de Armas Biológicas, como antraz e outras, e acompanhamento das Operações de Bombas Sujas em solo americano.

Depois, ele listou cada operação individual da Al-Qaeda pela qual havia sido, em suas palavras, "um participante responsável, planejador principal, treinador, financiador (via Tesouro do Conselho Militar), executor e/ou participante pessoal". Havia 31 itens naquela lista: Torre da Sears em Chicago, Aeroporto de Heathrow, Big Ben em Londres, inúmeras embaixadas norte-americanas e israelenses, tentativas de assassinato de Bill Clinton e do papa João Paulo II, e assim por diante, em detalhes aterradores. Eis, por exemplo, os itens 25 a 27:

25. Fui responsável pela vigilância necessária para atingir usinas nucleares que geram eletricidade em diversos estados americanos.
26. Fui responsável por planejamento, pesquisa e financiamento para atingir o quartel-general da OTAN na Europa.
27. Fui responsável pelo planejamento e pela vigilância necessários para executar a Operação Bojinka, concebida para derrubar 12 aviões americanos cheios de passageiros. Pessoalmente monitorei um voo de ida e volta da Pan Am entre Manila e Seul.

A declaração terminou. O juiz dirigiu-se a KSM: "Antes de prosseguir, Khalid Sheikh Muhammad: a declaração que acabou de ser lida pelo Representante Pessoal, aquelas foram suas palavras?" KSM respondeu que sim, depois começou uma longa e acalorada explanação de suas ações. Era um simples guerreiro, disse ele, empenhado num combate, não diferente de qualquer outro soldado:

> As guerras começaram desde Adão, quando Caim matou Abel, até agora. Nunca vão parar de matar as pessoas. Esta é a linguagem da guerra. Os americanos iniciam a Guerra Revolucionária, depois iniciam a Mexicana, depois a Guerra Espanhola, depois a Primeira Guerra Mundial, Segunda Guerra Mundial. Você lê a história. Sabe que a guerra nunca para. É a vida.

A confissão extraordinária de KSM foi um triunfo para Mitchell e Jessen. O homem que aparecera para eles em 2003, furioso e desafiador, agora estava voluntariamente revelando seu passado.

Mas a cooperação de KSM deixou sem resposta uma pergunta crucial: o que ele disse foi *verdade*? Uma vez que alguém é sujeitado a esse tipo de tensão, está no território de Charles Morgan. Estaria KSM confessando todos aqueles crimes só para fazer Mitchell e Jessen pararem? Segundo alguns relatos, Mitchell e Jessen haviam perturbado e negado o sono a KSM por uma semana. Depois de toda aquela violência, KSM ainda conhecia suas lembranças reais?

Em seu livro *Why Torture doesn't Work* (Por que a tortura não funciona), o neurocientista Shane O'Mara escreve que a privação longa do sono "pode induzir certa forma de aquiescência superficial" – mas somente à custa da "remodelagem estrutural de longo prazo dos sistemas cerebrais que apoiam as próprias funções a que o interrogador deseja ter acesso".

O ex-agente da CIA de alto escalão Robert Baer leu a confissão e concluiu que KSM estava "inventando coisas". Um dos alvos que listou foi o prédio do Plaza Bank no centro de Seattle. Mas o Plaza Bank só foi fundado como uma empresa anos após a prisão de KSM. Outro antigo veterano da CIA, Bruce Reidel, argumentou que exatamente aquilo que dificultou a cooperação inicial de KSM – o fato de que nunca mais sairia da prisão – também foi o que tornou suspeitas suas alegações. "Ele não tem mais nada na vida exceto ser lembrado como um terrorista famoso", disse Reidel. "Quer promover sua própria importância. Isso tem sido um problema desde que foi capturado." Se ele ia passar o resto da vida na cadeia, por que não representar uma peça para os livros de história? A confissão de KSM prosseguia:

9. Fui responsável por planejamento, treinamento, pesquisa e financiamento da Operação para bombardear e destruir o Canal do Panamá.
10. Fui responsável pela pesquisa e pelo financiamento para o assassinato de diversos ex-presidentes norte-americanos, inclusive o presidente Carter.

Havia algo pelo qual KSM *não* reivindicava o crédito?

Nenhum desses críticos questionou a necessidade de interrogar KSM. O fato de estranhos serem difíceis de interpretar não significa que não devamos tentar. Não podemos permitir que criadores de esquemas Ponzi e pedófilos fiquem livres para agir. A polícia italiana tinha a responsabilidade de entender Amanda Knox. E por que Neville Chamberlain fez tamanho esforço para se encontrar com Hitler? Porque, com a ameaça de guerra mundial pairando, tentar selar a paz com seu inimigo é essencial.

Mas quanto mais nos esforçamos para fazer os estranhos se revelarem, mais esquivos se tornam. Chamberlain teria se saído melhor se nunca tivesse conhecido Hitler. Deveria ter ficado em casa e lido *Minha luta*. A polícia no caso Sandusky fez uma busca minuciosa por suas vítimas durante dois anos. Qual foi o resultado de seus esforços? Não clareza, mas confusão: histórias que mudavam; alegações que vinham à tona e depois desapareciam; vítimas que estavam trazendo seus próprios filhos para se encontrarem com Sandusky num minuto para depois acusá-lo de crimes horríveis no minuto seguinte.

James Mitchell estava na mesma posição. A CIA tinha razões para acreditar que a Al-Qaeda vinha planejando uma segunda rodada de ataques após o 11 de Setembro, possivelmente envolvendo armas nucleares. *Precisava* fazer com que KSM falasse. Mas quanto mais se esforçava para fazê-lo falar, mais ele comprometia a qualidade da comunicação. Ele poderia privar KSM do sono por uma semana, ao fim da qual KSM estaria confessando todos os crimes do mundo. Mas será que KSM quis *realmente* explodir o Canal do Panamá?

Aquilo que estamos tentando descobrir sobre os estranhos, seja o que for, não é confiável. A "verdade" sobre Amanda Knox, Jerry Sandusky ou KSM não é um objeto duro e reluzente que possa ser extraído se cavarmos fundo e procurarmos com diligência suficiente. Aquilo que queremos aprender sobre um estranho é frágil. Se pisarmos sem cuidado, desmoronará sob nossos pés. E com isso segue-se outra nota de advertência: precisamos aceitar que a tentativa de entender um estranho tem limites reais. Jamais saberemos a verdade completa. Temos que nos satisfazer com algo menor do que ela. A forma certa de falar com estranhos é com cautela e humildade. Quantas das crises e controvérsias que descrevi teriam sido evitadas se tivéssemos levado a sério essas lições?

Estamos agora perto de retornar aos eventos daquele dia em Prairie View, no Texas, quando Brian Encinia abordou Sandra Bland. Mas, antes, temos uma última coisa a considerar: o fenômeno estranhamente ignorado do acoplamento.

PARTE V
ACOPLAMENTO

CAPÍTULO DEZ

Sylvia Plath

1.

No outono de 1962, a poetisa americana Sylvia Plath substituiu sua casa de campo no interior da Inglaterra pela vida em Londres. Precisava de um recomeço. Seu marido, Ted Hughes, a havia trocado por outra mulher, deixando-a sozinha com seus dois filhos pequenos. Ela achou um apartamento no bairro londrino de Primrose Hill — os dois andares de cima de uma casa geminada. "Estou escrevendo de Londres, tão contente que mal consigo falar", contou ela à sua mãe. "E sabe do que mais? É a casa de W. B. Yeats. Tem uma placa azul sobre a porta dizendo que ele morou aqui!"

Em Primrose Hill, ela escrevia de manhã cedo enquanto os filhos ainda dormiam. Sua produtividade era extraordinária. Em dezembro, terminou uma coletânea de poesias, e seu editor disse que ela devia ganhar o Prêmio Pulitzer. Ela estava em vias de se tornar uma das jovens poetas mais celebradas do mundo, reputação que só cresceria nos anos seguintes.

Porém, no fim de dezembro, um frio mortal baixou sobre a Inglaterra. Foi um dos invernos mais rigorosos em 300 anos. A neve começou a cair e não parou mais. As pessoas patinavam no rio Tâmisa. A água congelava nos canos. Houve greves e quedas no fornecimento de energia. Plath lutara contra a depressão a vida toda, e as trevas retornaram. Seu amigo, o crítico literário Alfred Alvarez, foi vê-la na véspera do Natal. "Ela parecia diferente", recordou ele em seu livro de memórias *O deus selvagem*:

> Seus cabelos, que ela costumava usar num coque apertado de professora, estavam soltos. Pendiam até a cintura como uma tenda, dando ao rosto pálido e à aparência emaciada um ar curiosamente desolado, arrebatado, qual sacerdotisa esgotada pelos ritos de sua seita. Quando ela caminhou

na minha frente pelo corredor [...] seus cabelos exalavam um forte cheiro, pungente como o de um animal.

Seu apartamento era vazio e frio, quase sem mobília e com pouca decoração de Natal para seus filhos. "Para os infelizes", escreve Alvarez, "o Natal é sempre uma época ruim: a terrível falsa alegria que vem até você de todos os lados, vociferando sobre boa vontade, paz e diversão em família, torna a solidão e a depressão particularmente difíceis de suportar. Eu nunca a tinha visto tão tensa".

Ambos beberam uma taça de vinho e, como costumavam fazer, ela leu para ele seus poemas mais recentes. Eram sombrios.

O novo ano chegou e o tempo piorou ainda mais. Plath brigou com o ex-marido. Demitiu a babá. Pegou os filhos e foi para a casa de Jillian e Gerry Becker, que moravam perto. "Sinto-me péssima", disse ela. Tomou alguns antidepressivos, adormeceu, depois acordou em prantos. Era quinta-feira. Na sexta, escreveu ao ex-marido, Ted Hughes, o que ele mais tarde chamaria de "carta de despedida". No domingo, ela insistiu que Gerry Becker a levasse de carro, junto com os filhos, de volta ao apartamento. Ele a deixou no início da noite, depois que ela pôs as crianças na cama. Em algum momento nas horas seguintes, ela deixou um pouco de comida e água para os filhos e abriu a janela do quarto deles. Escreveu numa folha de papel o nome do seu médico, com o número do telefone, e afixou no carrinho de bebê no corredor. Depois pegou toalhas, panos de prato e fita adesiva e vedou a porta da cozinha. Ligou o gás do fogão, pôs a cabeça dentro do forno e tirou a própria vida.

2.

Poetas morrem jovens. Isso não é mero clichê. A expectativa de vida dos poetas, como um grupo, fica atrás da dos dramaturgos, romancistas e escritores de não ficção por uma margem considerável. Eles têm uma incidência de "distúrbios emocionais" maior do que atores, músicos, compositores e romancistas. Dentre todas as categorias ocupacionais, os poetas apresentam de longe as maiores taxas de suicídio – quase cinco vezes maiores do que da população em geral. Existe algo em escrever poesia que parece atrair os feridos ou abrir novas feridas, e poucos personificaram tão perfeitamente essa imagem do gênio condenado como Sylvia Plath.*

Plath era obcecada pelo suicídio. Escrevia a respeito, pensava a respeito. "Falava sobre suicídio no mesmo tom em que falava de qualquer outra atividade arriscada, difícil: com insistência, até ferozmente, mas sem nenhuma autocomiseração", escreve Alvarez. "Ela parecia ver a morte como um desafio físico que mais uma vez havia superado. Uma experiência da mesma qualidade de [...] disparar por uma perigosa encosta coberta de neve sem propriamente saber esquiar."

Ela preenchia todos os requisitos para risco elevado de suicídio. Já tinha tentado antes. Havia recebido diagnóstico de transtorno mental. Era uma americana vivendo em uma cultura estrangeira – distante da família e dos amigos. Vinha de um lar dilacerado. Acabara de ser rejeitada por um homem que idolatrava.**

Na noite de sua morte, Plath deixou o sobretudo e as chaves na casa dos Beckers. Em seu livro sobre Plath (todos que a conheciam, mesmo superficialmente, escreveram ao menos um livro sobre ela), Jillian Becker interpretou aquilo como um sinal da determinação na decisão de Plath:

> Será que ela achou que Gerry ou eu iríamos atrás dela durante a noite com o sobretudo e as chaves? Não. Ela não esperava nem queria ser salva no último momento da morte autoinfligida.

---

* "Um poeta precisa se adaptar, mais ou menos conscientemente, às exigências de sua vocação", escreveu certa vez Stephen Spender, ele próprio um poeta bem-sucedido, "daí as peculiaridades dos poetas e a condição da inspiração que muitas pessoas disseram se aproximar da loucura".

** "Quando se matou aos 30 anos", escreve Ernest Shulman, "Sylvia se enquadrava em várias categorias para as quais as chances de suicídio são maiores. Embora pessoas que já tenham tentado suicídio constituam cerca de 5% da população, um terço das que consumaram o ato já haviam tentado antes, inclusive Sylvia. Ex-pacientes psiquiátricos com diagnóstico de doença mental compõem uma alta proporção dos suicídios, também incluindo Sylvia. Divorciadas têm uma taxa de suicídio várias vezes maior que mulheres casadas. Sylvia estava em processo de divórcio. Estrangeiros em qualquer parte têm elevadas taxas de suicídio. Sylvia estava morando na Inglaterra, longe de lugares e pessoas familiares. Os suicidas tendem a ser pessoas isoladas sob forte tensão, caso de Sylvia. Lares desfeitos produzem um número desproporcional de suicídios, e Sylvia provinha de um lar desfeito." Ele prossegue: "Ela nunca mais poderia estar ligada a um homem de cuja suposta grandeza pudesse alimentar seus próprios sonhos de glória". Sem falar no luto anterior, interrompido, de Plath pelo pai, que morreu quando ela tinha 8 anos. "Se o desenvolvimento de uma criança é tolhido pelo luto incompleto por uma perda, aquela criança terá dificuldade em adquirir a reciprocidade necessária para desenvolver uma identidade integrada e sustentar laços emocionais fortes", continua Shulman. "O narcisismo de Sylvia foi, em última análise, sua ruína."

O relatório do legista afirmou que Plath havia enfiado a cabeça no forno o mais fundo possível, como se estivesse determinada a ter sucesso. Becker continuou:

> Ela bloqueou os vãos sob as portas que davam no patamar da escada e na sala de estar, abriu completamente todas as saídas de gás, dobrou com cuidado um pano de prato, colocou-o no fundo do forno e apoiou sua bochecha nele.

Pode haver qualquer dúvida sobre suas intenções? Veja o que ela vinha escrevendo nos dias antes de se matar.

> *A mulher está perfeita.*
> *Seu corpo*
> *Morto veste o sorriso da satisfação* [...]
> *Seus pés*
> *Nus parecem dizer:*
> *Fomos tão longe, é o fim.*

Analisamos a poesia de Sylvia Plath e sua história, temos vislumbres de sua vida interior e achamos que a entendemos. Mas há algo que estamos esquecendo – o terceiro dos erros que cometemos com estranhos.

3.

Nos anos após a Primeira Guerra Mundial, muitos lares britânicos começaram a usar o chamado "gás de cidade" para alimentar seus fogões e aquecedores. Era fabricado a partir do carvão, sendo uma mistura de uma variedade de diferentes compostos químicos: hidrogênio, metano, dióxido de carbono, nitrogênio e, mais importante, o inodoro e mortal monóxido de carbono. Este último componente dava a praticamente qualquer pessoa um meio simples de se suicidar dentro da própria casa. "As vítimas, na maioria dos casos, são encontradas com as cabeças cobertas com casacos ou lençóis, e com o tubo da torneira do gás puxado até a beira daquela cobertura", escreveu um médico em 1927, num dos primeiros relatos das propriedades letais do gás de cidade.

> Em vários casos, pessoas foram achadas sentadas numa cadeira com o tubo de gás perto da boca ou na boca, a mão ainda o segurando; ou foram achadas deitadas no chão com a cabeça dentro de um forno a gás. Num caso, uma mulher foi achada com uma máscara, que ela havia feito de um abafador de bule de chá, amarrada no rosto, o tubo de gás enfiado por um buraco no alto do abafador.

Em 1962, ano do suicídio de Sylvia Plath, 5.588 pessoas na Inglaterra e no País de Gales se suicidaram. Dessas, 2.469 – 44,2% – fizeram como Sylvia Plath. A intoxicação por monóxido de carbono era então a maior causa de autolesão letal no Reino Unido. Nenhum outro meio – nem overdose de pílulas ou saltar de uma ponte – chegava perto.

Mas no mesmo período, a década de 1960, a indústria britânica de gás passou por uma transformação. O gás de cidade estava cada vez mais caro – e sujo. Grandes reservas de gás natural foram descobertas no mar do Norte, e tomou-se a decisão de converter o gás de cidade do país para gás natural. A escala do projeto foi imensa. O gás natural tinha propriedades químicas marcadamente diferentes do gás de cidade: requeria duas vezes mais oxigênio para queimar de forma limpa, a chama se movia bem mais lentamente e a pressão do gás precisava ser maior. A combinação desses fatores fez com que o tamanho e o formato dos orifícios e bicos de gás nos fogões, dentro de praticamente todos os lares ingleses, se tornassem obsoletos. Todos os aparelhos a gás na Inglaterra tiveram que ser modernizados ou substituídos: medidores, fogões, aquecedores de água, geladeiras, aquecedores portáteis, caldeiras, máquinas de lavar, lareiras de combustível sólido, etc. Novas refinarias tiveram que ser construídas, bem como novas tubulações de gás. Uma autoridade da época, sem exagero, chamou a mudança de "a maior operação em tempos de paz da história desta nação".

O longo processo começou em 1965 com um projeto piloto numa ilha minúscula a 48 quilômetros de Londres, com 7.850 consumidores de gás. Yorkshire e Staffordshire vieram em seguida. Depois Birmingham, e aos poucos cada apartamento, casa, escritório e fábrica no país foi convertido, um por um. Levou uma década. No outono de 1977, o processo enfim se completou. O gás de cidade – hidrogênio, metano, dióxido de carbono, nitrogênio e monóxido de carbono – foi substituído pelo gás natural: metano, etano, propano, pequenas quantidades de nitrogênio, dióxido de carbono, sulfeto de hidrogênio e nenhum monóxido de carbono. Após 1977, se você enfiasse a cabeça num forno e ligasse o gás, o pior que podia acontecer era uma leve dor de cabeça ou um mau jeito no pescoço.

Veja como o número de suicídios por inalação de gás mudou com a desativação gradual do gás de cidade ao longo das décadas de 1960 e 1970.

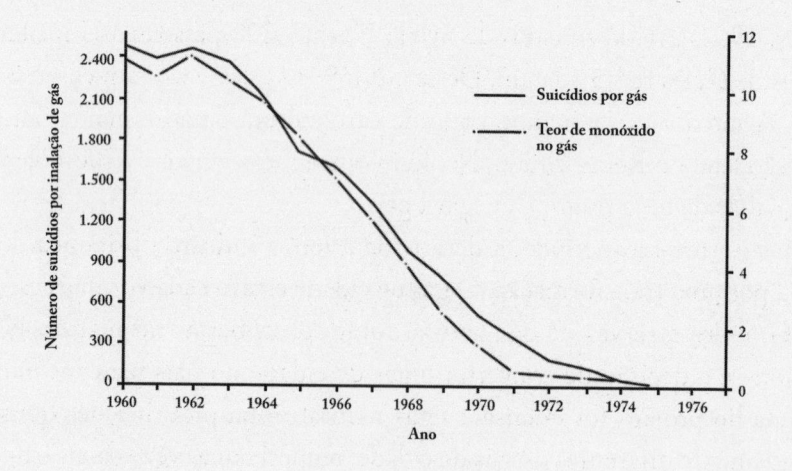

Com isso, eis a questão: depois que a principal forma de suicídio na Inglaterra se tornou uma impossibilidade fisiológica, as pessoas que queriam se matar passaram para outros métodos? Ou as pessoas que teriam enfiado a cabeça num forno deixaram de se suicidar?

A hipótese de que as pessoas simplesmente mudariam para outro método chama-se deslocamento. O deslocamento pressupõe que, quando as pessoas pensam em cometer algo tão sério como se suicidar, dificilmente são impedidas. Bloquear uma opção não vai fazer grande diferença. Sylvia Plath, por exemplo, tinha um longo histórico de instabilidade emocional. Foi tratada com terapia de eletrochoque para depressão ainda na faculdade. Fez sua primeira tentativa de suicídio em 1953. Passou seis meses sob cuidados psiquiátricos no hospital McLean, nas redondezas de Boston. Poucos anos depois, deliberadamente lançou seu carro dentro de um rio – mais tarde, em seu costume característico, escreveu um poema a respeito:

E como o gato, tenho nove vidas para morrer.
Esta é a Número Três.

Ela meticulosamente vedou cada fresta da porta, abriu totalmente as torneiras do gás e meteu a cabeça o mais fundo possível no forno. Estava determinada. Se não pudesse ter usado seu forno para se matar, não teria apenas tentado outro método?

A possibilidade alternativa é que o suicídio é um comportamento *acoplado* a um contexto particular. O acoplamento é a ideia de que os comportamentos estão vinculados a circunstâncias e condições bem específicas.

Meu pai leu *Um conto de duas cidades* para mim e meus irmãos quando éramos crianças, e, bem no fim, quando Sydney Carton morre no lugar de Charles Darnay, meu pai chorou. Meu pai não era um chorão. Não era alguém cujas emoções transbordassem em cada momento emocionalmente significativo. Ele não chorava em filmes tristes. Não chorou quando seus filhos partiram para a faculdade. Talvez ficasse furtivamente com os olhos rasos d'água de vez em quando, mas não de modo que mais alguém além de minha mãe percebesse. Para chorar, precisava de seus filhos no sofá ouvindo e de um dos romancistas mais sentimentais da história. Removido um desses dois fatores, ninguém jamais teria visto suas lágrimas. Isto é acoplamento.

Se o suicídio é acoplado, não é simplesmente o ato de pessoas deprimidas. É o ato de pessoas deprimidas num momento particular de extrema vulnerabilidade e em combinação com um meio letal específico, prontamente disponível.

Então o que acontece: deslocamento ou acoplamento? A modernização do gás britânico é um meio quase perfeito de testar essa dúvida. Se o suicídio segue o caminho do deslocamento – se os suicidas são tão determinados que, quando você bloqueia um método, eles simplesmente tentam outro –, as taxas de suicídio deveriam ter permanecido mais ou menos estáveis com o tempo, flutuando apenas com grandes acontecimentos sociais. (Os suicídios tendem a cair em tempos de guerra, por exemplo, e subir em épocas de instabilidade econômica.) Se o suicídio é acoplado, por outro lado, deveria variar segundo a disponibilidade de métodos específicos de se suicidar. Quando um método novo e fácil, como o gás de cidade, entra em cena, os suicídios deveriam aumentar; quando esse método é removido, deveriam cair. A curva dos suicídios deveria parecer uma montanha-russa.

Dê uma olhada.

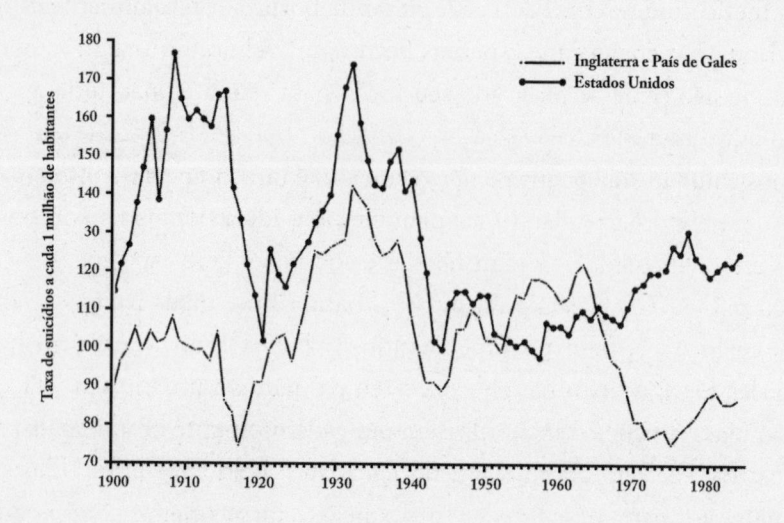

É uma montanha-russa.

Sobe bem quando o gás de cidade chega aos lares britânicos. E despenca quando começa a mudança para o gás natural no final da década de 1960. Naquela janela de 10 anos, na medida em que o gás de cidade foi sendo lentamente desativado, milhares de mortes foram evitadas.

"O gás [de cidade] tinha vantagens únicas como método letal", escreveu o criminologista Ronald Clarke em seu agora clássico ensaio de 1988 expondo o primeiro argumento sustentado a favor do acoplamento:

> Estava amplamente disponível (em cerca de 80% dos lares britânicos) e requeria pouca preparação ou conhecimento especializado, tornando-se uma escolha fácil para pessoas com menos mobilidade e para aquelas sob uma tensão extrema súbita. Era indolor, não resultava em desfiguramento e não produzia uma bagunça (que as mulheres em particular tentam evitar). [...] As mortes por enforcamento, asfixia ou afogamento costumam exigir mais planejamento, ao passo que mais coragem seria necessária para os métodos mais violentos de tiro, corte, facada, desastre de carro e salto de lugares altos ou na frente de trens ou ônibus.

Existe algo de terrivelmente factual neste parágrafo, não é? Em nenhum ponto de seu artigo Clarke fala com empatia sobre o suicida nem aborda as causas profundas de sua dor. Ele analisa o ato como um engenheiro examinaria um problema mecânico. "A ideia como um todo não era muito popular entre psiquiatras e assistentes sociais", recordou Clarke:

> Achavam superficial demais, que aquelas pessoas estavam tão transtornadas e desmoralizadas que seria ofensivo pensar que se poderia enfrentar a questão simplesmente dificultando o suicídio. Sofri muita resistência.*

Simplesmente não é assim que falamos sobre o suicídio. Agimos como se o método fosse irrelevante. Quando o gás foi originalmente introduzido nos lares britânicos na década de 1920, duas comissões governamentais foram criadas para avaliar as implicações da nova tecnologia. Nenhuma mencionou a possibilidade de que pudesse levar a um aumento dos suicídios. Quando o relatório oficial do governo britânico sobre o programa de modernização do gás saiu em 1970, apontou que um dos efeitos colaterais positivos da transição para o gás natural seria um declínio nos acidentes fatais. Nem sequer mencionou o suicídio – embora o número de pessoas que se matavam com gás deixasse para trás aquele das que morriam acidentalmente por causa dele. Em 1981, foi publicada a mais abrangente obra acadêmica sobre o tema, *A History of the British Gas Industry* (História da indústria britânica do gás). Ela entra em detalhes extraordinários sobre cada aspecto do advento e do crescimento do aquecimento a gás e dos fogões a gás na vida inglesa. E menciona o suicídio, ainda que de passagem? Não.

---

* Nem cheguei a mencionar o maior exemplo de como nossa incapacidade de entender o suicídio custa vidas: cerca de 40 mil americanos suicidam-se a cada ano, metade deles atirando em si mesmos. As pistolas são o método de suicídio preferido nos Estados Unidos – e o problema, é claro, é que essas armas são extraordinariamente letais. As pistolas são o gás de cidade dos Estados Unidos. O que aconteceria se o país fizesse o mesmo que os britânicos e de algum modo erradicasse sua causa principal de suicídios? Não é difícil imaginar. Desacoplaria o suicida de seu método favorito. E aqueles poucos determinados a fazer outra tentativa seriam forçados a escolher opções bem menos letais, como doses excessivas de medicamentos, que são 55 vezes menos propensas que uma arma de fogo a resultarem em morte. Segundo uma estimativa bem conservadora, banir as pistolas salvaria 10 mil vidas por ano, só em suicídios evitados. Isso é muita gente.

Vejamos a inexplicável saga da ponte Golden Gate em São Francisco, nos Estados Unidos. Desde sua inauguração em 1937, foi o local de mais de 1.500 suicídios. Nenhum outro lugar do mundo viu tantas pessoas se suicidarem nesse período.*

O que a teoria do acoplamento nos informa sobre a ponte Golden Gate? Que faria uma grande diferença se uma barreira impedisse as pessoas de saltarem ou uma rede fosse instalada para interceptá-las antes da queda. Os indivíduos impedidos de se matarem na ponte não iriam saltar de outro lugar. Sua decisão de se suicidarem está *acoplada* àquela ponte específica.

De fato, é exatamente o que parece estar acontecendo, de acordo com um brilhante trabalho de detetive do psicólogo Richard Seiden. Ele acompanhou 515 indivíduos que haviam tentado saltar da ponte entre 1937 e 1971 mas tinham sido inesperadamente impedidos. Apenas 25 daquelas 515 pessoas persistiram em se matar de alguma outra maneira. A maioria esmagadora daquelas que querem saltar da Golden Gate num dado momento querem saltar da Golden Gate *apenas* naquele dado momento.

Quando foi que a autoridade municipal que administra a ponte enfim decidiu instalar uma barreira ao suicídio? Em 2018, mais de *80 anos* após a inauguração da ponte. Como observa John Bateson em seu livro *The Final Leap* (O salto final), em todos esses anos, a administração da ponte gastou milhões de dólares construindo uma mureta para proteger ciclistas percorrendo a ponte, embora nenhum ciclista jamais tenha sido morto por um motorista na Golden Gate. Gastou milhões construindo uma barreira para separar o tráfego nas direções norte e sul, sob a alegação de "segurança pública". Na extremidade sul da ponte, a administração instalou uma cerca de arame para impedir o lançamento de lixo no Forte Baker, uma antiga instalação militar que fica no terreno abaixo. Uma rede protetora chegou a ser instalada durante o início da construção da ponte – a um custo enorme – para impedir que trabalhadores caíssem e morressem. A rede salvou 19 vidas. Depois, foi removida. Mas e para os suicidas? Nada por mais de 80 anos.

---

* Os suicídios ocorrem na Golden Gate com uma regularidade tão devastadora que em 2004 o cineasta Eric Steel instalou uma câmera de vídeo nas duas extremidades da ponte e acabou filmando 22 suicídios no decorrer do ano. Na morte que serviu de estudo de caso típico no documentário subsequente de Steel, *The Bridge*, sua câmera acompanhou um homem de 34 anos chamado Gene Sprague por 93 minutos, andando para lá e para cá na ponte, antes de saltar para a morte. Se você se postar na ponte por tempo suficiente, pode dar quase como certo ver alguém tentar se jogar.

Ora, por que isso? Porque as pessoas que administram a ponte são cruéis e insensíveis? De jeito nenhum. É porque realmente é difícil para nós aceitarmos a ideia de que um comportamento pode estar tão estreitamente acoplado a um lugar. No decorrer dos anos, a administração da ponte periodicamente indagou aos moradores se apoiavam a construção de uma barreira ao suicídio. As respostas geralmente se enquadravam em duas categorias: aqueles a favor tendiam a ser pessoas cujos entes queridos haviam se suicidado, que tinham certa compreensão da psicologia do suicida. Os restantes – na verdade, a maioria – simplesmente descartavam terminantemente a ideia de acoplamento.

Eis uma pequena amostra de algumas cartas recebidas nessas consultas:

"Se uma barreira física na ponte viesse a ser erguida, não me surpreenderia se, após três meses, um indivíduo propenso ao suicídio caminhasse até a torre norte com uma pistola e levasse uma arma à cabeça, frustrado por não poder saltar. O que dizer dos milhões que seriam gastos para erguer uma barreira física ao suicídio?"

"Pessoas com tendência ao suicídio acharão muitas maneiras de se matar: remédios, enforcamento, afogamento, corte das artérias, salto de qualquer outra ponte ou outro prédio. Não seria bem melhor gastar o dinheiro em assistência psicológica e psiquiátrica para muitas pessoas, em vez de se preocupar com as poucas que saltam de pontes?"

"Oponho-me à construção de uma barreira contra suicídios porque desperdiçaria dinheiro e não resolveria nada. Qualquer um impedido de saltar da ponte Golden Gate acharia outra forma, mais destrutiva, de se matar. Alguém saltando de um prédio alto tem bem mais chance de matar alguém caminhando na rua do que quem salta da ponte para a água."

"Tudo que [a barreira] vai fazer será gastar dinheiro e desfigurar a ponte. Existem muitas formas de se suicidar. Se você exclui uma, ela será apenas substituída por outra."

Em uma pesquisa nacional, três quartos dos americanos previram que, quando uma barreira for enfim instalada na Golden Gate, a maioria daqueles que quisessem se suicidar na ponte simplesmente o faria de outra maneira.* Mas isso está totalmente equivocado. *O suicídio é algo acoplado.*

O primeiro conjunto de erros que cometemos com aqueles que não conhecemos – o pressuposto da verdade e a ilusão da transparência – tem a ver com nossa incapacidade de interpretar um estranho como um indivíduo. Mas a estes erros acrescentamos outro, que leva nosso problema com estranhos a uma verdadeira crise. Não entendemos a importância do *contexto* em que o estranho está agindo.

4.

O 72º Distrito Policial do Brooklyn abrange a área em torno do cemitério de Greenwood, da via expressa Prospect, no norte, a Bay Ridge, no sul. Na faixa estreita entre o perímetro ocidental do cemitério e a orla, uma série de ruas segue em direção à água. Um viaduto decadente desce serpenteando pelo meio. Hoje, a região passou por um processo de revitalização. Mas 30 anos atrás, quando David Weisburd passou um ano percorrendo aquelas ruas para cima e para baixo, a situação era diferente.

"Era outro mundo", recordou Weisburd. "Este era um lugar assustador. Você entrava num prédio e via geladeiras na portaria, lixo nos corredores. Os pátios tinham um metro e meio de lixo acumulado. Tinha gente nas ruas que matava você de medo."

Weisburd formou-se criminologista. Sua dissertação na Universidade Yale foi sobre o comportamento violento entre colonos na Cisjordânia em Israel. Nascido no Brooklyn, depois de deixar Yale, conseguiu um emprego num projeto de pesquisa em seu antigo bairro.

O estudo usou como base a delegacia da Quarta Avenida, uma caixa atarracada, modernista, que parecia ter sido projetada para repelir um exército invasor. Nove policiais estavam envolvidos, cada um designado para uma área de 10 a 30 quarteirões. "A tarefa deles era caminhar por aquelas áreas e interagir com o povo, desenvolver maneiras de resolver os problemas", disse

---

* Na verdade, 34% das pessoas previram que *todos* aqueles impedidos de saltar da ponte simplesmente usariam outro método.

Weisburd. Ele era o observador e tomador de notas, responsável por registrar o que era aprendido. Quatro dias por semana, durante um ano, ele acompanhou os trabalhos. "Eu sempre usava terno e gravata, e tinha um cartão de identificação da polícia. As pessoas na rua achavam que eu era o detetive."

Ele havia estudado a criminalidade no silêncio de uma biblioteca. Agora estava na rua, caminhando lado a lado com policiais comunitários. E, desde o princípio, algo lhe pareceu estranho. De acordo com o senso comum, a criminalidade estaria associada a certas áreas. Onde havia problemas como pobreza, drogas e famílias disfuncionais ocorriam crimes: as condições generalizadas de desvantagem econômica e social geravam comunidades com desrespeito à lei e à desordem.

Em Los Angeles, tal área era a South Central. Em Paris, os subúrbios afastados. Em Londres, lugares como Brixton. Weisburd estava na versão nova-iorquina de uma dessas áreas – só que a área não era o que ele tinha imaginado: "O que constatei rapidamente foi que, depois que passamos a conhecer o bairro, permanecíamos todo o nosso tempo em uma ou duas ruas", disse ele. "Aquela era a área ruim da cidade, [mas] a maior parte das ruas não tinha nenhuma criminalidade."

Após algum tempo, parecia quase inútil percorrer cada uma das ruas em sua área de patrulha, já que na maioria delas nada acontecia. Ele não entendia aquilo. Os criminosos eram pessoas que agiam sem nenhuma coerção social. Eram movidos por seus próprios impulsos negativos: doença mental, ganância, desespero, raiva. Weisburd havia aprendido que a melhor forma de entender por que os criminosos cometiam crimes era entender *quem* eles eram. "Chamo isto de modelo do Drácula", disse Weisburd. "Existem indivíduos que são como Drácula. Eles precisam cometer crimes. É um modelo que diz que as pessoas estão tão altamente motivadas a cometerem crimes que nada mais importa."

No entanto, se os criminosos fossem como Drácula, impelidos por um desejo insaciável de criar confusão, deveriam estar percorrendo todo o 72º Distrito. Os tipos de condições sociais de que se alimentam os Dráculas estão por toda parte. Mas os Dráculas não estavam por toda parte. Estavam apenas em determinadas ruas. E por "ruas" Weisburd queria dizer um único quarteirão – um segmento de rua. Podia haver um segmento de rua com uma porção de crimes e o próximo, literalmente após um cruzamento, sem nada. Era específico assim. Os criminosos não tinham pernas? Carros? Bilhetes de metrô?

"E assim começou uma espécie de reformulação do meu conceito de criminologia", disse Weisburd. "Como a maioria dos outros estudantes, eu pesquisava *pessoas*. Mas talvez devêssemos estar mais preocupados com *lugares*."

5.

Quando seu período no Brooklyn chegou ao fim, Weisburd decidiu formar uma parceria com Larry Sherman, outro jovem criminologista. Sherman vinha pensando dentro daqueles moldes também. "Eu me inspirei, na época, no mapa da aids no país", recorda Sherman, "que mostrava que 50 áreas de recenseamento dentre 50 mil respondiam por mais da metade dos casos de aids nos Estados Unidos". Para ele, a aids não parecia ser uma doença contagiosa espalhando-se de forma desenfreada e aleatória pelo país. Parecia uma interação entre certos tipos de pessoas e certos lugares bem específicos, uma epidemia com sua própria lógica interna.

Reunir o tipo de dados necessários para estudar o componente geográfico do crime não era fácil. O crime sempre fora informado pelo distrito policial – pela área geográfica geral onde ocorrera. Mas Weisburd havia acabado de percorrer o 72º Distrito e sabia que uma área tão pouco específica não os ajudaria. Precisavam de *endereços*. Felizmente, Sherman conhecia o chefe de polícia de Minneapolis, que estava disposto a ajudar. "Escolhemos Minneapolis porque não conseguiríamos achar mais ninguém louco o suficiente para permitir que fizéssemos o que queríamos", disse Weisburd com uma risada.

Sherman analisou os números e achou algo que parecia inacreditável: 3,3% dos segmentos de rua na cidade representavam mais de 50% das chamadas policiais. Weisburd e seus estudantes de pós-graduação da Universidade Rutgers então puseram um mapa de Minneapolis na parede e colaram pequenas tiras de papel onde quer que detectassem a ocorrência de um crime. A inacreditável descoberta não podia mais ser desprezada. Desde seus dias percorrendo o 72º Distrito, Weisburd havia esperado certa concentração dos crimes, mas não daquele jeito.

Em Boston, na mesma época, outro criminologista realizou um estudo similar: metade dos crimes vinham de 3,6% dos quarteirões da cidade. Agora já eram dois exemplos. Weisburd decidiu examinar onde quer que pudesse: Nova York. Seattle. Cincinnati. Sherman analisou Kansas City e Dallas. Sempre que alguém pedia, os dois faziam os cálculos. E em cada lugar que estudavam viam o mesmo padrão: o crime em cada cidade estava concentrado num número minúsculo de segmentos de rua. Weisburd decidiu tentar uma cidade estrangeira, num local inteiramente diferente sob aspectos culturais, geográficos e econômicos. Sua família era israelense, então pensou em Tel-Aviv. O mesmo resultado. "Eu disse: 'Oh, meu Deus. Veja isto! Por que será que 5% das ruas em Tel-Aviv produzem 50% dos crimes? Temos um mesmo fenômeno ocorrendo em lugares muito diferentes.'"

Weisburd refere-se a isso como a Lei da Concentração dos Crimes.* À semelhança do suicídio, o crime está vinculado a lugares e contextos bem específicos. As experiências de Weisburd no 72º Distrito e em Minneapolis não são idiossincráticas. Elas captam algo próximo de uma verdade fundamental sobre o comportamento humano. O que significa que, quando você confronta um estranho, precisa se perguntar onde e quando está confrontando o estranho – porque essas duas coisas influenciam fortemente sua interpretação de quem a pessoa é.

6.

Voltando a Sylvia Plath. Em sua mal disfarçada autobiografia, *A redoma de vidro*, a protagonista Esther Greenwood descreve sua derrocada para a loucura. E ela pensa sobre o suicídio exatamente como Ronald Clarke (que fez a associação entre gás de cidade e suicídio) afirma que pensaria. Ela é incri-

---

* Dê uma olhada num mapa que Weisburd fez de Seattle (página 302). Aqueles pontos são os "pontos críticos" da criminalidade em Seattle. Se você conversar com alguém de lá, a pessoa dirá que a cidade tem algumas áreas ruins. Mas o mapa mostra que esta afirmação é falsa. Seattle não tem *bairros* ruins; tem um punhado de *quarteirões* problemáticos espalhados pela cidade. O que distingue esses quarteirões problemáticos do resto da cidade? Uma porção de fatores agindo em combinação. Os pontos críticos são mais propensos a estar em vias arteriais, a ter terrenos baldios, a ter paradas de ônibus, a ter moradores que não votam, a estar perto de prédios públicos como uma escola. A lista de variáveis – algumas delas bem compreendidas, outras não – prossegue. E como a maioria dessas variáveis é relativamente estável, esses quarteirões não mudam muito com o tempo.

velmente sensível à questão de como vai se suicidar. "Se você fosse se matar, como iria fazê-lo?", pergunta Esther a Cal, um jovem que está deitado ao lado dela em uma praia.

> Cal pareceu satisfeito. "Pensei nisso muitas vezes. Eu estouraria os miolos com um revólver." Fiquei desapontada. Era mesmo coisa de homem fazer isso com um revólver. Eu não tinha nenhuma chance de pôr as mãos num revólver. E ainda que tivesse, não saberia em qual parte de mim atirar.

Naquela mesma manhã, Esther tentara se enforcar com o cordão de seda do roupão de banho de sua mãe, e não funcionou. "Mas cada vez que eu apertava o cordão até sentir a pressão nos meus ouvidos e o fluxo de sangue no meu rosto, minhas mãos se enfraqueciam e o soltavam, e eu ficava bem de novo." Ela e Cal nadam em direção à praia. Ela decide se afogar e mergulha no fundo do mar.

> Mergulhei e voltei a mergulhar, e a cada vez subia como uma rolha.
> A rocha cinza zombou de mim, flutuando na água fácil como uma boia.
> Eu sabia quando era derrotada.
> Retornei.

A protagonista de Plath não estava procurando se matar. Estava procurando um *meio* de se matar. E não servia qualquer método. Este é o sentido do acoplamento: os comportamentos são específicos. Ela precisava achar um método adequado. E naquela noite fria de fevereiro, o método adequado para Sylvia Plath por acaso estava bem ali na cozinha.

> *Se você ao menos soubesse como os véus matavam meus dias.*
> *Para você eles são apenas transparência, ar puro.*

Este é um trecho do poema "Um presente de aniversário", escrito em setembro de 1962, no início dos angustiantes meses finais de Plath em Londres:

Mas, meu Deus, as nuvens são como algodão.
Exércitos delas. São monóxido de carbono.
Suavemente, suavemente eu as inspiro,
Enchendo minhas veias com invisíveis [...]

Veja o gráfico a seguir mostrando as taxas de suicídio de 1958 a 1982 para mulheres britânicas dos 25 aos 44 anos. (Plath tinha 30 anos quando morreu.)

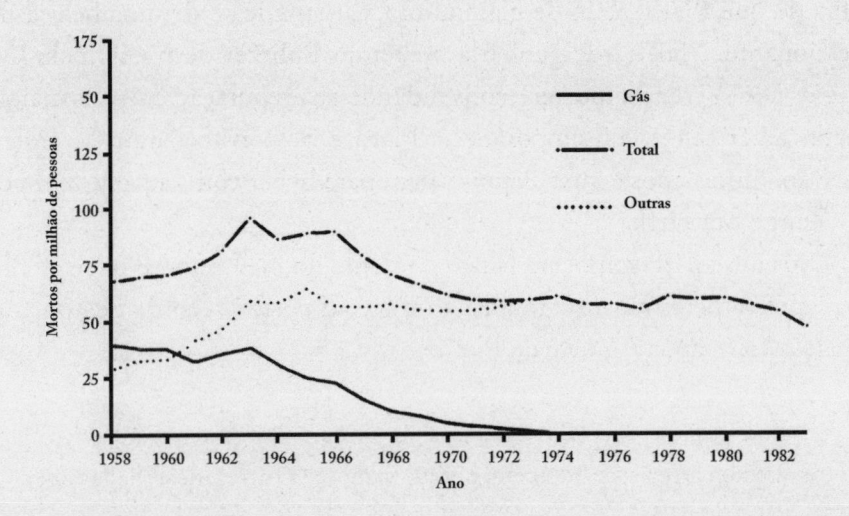

No início da década de 1960, quando Sylvia Plath se suicidou, a taxa de suicídio para mulheres de sua idade na Inglaterra alcançou inacreditáveis 10 por 100 mil – motivada por um número tragicamente elevado de mortes por intoxicação por gás. Foi a mais alta taxa de suicídio para mulheres na Inglaterra de todos os tempos. Em 1977, quando a troca para o gás natural se completou, a taxa de suicídio para mulheres daquela idade caiu para mais ou menos a metade. Plath não teve sorte. Se tivesse nascido 10 anos depois, não haveria nuvens como "monóxido de carbono" para ela "suavemente, suavemente... inspirar".

7.

No outono de 1958, dois anos após seu casamento, Sylvia Plath e seu marido, Ted Hughes, mudaram-se para Boston. A poesia que a tornaria famosa ainda estava a alguns anos de distância. Plath trabalhava como recepcionista na unidade psiquiátrica do Hospital Geral de Massachusetts. À noite, participava de um seminário de escrita na Universidade de Boston. Ali conheceu outra jovem poetisa chamada Anne Sexton. Era quatro anos mais velha do que Plath, além de glamourosa, carismática e de uma beleza impressionante. Mais tarde ganharia o Prêmio Pulitzer de poesia pelo livro *Live or Die* (Viver ou morrer), consolidando sua reputação entre os maiores poetas americanos contemporâneos. Plath e Sexton tornaram-se amigas. Ficavam juntas após a aula, depois saíam para beber com outro jovem poeta, George Starbuck.

"Nós nos apertávamos no banco da frente do meu velho Ford, e eu dirigia depressa pelo trânsito até o Ritz ou até ali perto", recorda Sexton, num ensaio escrito após a morte de Plath:

> Eu estacionava ilegalmente numa ÁREA DE CARGA E DESCARGA, dizendo com alegria: "Tudo bem, porque vamos ser carregados!" Saltávamos, dando os braços a George, Ritz adentro, e bebíamos três, quatro ou dois martínis.

Sexton e Plath eram ambas jovens, incrivelmente talentosas e obcecadas pela morte:

> Com frequência, muita frequência, Sylvia e eu conversávamos longamente sobre nossos primeiros suicídios; longamente, em detalhes e em profundidade entre as batatas chips grátis. O suicídio é, afinal, o oposto de um poema. Sylvia e eu com frequência conversávamos sobre oposições. Conversávamos sobre a morte com uma intensidade inflamada, ambas atraídas para ela qual mariposas para uma lâmpada acesa.

Anne Sexton vinha de uma família com histórico de doença mental. Sofria de fortes oscilações de humor, anorexia, depressão e alcoolismo.

Tentou o suicídio ao menos cinco vezes. Furtou um vidro do barbitúrico Nembutal – mortal em doses suficientemente altas – do armário de remédios dos pais e levava-o em sua bolsa. Como explica sua biógrafa Diane Wood Middlebrook, Sexton queria "estar preparada para se matar quando desse vontade".

Aos 40 e poucos anos, entrou em declínio. As bebedeiras pioraram. Seu casamento fracassou. Sua literatura se deteriorou. Na manhã de 4 de outubro de 1974, Sexton tomou café da manhã com uma velha amiga, depois almoçou com outra amiga, como que se despedindo.

Middlebrook escreve:

> Ela retirou todos os anéis dos dedos, jogando-os na grande bolsa, e do armário pegou o velho casaco de pele da mãe. Embora a tarde fosse ensolarada, uma friagem pairava no ar. O forro de cetim desgastado deve ter esquentado rapidamente em contato com seu corpo. A morte lhe daria a sensação de um abraço, de adormecer em braços familiares.

Ela se serviu de vodca e se matou. Como sua amiga Sylvia Plath, Sexton estará para sempre na categoria dos gênios condenados. "Ninguém que conhecesse bem Anne Sexton se surpreendeu com seu suicídio", escreve Middlebrook.

Espero que a essa altura você não esteja satisfeito com esse relato da morte de Sexton. Se o suicídio é um ato acoplado, a personalidade e a patologia de Sexton deveriam ser apenas parte da explicação do que aconteceu com ela. O mesmo vale para Plath. Seu amigo Alfred Alvarez acreditava que pessoas demais a retrataram como "a poetisa como uma vítima sacrificial, oferecendo sua vida em prol de sua arte", e ele está absolutamente certo. Essa visão distorce quem ela é: diz que sua identidade estava inteiramente ligada à sua autodestrutividade. O acoplamento nos força a ver o estranho em sua ambiguidade e sua complexidade plenas.

Weisburd tem um mapa que acredito reforçar ainda mais esse argumento. É de Jersey City, que fica na outra margem do rio Hudson, de frente para Manhattan.

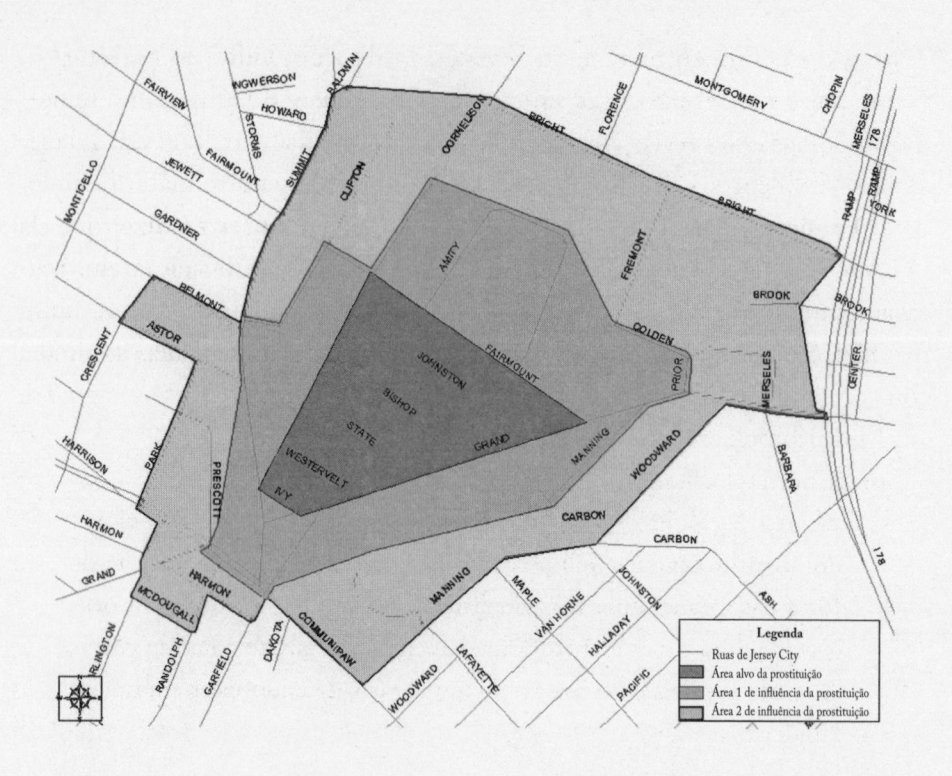

Legenda
Ruas de Jersey City
Área alvo da prostituição
Área 1 de influência da prostituição
Área 2 de influência da prostituição

A área escura no meio – limitada por Cornelison Avenue, Grand Street e Fairmount Avenue – é um ponto crítico da prostituição já faz algum tempo. Alguns anos atrás, Weisburd realizou um experimento em que escalou 10 policiais extras – um número extraordinariamente alto – para patrulhar aqueles poucos quarteirões. O volume de prostituição na área caiu dois terços.

Weisburd estava mais interessado, porém, no que aconteceu no espaço ao redor da área-alvo, mais escura, ou seja: nas áreas de influência. Quando a polícia deu uma dura, as profissionais do sexo simplesmente se mudaram para uma ou duas ruas adiante? Weisburd tinha observadores treinados postados na área, conversando com elas. Houve deslocamento? Não. Descobriram que a maioria preferiu tentar algo diferente – abandonar o campo totalmente, mudar de comportamento – a transferir-se de local. Não estavam apenas acopladas ao local. Estavam *ancoradas* no local.

Algumas pessoas nos disseram: "Estou nesta área. Não quero mudar porque vai dificultar a vida dos meus clientes." Ou: "Não, teria que construir meu negócio de novo." Existiam várias razões objetivas para não mudarem. Outra razão seria: "Se eu vou para outro lugar, é bom para drogas, para vender drogas. Já tem pessoas lá, elas vão me matar."

O meio mais fácil de entender uma profissional do sexo é dizer que ela é alguém forçada a fazer programas – uma prisioneira de suas circunstâncias econômicas e sociais. Alguém diferente do resto de nós. Mas qual foi a primeira coisa que essas profissionais disseram quando indagadas sobre seu comportamento? Que se mudar era realmente estressante – a mesma coisa que *todo mundo* diz sobre se mudar.

Weisburd continua:

> Elas falaram sobre como seria difícil para o negócio. Teriam que começar de novo. Falaram sobre riscos, pessoas que não conhecem. O que querem dizer com *pessoas que não conhecem*? "Aqui sei quem vai chamar a polícia e quem não vai chamar a polícia." Isso é importantíssimo para elas. [...] Quando estão no mesmo lugar, começam a ter um alto nível de previsão correta sobre as pessoas. Se vão para um lugar novo, não sabem quem são as pessoas de lá. Alguém com má aparência pode ser bonzinho. Alguém com boa aparência, da perspectiva delas, pode ser mau.
>
> O entrevistador perguntou: "Por que você não se muda para quatro quarteirões adiante? Tem outro ponto de prostituição ali." Sua resposta: "Aquele não é meu tipo de garota. Não me sinto à vontade lá." Aquilo me surpreendeu. [...] Mesmo pessoas com aqueles problemas enormes, com aquelas dificuldades na vida, reagem a muitas das mesmas coisas como você ou eu reagiríamos.

Algumas delas podem ter filhos em escolas próximas, mercadinhos onde fazem compras, amigos de quem querem estar próximas e pais dos quais precisam cuidar – e, como resultado, têm todos os tipos de motivos para não transferirem seu negócio. Sua profissão, naquele momento, é o trabalho do sexo. Mas elas são mães, filhas, amigas e cidadãs antes de tudo. O acoplamento nos força a ver o estranho em sua ambiguidade e sua complexidade plenas.

Anne Sexton estava determinada a se suicidar por quaisquer meios possíveis? De jeito nenhum. Ela jamais usaria uma arma de fogo. "Ernest Hemingway dar um tiro na boca é o maior ato de coragem que consigo imaginar", contou ela à sua terapeuta. "Preocupam-me os minutos antes de você morrer, aquele medo da morte. Sinto que isso não aconteceria com as pílulas de remédios, mas com uma arma de fogo haveria um minuto em que você saberia, um medo terrível. Eu faria de tudo para escapar daquele medo."

Seu método escolhido foram pílulas, engolidas com álcool, o que ela considerava a "saída feminina". Examine o gráfico a seguir, comparando diferentes métodos de suicídio por taxa de letalidade.

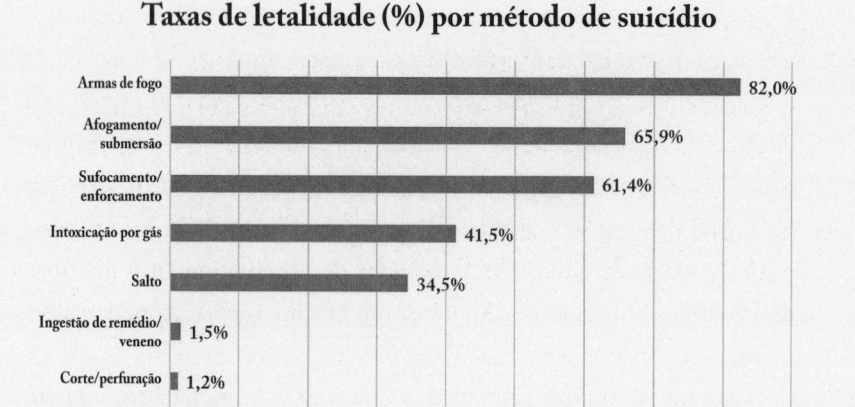

Taxas de letalidade (%) por método de suicídio

Armas de fogo	82,0%
Afogamento/submersão	65,9%
Sufocamento/enforcamento	61,4%
Intoxicação por gás	41,5%
Salto	34,5%
Ingestão de remédio/veneno	1,5%
Corte/perfuração	1,2%
Outros	8,0%

Pessoas que tomam overdose de remédios morrem em 1,5% das vezes. Sexton estava acoplada a um método de suicídio com baixas chances de matá-la. Não é uma coincidência. Como muitas pessoas com tendências suicidas, ela era profundamente ambivalente sobre se suicidar. Tomava remédios para dormir quase toda noite, beirando a fronteira entre dose e overdose sem nunca cruzá-la. Observe sua linha de raciocínio no poema "A viciada":

Mercador do sono,
Mercador da morte,
com cápsulas na palma das mãos a cada noite,

oito de uma vez, de belos vidros de farmácia,
preparo uma jornada em miniatura.
Sou a rainha dessa condição.
Sou expert em fazer a viagem
e agora dizem que sou uma viciada.
Agora me perguntam por quê.
Por quê!

Eles não sabem
que eu prometi morrer!
Estou treinando.
Estou apenas ficando em forma.
Os comprimidos são como uma mãe, só que melhores,
de todas as cores e tão bons quanto balas azedas.
Estou num regime da morte.

A morte de Plath, porém, levou Sexton a repensar suas opções. "Estou tão fascinada com a morte de Sylvia [Plath]: a ideia de morrer perfeita", contou ela à terapeuta. Achava que Plath escolhera um "meio feminino" ainda melhor. Saíra de cena como "uma Bela Adormecida", imaculada até na morte. Sexton precisava que o suicídio fosse indolor e não deixasse marcas. E, em 1974, havia se convencido de que morrer da fumaça do escape de um carro se encaixava naquele conjunto de critérios. Seria seu gás de cidade. Ela pensou a respeito e falou sobre aquilo com amigos.

Assim, eis como Sexton suicidou-se, após tirar os anéis e vestir o casaco de pele da mãe. Foi até a garagem, fechou a porta, sentou-se no banco da frente de seu Mercury Cougar 1967 vermelho e ligou o motor. A diferença entre sua opção original de remédio para dormir e intoxicação por monóxido de carbono é que, enquanto a primeira raramente é letal, o monóxido de carbono invariavelmente é. Ela morreu em 15 minutos.

Aqui, porém, a história de Sexton converge com a de Plath mais uma vez. A partir de 1975 – o ano seguinte ao seu suicídio –, os automóveis vendidos nos Estados Unidos foram obrigados a instalar conversores catalíticos em seus sistemas de exaustão. Um conversor catalítico ou catalisador é uma câmara de combustão secundária que esgota o monóxido de carbono e outras impurezas antes de deixarem o cano de escape. A fumaça do Cougar 1967 de Sexton devia estar cheia de monóxido de carbono. Por isso ela pôde sentar-se numa garagem fechada com o motor ligado e morrer em 15 minutos. O escapamento da versão de 1975 do mesmo carro teria tido metade daquele monóxido de carbono – ou menos. Os carros atuais emitem tão pouco monóxido de carbono que o gás mal é registrado na exaustão dos automóveis. É bem mais difícil suicidar-se atualmente ligando o seu carro e fechando a porta da garagem.

Como sua amiga Sylvia Plath, Anne Sexton não teve sorte. Teve um impulso acoplado a um método letal, um ano antes que aquele método deixasse de ser letal. Se seu 1974 difícil tivesse sido seu 1984 difícil, também ela poderia ter vivido bem mais tempo.

Lemos o relato da conversa entre aquelas duas jovens e brilhantes poetisas no bar do Ritz, animadamente contando histórias de suas primeiras tentativas de suicídio, e achamos que as duas não vão viver muito tempo. O acoplamento nos ensina o inverso. Ao olhar para o estranho, não tire conclusões precipitadas. Olhe para o mundo do estranho.

CAPÍTULO ONZE

Estudo de caso: Os experimentos de Kansas City

1.

Um século atrás, uma figura lendária no combate ao crime, um americano chamado O. W. Wilson, propôs a ideia da "patrulha preventiva".* Wilson acreditava que manter carros da polícia em movimento constante e imprevisível pelas ruas da cidade desencorajaria a criminalidade. Qualquer criminoso em potencial sempre se perguntaria se um carro da polícia não estaria dobrando a esquina.

Mas pense bem. Quando você percorre a rua do seu bairro, sente que a polícia pode estar dobrando a esquina a qualquer momento? As cidades são lugares vastos e irregulares. Não é viável para uma força policial – mesmo uma grande força policial – conseguir criar a sensação de estar por toda parte.

Essa foi a questão com que se defrontou o Departamento de Polícia de Kansas City no início da década de 1970. O departamento estava em vias de contratar policiais extras, mas estava dividido sobre como mobilizá-los. Deveria seguir o conselho de Wilson e distribuí-los aleatoriamente em patrulhas de carro pela cidade? Ou designá-los para locais específicos – como escolas ou bairros problemáticos? Para resolver a questão, a cidade contratou um criminologista chamado George Kelling.

"Um grupo dizia que rodar pela cidade em carros não melhora nada, não resulta em nada", recorda Kelling. "Outro grupo dizia que é absolutamente essencial. Aquele era o impasse. Aí eu fui convocado."

---

* Wilson testou pela primeira vez a patrulha preventiva quando era chefe da polícia em Wichita, no Kansas. Mais tarde ele ocuparia o mesmo cargo em Chicago.

A ideia de Kelling foi selecionar 15 setores da parte sul da cidade e dividi-los em três grupos. Era um território grande: 83 quilômetros quadrados, 150 mil pessoas, zonas boas e ruins, e até uma pequena área agrícola na periferia. Um dos três grupos seria o de controle. O trabalho policial ali seguiria sem mudanças. Na segunda zona, Kelling não colocaria nenhuma patrulha preventiva; os policiais reagiriam apenas quando chamados. Na terceira zona, ele dobraria e, em alguns casos, triplicaria o número de carros de patrulha nas ruas.

"Nada do gênero tinha sido feito no policiamento", lembra Kelling. "Estávamos em 1970. Não havia nada escrito sobre táticas policiais. [...] Estávamos num estágio bem primitivo do policiamento." Pessoas como O. W. Wilson tinham ideias e palpites. Mas o trabalho policial era considerado uma arte, não uma ciência que pudesse ser avaliada como um medicamento novo. Kelling conta que muitas pessoas lhe disseram que seu experimento falharia, "que a polícia simplesmente não estava preparada para a pesquisa. Eu não seria capaz de realizá-la. Seria sabotada". Mas Kelling contava com o apoio do chefe de polícia da cidade. O chefe havia passado o grosso de sua carreira no FBI e ficou chocado ao saber quão pouco os departamentos de polícia pareciam saber sobre a própria atividade. "Muitos de nós no departamento", admitiria o chefe mais tarde, "tínhamos a sensação de estarmos treinando, equipando e mobilizando homens para fazerem um serviço que nem nós, nem mais ninguém conhecia bem". Ele disse a Kelling que fosse em frente.

Kelling conduziu o experimento durante um ano, meticulosamente coletando todas as estatísticas possíveis sobre a criminalidade nas três zonas do estudo. O resultado? Nenhum. Os arrombamentos seguidos de furto foram os mesmos nas três, bem como os roubos de carros, assaltos e vandalismo. Os cidadãos nas áreas com patrulhas reforçadas não se sentiam mais seguros do que aqueles nas áreas sem patrulhas. Pareciam nem sequer notar o que acontecera. "As conclusões iam todas na mesma direção, que era: não faz a menor diferença", diz Kelling. "Não importava para a satisfação dos cidadãos, não importava para as estatísticas de crimes, simplesmente parecia não importar."

Todos os chefes de polícia dos Estados Unidos leram os resultados. De início, houve descrença. Alguns departamentos de polícia urbanos ainda eram partidários de Wilson. Kelling se lembra do chefe de polícia de Los

Angeles levantando-se em uma conferência nacional de combate ao crime e dizendo: "Se essas descobertas forem verdadeiras, os policiais em Kansas City estavam todos dormindo no ponto, porque posso assegurar que não é assim em Los Angeles."

Aos poucos, no entanto, a resistência deu lugar à resignação. O estudo surgiu quando os crimes violentos estavam começando seu longo e duro surto de duas décadas nos Estados Unidos e contribuiu para a sensação crescente entre as forças policiais de que a tarefa à frente seria esmagadora. Pensaram que conseguiriam impedir o crime com patrulhas policiais, mas agora o Departamento de Polícia de Kansas City havia testado aquela hipótese empiricamente e descoberto que as patrulhas eram um embuste. E se as patrulhas não funcionavam, o que funcionaria?

Lee Brown, chefe do Departamento de Polícia da Cidade de Nova York, deu uma famosa entrevista em meio à epidemia de crack em que quase entregou os pontos. "Os problemas sociais deste país estão bem além da capacidade da polícia de enfrentá-los sozinha", disse Brown. Ele havia lido o relatório de George Kelling sobre Kansas City. Não tinha jeito. Por mais policiais que uma cidade tivesse, afirmou Brown, "nunca seriam suficientes para impedir o crime usando as técnicas de policiamento tradicionais. [...] Se você não possui um policial para cobrir cada canto da cidade, o tempo todo, as chances de um policial em patrulha flagrar um crime são baixíssimas".

Em 1990, o presidente George H. W. Bush foi a Kansas City. Ele passou a manhã em um dos bairros mais pobres e violentos da cidade, depois fez um discurso para um grupo de policiais locais. Tentou ser otimista. Falhou. A taxa de homicídios naquele ano em Kansas City tinha sido o triplo da média nacional. Voltaria a subir em 1991, de novo em 1992 e outra vez em 1993. Não havia muito a dizer. Na metade de suas observações, Bush se viu limitado a simplesmente listar as coisas terríveis acontecendo nas ruas da cidade:

> Um menino de 4 anos morto a tiros numa casa suspeita de vender crack; um garoto de 11 anos fuzilado em frente a outro antro de drogas, supostamente pela ação de um olheiro de 14 anos; num bar do centro, uma mãe vende seu bebê por crack; e uma bomba incendiária deixa três gerações mortas, inclusive uma avó e três crianças – as manchetes são terríveis, repugnantes, revoltantes.

No entanto, no início da década de 1990, 20 anos após o primeiro experimento de Kansas City, a cidade decidiu tentar de novo. Contratou outro jovem e brilhante criminologista chamado Lawrence Sherman. Como fizera com George Kelling, deu-lhe carta branca. Estava na hora do Experimento Número 2 de Kansas City. Por que não? Nada mais vinha funcionando.

2.

Lawrence Sherman achava que o foco deveria recair sobre as armas. Acreditava que o elevado número de armas de fogo na cidade era o que alimentava a epidemia de violência. Seu plano era testar uma série de ideias em sequência, rigorosamente avaliar sua eficácia – como fizera Kelling – e selecionar uma vencedora. Convocou uma reunião de planejamento com um grupo de policiais veteranos da cidade. Escolheram como área de teste o Distrito de Patrulha 144: uma área pequena, de 1,7 quilômetro quadrado, de casas unifamiliares modestas, limitada ao sul pela rua 39 e a oeste pela rodovia 71.

O Distrito 144 era a pior área de Kansas City no início da década de 1990. A taxa de homicídios era 20 vezes a média nacional. A região registrava em média um crime violento por dia e 24 ataques a tiros disparados de veículos por ano. Um terço dos lotes estava vazio. Poucos meses antes, um policial vinha patrulhando o 144 quando viu uns rapazes jogando basquete no meio da rua. Parou, saltou e pediu que saíssem dali. Um dos jogadores lançou a bola na cabeça dele, depois dois outros o atacaram de surpresa. O lugar era desse tipo.

A primeira ideia de Sherman foi fazer com que equipes de dois homens batessem em cada porta daquela zona por um período de três meses. Os policiais se apresentariam, conversariam sobre a violência causada pelas armas de fogo e dariam aos moradores um folheto com um número de chamada gratuita: se tivessem informações sobre armas, eram encorajados a ligar e fazer uma denúncia anônima.

O plano começou sem nenhum problema. Em muitas das visitas, os policiais foram acompanhados pelo estudante de pós-graduação em criminologia James Shaw, cuja função era avaliar a eficácia do programa. Às vezes os policiais permaneciam nas casas por até 20 minutos, conversando com pessoas nunca antes visitadas por um policial, a não ser para executar uma prisão. No relatório subsequente, Shaw foi efusivo:

> A polícia foi a todas as residências da comunidade, em algumas mais de uma vez, e conversou com os moradores de forma amigável, não ameaçadora. Em reação, as pessoas foram bem receptivas e ficaram contentes de ver a polícia indo de porta em porta. Com frequência reagiam com comentários do tipo: "Deus abençoe todos vocês. Deveríamos ter tido um programa desses antes" ou "Graças a Deus! Nunca imaginei que vocês viriam".

No fim, 88% das pessoas visitadas prometeram usar o disque-denúncia se vissem armas de fogo. Então, após 858 visitas porta a porta durante três meses, quantas chamadas foram recebidas? Duas. Ambas sobre armas em outra área.

O problema, todos logo perceberam, não era que os moradores do Distrito 144 não quisessem ajudar. Eles queriam. O problema era que eles nunca saíam de casa. "Está começando a parecer Beirute aqui", disse um morador para Shaw, e se você está tão assustado que nunca sai de casa, como vai saber quem tem armas de fogo ou não? Shaw escreveu:

> Não diferente de moradores de muitas outras áreas pobres do centro, esses indivíduos tornaram-se como animais enjaulados em suas próprias casas. Grades nas janelas são a norma. Você nem sequer se surpreende ao ver grades em janelas do segundo andar. Mais desanimador, porém, é o fato de que numa casa após a outra as persianas e cortinas estão totalmente fechadas, bloqueando qualquer sinal de fora. Essas pessoas mais velhas se trancam em casa e se fecham por completo. Ouvem o mundo lá fora, e a região fica parecendo uma zona de guerra. Mas elas não conseguem ver nada.

A próxima ideia do grupo foi treinar policiais na arte sutil de detectar armas escondidas. O incentivo veio de um policial da cidade de Nova York chamado Robert T. Gallagher, que em 18 anos na força havia desarmado surpreendentes 1.200 indivíduos. Gallagher tinha teorias elaboradas, formuladas durante muitos anos: os criminosos de rua na maior parte enfiam suas armas no cós da calça (do lado esquerdo, no caso de um destro), causando uma falta de simetria leve mas discernível no seu caminhar. A perna do lado da arma dá um passo mais curto que a perna do outro lado, e o braço correspondente segue uma trajetória igualmente encurtada. Ao descerem do meio-fio ou do carro, segundo Gallagher, os portadores de revólveres invariavelmente olhavam para suas armas ou as ajeitavam de maneira inconsciente.

Gallagher foi até Kansas City no mês após o experimento fracassado com o disque-denúncia. Ele deu seminários. Gravou vídeos. Os policiais tomaram notas. O programa de televisão *20/20* mandou uma equipe de cinegrafistas para registrar a técnica em ação nas ruas de Kansas City. Ninguém detectou nada. O *20/20* voltou ao lugar. O mesmo aconteceu: nada. As supostas habilidades mágicas de Robert T. Gallagher aparentemente não eram transferíveis para as patrulhas de Kansas City. Duas das melhores ideias da equipe para reprimir a violência com armas de fogo haviam falhado. Restava mais uma.

3.

A alternativa vencedora no experimento das armas de Kansas City foi enganosamente simples. Baseou-se numa brecha no sistema jurídico americano.

A Quarta Emenda à Constituição norte-americana protege os cidadãos de "buscas e apreensões arbitrárias". Por isso, a polícia não pode revistar nenhuma casa sem um mandado. Na rua, igualmente, um policial precisa de um bom motivo – "uma suspeita razoável" – para revistá-lo.* Mas, se você está no seu carro, não é difícil para um policial satisfazer esse critério. Os códigos de trânsito nos Estados Unidos (e na verdade na maioria dos países) dão aos policiais literalmente centenas de motivos para pararem um motorista.

"Existem infrações em movimento: velocidade excessiva, ultrapassar um sinal vermelho. Existem infrações de equipamentos: um farol que não funciona, um pneu que não está legal", escreveu o estudioso do direito David Harris.

---

* Para lidar com esse empecilho, por exemplo, Gallagher desenvolveu todo tipo de truques. Ele e seu parceiro se aproximavam de alguém suspeito de portar uma arma. Eles o encurralavam, para que se sentisse um pouco defensivo. Aí Gallagher se identificava: *Sou um policial.*
"Quando você para um homem com uma arma, 99 dentre 100 vezes ele vai fazer a mesma coisa", contou Gallagher a um repórter anos atrás. "Vai afastar de você o lado onde está a arma – seja alguns centímetros, com uma rápida virada do quadril, ou dando meia-volta. E a mão e o braço irão naturalmente na direção da arma", num movimento de proteção instintivo. "Nesse ponto, você não precisa esperar se ele vai sacar a arma sob a camisa ou apenas vai mantê-la oculta", disse ele. "Nesse ponto, você tem todo o direito do mundo de fazer uma revista."

Depois existem as cláusulas genéricas: regras que permitem aos policiais pararem motoristas por condutas que cumprem todas as regras dos livros mas que os policiais consideram "imprudentes" ou "insensatas" sob as circunstâncias, ou que descrevem a infração em linguagem tão ampla que torna a transgressão praticamente coincidente com o julgamento pessoal incontestável do policial.

Houve até um caso na Suprema Corte em que um policial da Carolina do Norte parou o que julgou ser um motorista suspeito sob o pretexto de que uma das luzes de freio estava queimada. Acontece que na Carolina do Norte é permitido dirigir com uma luz de freio queimada, desde que a outra funcione. Então o que aconteceu depois que o motorista do carro moveu uma ação, alegando ter sido parado ilegalmente? A Suprema Corte deliberou a favor do policial. Bastou que ele *considerasse* que dirigir sem uma das luzes de freio parecesse uma infração.

Em outras palavras, os policiais nos Estados Unidos, além de terem à disposição praticamente uma lista ilimitada de motivos legais para pararem motoristas, também estão livres para acrescentar quaisquer outros motivos que possam imaginar, contanto que pareçam razoáveis. E uma vez que tenham parado um motorista, os policiais são autorizados, com o amparo da lei, a revistar o carro, desde que tenham razões para acreditar que o motorista possa estar armado ou ser perigoso.

Kansas City decidiu se aproveitar dessa margem de manobra. A proposta de Sherman foi que o departamento de polícia destacasse quatro agentes em dois carros de patrulha. Sua área seria o Distrito 144. Foram instruídos a não saírem da área de 1,7 quilômetro quadrado e liberados de todas as demais obrigações do combate ao crime. Não precisavam atender chamadas do rádio nem acorrer a cenas de acidentes. As instruções recebidas foram claras: fiquem de olho em quem julgarem que possam ser motoristas suspeitos. Usem qualquer pretexto contido no código de trânsito para mandar pará-los. Se a suspeita persistir, revistem o carro e confisquem quaisquer armas encontradas.

Os policiais trabalharam todas as noites, das 19 horas até uma da madrugada, sete dias por semana, por 200 dias consecutivos. E o que aconteceu? Fora do Distrito 144, onde as atividades policiais foram conduzidas como de hábito, a criminalidade permaneceu terrível como sempre. Mas e dentro do 144? Todo aquele novo trabalho concentrado da polícia reduziu os crimes por armas de fogo – tiroteios, assassinatos, ferimentos – à *metade*.

Lembre-se de que a polícia tinha quase desistido àquela altura. Disque-denúncia? Ninguém telefonava. Detecção de armas ocultas? Uma equipe do programa *20/20* acompanhou tudo e duas vezes retornou de mãos abanando. Lee Brown, lá em Nova York, lamentava a impotência da polícia em fazer algo sério contra os crimes violentos. Todos recordavam o experimento anterior de Kansas City, que havia mergulhado a comunidade de combate ao crime em 20 anos de desespero. Mas agora a mesma cidade estava de volta, e dessa vez declarando vitória.

"Não sei por que não tinha nos ocorrido nos concentrarmos nas armas de fogo", disse o chefe de polícia de Kansas City depois de divulgados os resultados. Estava tão espantado quanto todos os outros com o que apenas dois carros de patrulha extras haviam conseguido. "Geralmente focamos em prender os bandidos após um crime. Talvez ir atrás das armas de fogo fosse simplista demais para nós."

O primeiro experimento de Kansas City revelou que patrulhas preventivas eram inúteis, que mais carros da polícia circulando não faziam a menor diferença. O segundo experimento de Kansas City corrigiu aquela posição. Na verdade, carros de patrulha extras *faziam* a diferença – desde que os policiais tomassem a iniciativa e parassem qualquer um considerado suspeito, saltassem de suas viaturas o máximo possível e se esforçassem por localizar armas. As patrulhas funcionavam se os policiais ficassem *ocupados*.

As estatísticas do relatório final sobre o experimento foram reveladoras. No decorrer dos sete meses, cada carro de patrulha emitiu uma média de 5,45 multas de trânsito por turno. Fizeram uma média de 2,23 prisões por noite. Em apenas 200 dias, os quatro policiais haviam feito mais "policiamento" do que a maioria dos policiais daquela época durante toda a carreira: 1.090 multas de trânsito, 948 veículos parados, 616 prisões, 532 verificações de pedestres e 29 armas apreendidas. Trata-se de uma intervenção policial a cada 40 minutos. Em cada noite na minúscula área de 1,7 quilômetro quadrado do Distrito 144, cada carro de patrulha percorria cerca de 43 quilômetros. Os policiais não estavam estacionados num canto da rua, comendo rosquinhas. Estavam em constante movimento.

Os policiais não são diferentes do resto de nós. Querem sentir que seus esforços têm valor, que o que fazem importa, que seu trabalho duro será recompensado. O que aconteceu no Distrito 144 forneceu exatamente o que os profissionais do combate ao crime vinham buscando: validação.

"Policiais que apreendiam uma arma de fogo recebiam uma notoriedade favorável dos colegas, quase a ponto da recuperação de uma arma tornar-se uma medida de sucesso", escreveu Shaw em seu relato do programa. "Os policiais podiam com frequência ser ouvidos fazendo declarações como 'Tenho que apreender uma arma esta noite' ou 'Ainda não apreendi uma arma; vai ser esta noite!'."

Em 1991, o *The New York Times* publicou uma matéria de primeira página sobre o milagre de Kansas City. Larry Sherman conta que dias depois seu telefone tocou sem parar: 300 departamentos de polícia do país inteiro bombardearam-no com pedidos de informações sobre como ele fizera aquilo. Um por um, os departamentos de polícia de todo o país o imitaram. Para dar um exemplo, a Patrulha Rodoviária do Estado da Carolina do Norte passou de 400 mil para 800 mil paradas de veículo por ano num intervalo de sete anos.

A Agência de Combate às Drogas usou a "Operação Pipeline" para ensinar dezenas de milhares de policiais nos Estados Unidos a usar as abordagens a motoristas no estilo Kansas City para flagrar transporte de drogas. Oficiais de imigração começaram a usar o procedimento de parar veículos para identificar imigrantes sem documentos. Atualmente, os policiais nos Estados Unidos fazem algo como 20 milhões de abordagens a veículos por ano. São 55 mil *por dia*. Por todo o país, o combate ao crime tentou replicar o milagre do Distrito 144. A palavra-chave nesta frase é *tentou*. Porque na transição de Kansas City para o resto do país, algo crucial no experimento de Lawrence Sherman se perdeu.

4.

O Lawrence Sherman que foi para Kansas City é o mesmo Larry Sherman que havia trabalhado com David Weisburd em Minneapolis alguns anos antes, formulando a Lei da Concentração dos Crimes. Eles eram amigos. Lecionaram juntos por um tempo na Universidade Rutgers, onde o chefe de seu departamento era ninguém menos que Ronald Clarke, autor do trabalho pioneiro sobre suicídio. Clarke, Weisburd e Sherman – com seus interesses distintos no gás de cidade inglês, no mapa da criminalidade de Minneapolis e nas armas de fogo em Kansas City – estavam todos perseguindo a mesma ideia revolucionária do acoplamento.

E qual era a principal implicação do acoplamento? O combate ao crime não precisava ser maior; precisava ser mais focado. Se os criminosos agiam predominantemente em umas poucas áreas concentradas, aquelas partes cruciais da cidade deveriam ser mais fortemente policiadas do que quaisquer outros lugares, e os tipos de estratégia de combate ao crime da polícia naquelas áreas deveriam ser bem diferentes daqueles usados nos vastos trechos da cidade praticamente sem criminalidade.

"Se a criminalidade está concentrada num pequeno percentual das ruas da cidade, por que cargas-d'água você está desperdiçando recursos em outras partes?", indagou Weisburd. "Se está acoplada a esses lugares e não se transfere facilmente, faz menos sentido ainda." Os teóricos do acoplamento acreditavam ter solucionado o problema que perturbara tanto os primórdios da patrulha preventiva. Como patrulhar com eficácia uma vasta área urbana com poucas centenas de policiais? Não contratando mais agentes nem transformando a cidade inteira num estado de vigilância. Você o faz concentrando-se nos poucos lugares específicos onde está toda a criminalidade.

Mas voltemos àquelas estatísticas da Carolina do Norte. Se você passa de 400 mil veículos abordados num ano para 800 mil sete anos depois, isso parece um policiamento focado e concentrado? Ou parece que a Patrulha Rodoviária do Estado da Carolina do Norte contratou muito mais policiais e disse a todos que parassem bem mais motoristas por toda parte? A lição que a comunidade do combate ao crime recebeu de Kansas City foi que a patrulha preventiva funcionava se fosse mais agressiva. Mas a parte que passou despercebida foi que a patrulha agressiva deveria se restringir aos locais onde a criminalidade estivesse concentrada. Kansas City havia sido um experimento de *acoplamento*.

Weisburd e Sherman dizem que exibiram repetidas vezes seus mapas e números, tentando convencer seus colegas da existência da Lei da Concentração dos Crimes. Mas foi em vão. No 72º Distrito em Brooklyn, onde começou seu trabalho, após um longo dia perambulando pela vizinhança, Weisburd dirigia-se aos policiais que o acompanharam e dizia: "Não é estranho como estamos sempre voltando para os mesmos quarteirões?" Eles o olhavam sem entender.

Ele recordou:

> Eu estava numa reunião com o subcomissário [da polícia] em Israel. Alguém na reunião disse: "Bem, David acha que o crime não se transfere para a outra esquina. E isso indica que vocês deveriam se tornar mais focados." Aquele sujeito virou-se para mim e disse: "Minha experiência indica que isso não é verdade. Não acredito nisso." E foi o fim da história.*

Existe algo de errado com o subcomissário da polícia de Israel? Nem um pouco. Porque sua reação não difere do comportamento da patrulha rodoviária na Carolina do Norte, da administração da ponte Golden Gate nem dos acadêmicos literários que falam confiantemente do gênio condenado de Sylvia Plath. Há algo na ideia do acoplamento – na noção de que o comportamento de um estranho está estreitamente vinculado ao lugar e ao contexto – que nos escapa. Algo que nos leva a interpretar mal alguns de nossos maiores poetas, a sermos indiferentes aos suicidas e a enviarmos policiais em patrulhas sem sentido.

Então o que acontece quando um policial comete essa falha de interpretação fundamental – acrescido dos problemas do pressuposto da verdade e da transparência?

O resultado é Sandra Bland.

---

*Um dos ex-alunos de Weisburd, Barak Ariel, chegou ao ponto de testar a resistência à ideia do acoplamento na região de Derry, na Irlanda do Norte. Os policiais de lá devem identificar áreas conflituosas específicas que julgam precisar de presença policial adicional. Suas previsões são chamadas de "marcadores de trilha". Ariel se perguntou: até que ponto os marcadores de trilha dos policiais correspondem aos pontos críticos onde os crimes realmente acontecem em Derry? Acho que você consegue adivinhar. "A maioria das ruas incluídas nos 'marcadores de trilha' não era 'quente' nem 'prejudicial', resultando numa falsa taxa positiva superior a 97%", concluiu Ariel. O que significa que 97% dos quarteirões identificados pelos policiais como perigosos e violentos não eram nada perigosos e violentos. Os policiais que formulavam aqueles marcadores de trilha não estavam sentados a uma escrivaninha, distantes da experiência direta das ruas. Aquele era seu território. Eram crimes que eles investigavam e criminosos que eles prendiam. E mesmo assim não conseguiam ver um padrão fundamental na localização dos estranhos que vinham prendendo.

CAPÍTULO DOZE

Sandra Bland

1.

Às 16h27 da tarde de 10 de julho de 2015, Sandra Bland foi parada por um patrulheiro rodoviário do Texas na FM 1098, no condado de Waller. Estava dirigindo um Hyundai Azera prata com placa de Illinois. Tinha 28 anos e acabara de vir de sua cidade natal, Chicago, para começar em um emprego novo na Universidade Prairie View. O nome do policial era Brian Encinia. Ele estacionou atrás dela, depois foi andando devagar até o Hyundai de Bland pelo acostamento, inclinando-se para falar com ela pela janela aberta do carona.

> **Encinia:** Oi, senhora. Somos a Patrulha Rodoviária do Texas, e a razão da sua parada é que você não sinalizou a mudança de pista. Está com a carteira de motorista e o documento do carro? O que há de errado? Há quanto tempo está no Texas?
> **Bland:** Cheguei aqui ontem.
> **Encinia:** Ok. Está com sua carteira de motorista? [*Pausa.*] Ok. Está indo para onde agora? Me dê uns minutos.

Encinia leva a carteira de motorista dela até sua viatura. Alguns minutos se passam. Depois ele retorna, dessa vez aproximando-se do carro de Bland pelo lado do motorista.

> **Encinia:** Ok, senhora. [*Pausa.*] Está tudo bem?
> **Bland:** Estou esperando você. Este é o seu trabalho. Estou esperando você. Quando vai me liberar?
> **Encinia:** Não sei, você parece realmente irritada.
> **Bland:** Estou. Realmente estou. Acho idiota a razão da minha multa. Eu es-

tava apenas saindo da sua frente. Você estava acelerando, colado em mim, então mudei de pista e você me mandou parar. Então, sim, estou um pouco irritada, mas isso não o impede de me multar, então [*inaudível*] multar.

Nas muitas análises retrospectivas do caso de Bland, este costuma ser identificado como o primeiro erro de Encinia. A raiva dela está aumentando. Ele poderia ter tentado acalmá-la. Mais tarde, durante a investigação, descobriu-se que Encinia jamais pretendeu multá-la – só adverti-la. Poderia ter dito isso. Não disse. Poderia ter explicado, de maneira ponderada, por que ela deveria ter sinalizado. Poderia ter sorrido, brincado com ela. *Ah, senhora, não está achando que vou multá-la por isto, está?* Ela tem algo a dizer e quer ser ouvida. Ele poderia ter feito um gesto indicando que estava ouvindo. Em vez disso, aguarda por um longo e incômodo momento.

Encinia: Você terminou?

Esta é a primeira oportunidade perdida. Depois vem a segunda.

Bland: Você perguntou o que havia de errado, e eu contei.
Encinia: Ok.
Bland: Então agora terminei, sim.

Ela terminou. Bland falou a parte dela. Ela expressou sua irritação. Então pega um cigarro e acende. Está tentando acalmar os nervos. No vídeo não se vê nada disso, porque a câmera está no painel da viatura de Encinia. Vemos apenas a parte de trás do carro dela e Encinia postado à sua porta. Se você parasse o vídeo ali e mostrasse para 100 pessoas, 99 achariam que é ali que a história termina.

Mas não é.

Encinia: Você se importa de apagar seu cigarro, por favor? Caso não se importe.

Ele é monótono, calmo, assertivo. *Você se importa,* dito com contundência. Segundo erro: ele deveria ter feito uma pausa, deixando Bland se recompor.

Bland: Estou no meu carro. Por que tenho que apagar o cigarro?

Ela tem razão, é claro. Um policial não tem nenhuma autoridade para mandar alguém não fumar. Ele deveria ter dito: "Sim. Tem razão. Mas você se importa de esperar só até terminarmos aqui? A fumaça de cigarro me incomoda." Ou poderia ter deixado aquela questão pra lá. É só um cigarro. Mas ele não deixa. Algo no tom de voz dela irrita Encinia. Sua autoridade foi desafiada. Ele perde o controle. Terceiro erro.

Encinia: Bem, você pode sair do carro agora.
Bland: Eu não tenho que sair do meu carro.
Encinia: Por favor, saia do veículo.
Bland: Só porque estou...
Encinia: Saia do veículo.
Bland: Você não tem o direito de exigir isso. Não, você não tem esse direito.
Encinia: Saia do veículo.
Bland: Você não tem o direito. Você não tem o direito de fazer isso.
Encinia: Eu tenho o direito, sim, agora saia ou vou tirar você.
Bland: Eu me recuso a falar com você a não ser para me identificar. [*ruído*] Estou sendo retirada do carro porque não dei seta?
Encinia: Saia ou vou tirar você. Estou dando uma ordem legal. Saia do carro agora ou eu mesmo vou tirar você.

Nos fóruns de notícias acessados por policiais depois que o caso estourou, as ações de Encinia receberam o apoio de alguns deles. Mas o mesmo número de policiais ficou perplexo com a reviravolta final:

> Cara, dá a porra da advertência e vai embora. Isso NÃO VALE A PENA.[...] estamos arrancando mulheres para fora de veículos porque nosso ego foi ferido por ela não ter sentido medo e apagado a merda do cigarro????? Vamos supor que ela tivesse saído do carro quando ele pediu... E AÍ??? Você iria repreendê-la pelo cigarro??? Qual era o seu plano?? Qual seria o propósito de tirá-la do carro?

Mas Encinia agora tinha dado uma ordem legal, e ela a desafiou.

Encinia: Saia ou vou tirar você. Estou dando uma ordem legal. Saia do carro agora ou eu mesmo vou tirar você.
Bland: E eu vou ligar para o meu advogado.
Encinia: Vou arrancar você daí. [*Enfia o braço dentro do carro*]
Bland: Ok, você vai me arrancar do carro? Ok, tudo bem.

Encinia está agora curvado, braços dentro do veículo de Bland, puxando-a.

Bland: Vamos fazer isto.
Encinia: Sim, vamos. [*Tenta puxar Bland.*]

No vídeo, ouve-se o som de um tapa, depois um grito de Bland como se tivesse sido atingida.

Bland: Não toque em mim!
Encinia: Saia do carro!
Bland: Não toque em mim! Não toque em mim! Não estou presa e você não tem o direito de me retirar do meu carro.
Encinia: Você está presa!
Bland: Estou presa? Por quê? Por quê? Por quê?
Encinia: [*Para o rádio*] 2547 Condado FM 1098. [*inaudível*] Mande outra unidade. [*Para Bland*] Saia do carro! Saia do carro agora!
Bland: Por que estou sendo detida? Você está tentando me dar uma multa porque eu não...
Encinia: Eu disse saia do carro!
Bland: Por que estou sendo detida?
Encinia: Estou dando uma ordem legal. Vou arrastar você desse carro.
Bland: Você está ameaçando me arrastar para fora do meu próprio carro?
Encinia: Saia do carro!
Bland: E depois você vai me [*inaudível*]?
Encinia: Vou acertar você! Saia! Agora! [*Pega a arma imobilizadora e aponta para Bland.*]
Bland: Uau. Uau. [*Bland sai do carro.*]
Encinia: Saia. Agora. Saia do carro agora!

Bland: Porque não dei seta? Você está fazendo tudo isso só porque não dei seta?
Encinia: Vá para lá.
Bland: Certo. Sim, vamos levar isso à justiça, vamos fazer isso.
Encinia: Vá em frente.

O confronto prossegue por vários minutos. Bland fica cada vez mais exaltada. Encinia a algema. A segunda unidade chega. A gritaria e a luta continuam.

Encinia: Pare agora! Pare com isso! Se pudesse parar de resistir...
Policial mulher: Pare de resistir, senhora.
Bland: [*Chora*] Por causa de uma porra de uma multa de trânsito, você é um tremendo covarde. Você é um tremendo covarde.
Policial mulher: Não, você que é. Não deveria estar lutando.
Encinia: Fique no chão!
Bland: Por uma multa de trânsito!
Encinia: Você está esperneando... quando tenta se afastar, está resistindo à prisão.
Bland: Isso faz você se sentir realmente bem, não é? Prender uma mulher por uma infração de trânsito. Faz você se sentir bem, não é, policial Encinia? Você é um homem de verdade agora. Você me esmurrou, bateu com minha cabeça no chão. Tive epilepsia, seu filho da puta.
Encinia: Que bom. Que bom.
Bland: Que bom? Que bom?

Bland foi levada para a prisão sob acusações de agressão. Três dias depois, foi encontrada morta em sua cela, pendendo de um nó corrediço feito de uma sacola de plástico. Após uma breve investigação, Encinia foi demitido sob a alegação de ter violado o Capítulo 5, Seção 05.17.00 do Manual Geral do Patrulheiro Rodoviário do Estado do Texas:

> Um funcionário do Departamento de Segurança Pública deve ser cortês com o público e outros funcionários. Um funcionário deve ser prudente no desempenho das funções, deve controlar o comportamento e deve exercer máximas paciência e discrição. Um funcionário

não deve se envolver em discussões argumentativas mesmo diante de provocação extrema.

Então Brian Encinia era um agressor insensível. A lição do que aconteceu na tarde de 10 de julho de 2015 é que, quando a polícia fala com estranhos, precisa ser respeitosa e educada. Caso encerrado. Certo?
Errado.
A essa altura, acho que podemos nos sair melhor.

2.

Uma abordagem policial a um veículo no estilo Kansas City é uma busca de uma agulha no palheiro. Um policial usa uma infração comum para procurar algo raro: armas e drogas. Desde o princípio, à medida que as ideias aperfeiçoadas em Kansas City começaram a se espalhar pelo mundo, ficou claro que esse tipo de policiamento requeria uma nova mentalidade.

A pessoa que revista sua bagagem de mão no aeroporto, por exemplo, também está empenhada numa busca do tipo agulha no palheiro. E, de tempos em tempos, o pessoal da Administração da Segurança dos Transportes (TSA, na sigla em inglês) faz inspeções em diferentes aeroportos dos Estados Unidos. Eles colocam uma arma de fogo ou bomba falsa em uma bagagem. E o que constatam? Que em 95% das vezes as armas e bombas não são detectadas. Não é porque os vigilantes são preguiçosos ou incompetentes. Em vez disso, é porque a busca de uma agulha no palheiro representa um desafio direto à tendência humana de ter a verdade como pressuposto.

A agente de proteção que opera o equipamento de raios X vê algo que parece um pouco suspeito. Mas, ao observar a fila de viajantes de aspecto normal aguardando pacientemente, lembra que em dois anos no serviço nunca deparou com uma arma real. Sabe que, num ano típico, a TSA verifica 1,7 bilhão de bagagens de mão com o aparelho de raios X e, dentre elas, acha apenas uns poucos milhares de armas de fogo. Uma taxa de acertos de 0,0001% – o que significa que a probabilidade maior é de que, se continuar fazendo seu serviço por mais 50 anos, a agente jamais achará uma arma. Então ela vê o objeto suspeito inserido pelos auditores da TSA e deixa passar.

Para que as abordagens a motoristas no estilo Kansas City funcionassem, o policial não poderia pensar desse jeito. Teria que suspeitar do pior a cada carro abordado. Teria que *parar* de pressupor a verdade. Teria que pensar como Harry Markopolos.

A bíblia do policiamento pós-Kansas City chama-se *Tactics for Criminal Patrol* (Táticas para a patrulha criminal), de Charles Remsberg. Publicada em 1995, expõe em detalhes precisos os requisitos do novo policial de patrulha que não tem a verdade como pressuposto. De acordo com Remsberg, o policial tem que tomar a iniciativa e "ir além da multa". O que significa, antes de mais nada, captar o que Remsberg chama de "atiçadores da curiosidade" – anomalias que levantam a possibilidade de potenciais transgressões.

Um motorista numa área barra-pesada para num sinal vermelho e olha fixamente para algo no banco ao lado. O que *isso* significa? Um policial detecta um pedacinho de papel de embrulho aparecendo entre duas peças da lataria de um carro que, exceto por aquele detalhe, está impecável. Poderia ser a ponta de um pacote escondido? No deplorável caso da Carolina do Norte, em que um policial abordou um motorista por causa de uma luz de freio queimada – pensando incorretamente que fosse contra a lei daquele estado –, o que levantou suas suspeitas foi o fato de o motorista estar "rígido e nervoso". O mais esperto dos criminosos terá o cuidado de não cometer infrações óbvias. Assim, os guardas de trânsito precisam ser criativos em relação ao que procurar: para-brisas rachados, mudanças de pista sem sinalizar, dirigir colado em outro carro.

"Um policial", escreve Remsberg, "sabendo que alguns dos mais populares pontos de venda de drogas da cidade estão em becos e ruas sem saída, simplesmente estaciona lá e observa. Com frequência motoristas chegarão perto antes de perceberem seu carro [de patrulha], então vão parar bruscamente (parada inadequada em uma rodovia) ou apressadamente darão marcha a ré (marcha a ré inadequada em uma rodovia). 'Só aí já são duas infrações', diz ele, 'antes que eu sequer vá atrás do carro.'"

Ao se aproximar do carro parado, a nova estirpe de policial tinha que estar alerta às mínimas pistas. Criminosos que transportam drogas costumam usar odorizadores de ambiente – particularmente o tipo em forma de pinheirinhos – para encobrir o cheiro dos entorpecentes. Se existem restos de fast-food no carro, isso indica que o motorista está apressado e reluta em deixar seu veículo (e sua carga valiosa) sem vigilância. Se as drogas ou armas estão ocultas em compartimentos secretos, pode haver ferramentas no banco traseiro. Qual é a quilometragem do carro? Alta demais para um modelo daquele ano? Pneus novos em um carro velho? Uma série de chaves na ignição – o que seria normal – ou apenas uma, como se o carro tivesse sido preparado especialmente para aquele motorista? Existe bagagem demais para o que parece um percurso curto? Ou pouca bagagem para o que o motorista diz ser uma longa viagem? O policial numa parada investigativa é instruído a prolongar as coisas o máximo possível. *De onde você vem? Para onde está indo? Chicago? Tem família lá? Onde?* Está em busca de mancadas, nervosismo, uma resposta implausível, e avalia se a justificativa do motorista corresponde ao que está vendo. O policial está tentando decidir se vai dar o próximo passo, que é revistar o carro.

Tenha em mente que a maioria esmagadora das pessoas com comida no carro, odorizadores de ambiente, alta quilometragem, pneus novos num carro velho e pouca ou muita bagagem não está transportando armas ou drogas. Mas para o policial achar aquela agulha criminosa no palheiro, primeiro precisa combater a expectativa racional da maioria de que o mundo é um lugar razoavelmente honesto.

Então quem é Brian Encinia? *Ele é o policial que não pressupõe a verdade.* Eis um dia na carreira de Brian Encinia, escolhido aleatoriamente: 11 de setembro de 2014.

> 15h52. O início do seu turno. Ele para um motorista de caminhão e o multa porque falta a fita refletora apropriada na carroceria.
>
> 16h20. Ele para uma mulher porque uma placa do carro está colocada incorretamente.
>
> 16h39. Ele para outra mulher por uma infração ligada à placa do carro.
>
> 16h54. Ele observa um motorista com o registro do carro vencido, aborda-o e depois também o multa por uma carteira de motorista vencida.
>
> 17h12. Ele para uma mulher por uma pequena infração de excesso de velocidade (menos de 10% acima do limite de velocidade).
>
> 17h58. Ele para alguém por uma infração grave de excesso de velocidade.
>
> 18h14. Ele aborda um homem por causa do registro do carro vencido, depois aplica mais três multas por irregularidade na carteira de motorista e uma garrafa de álcool aberta no veículo.

20h29. Ele para um homem por conta da "lâmpada de identificação faltando ou imprópria" e "lâmpada de led faltando ou imprópria".

Aquilo continua. Dez minutos depois, ele aborda uma mulher porque o farol dianteiro não está de acordo com o exigido pela lei, depois aplica mais duas multas pequenas por excesso de velocidade na próxima meia hora. Às 22h, uma parada por causa das "correntes de segurança" e depois, ao final do seu turno, uma parada por faróis fora das regras.

Nesta lista, só existe uma infração grave: a parada das 17h58 por velocidade mais de 10% acima do limite. Qualquer policial reagiria a isso. Mas muitas das outras coisas que Encinia fez naquele dia se enquadram na categoria do policiamento proativo moderno. Você aborda um motorista de caminhão por conta da fita refletora inapropriada ou outra pessoa pela "lâmpada de led faltando ou imprópria" quando está buscando algo mais – quando está conscientemente buscando, nas palavras de Remsberg, "ir além da multa".

Um dos conselhos básicos dados aos policiais de patrulhas proativas para protegê-los contra acusações de preconceito ou discriminação racial é terem o cuidado de parar todo tipo de pessoa. Se você vai usar motivos triviais para abordar alguém, certifique-se de agir assim o tempo todo. "Se você é acusado de preconceito ou de abordagens arbitrárias, basta apresentar seu diário de atividades ao tribunal e provar que parar motoristas por pequenas infrações faz parte do seu padrão costumeiro", escreve Remsberg, "e não uma exceção flagrante convenientemente disfarçada no caso do réu".

Era exatamente o que Encinia fazia. Dia após dia, agia como em 11 de setembro de 2014. Enquadrava os motoristas por para-lamas inadequados, por não usarem cinto de segurança, por não se manterem dentro das faixas de rolamento e por violações obscuras dos regulamentos sobre as lâmpadas do veículo. Em menos de um ano no serviço, aplicou 1.557 multas. Nos 26 minutos antes de parar Sandra Bland, havia parado três outras pessoas.

Retomando: Encinia avista Sandra Bland na tarde de 10 de julho. Em seu depoimento dado durante a investigação subsequente do escritório da Inspetoria Geral do Departamento de Segurança Pública do Texas, Encinia disse que viu Bland ignorar uma placa de pare ao sair da Universidade Prairie View. É seu atiçador da curiosidade. Não pode pará-la naquele ponto, porque a placa de pare está dentro do terreno da universidade. Mas, quando ela pega a State Loop 1098, ele a segue. Observa que sua placa é do estado de Illinois. É o segundo atiçador da curiosidade. O que alguém de tão longe vem fazer no leste do Texas?

"Eu estava checando a condição do veículo, como marca, modelo, placa, quaisquer outras condições", Encinia depôs. Estava em busca de uma desculpa para abordá-la. "Você já tinha se aproximado dos veículos rápido assim para verificar suas condições?", Encinia ouve de seu interrogador, Cleve Renfro. "Sim, senhor", responde Encinia. Para ele, trata-se de uma prática corriqueira.

Quando Bland vê Encinia em seu espelho retrovisor vindo rápido atrás dela, sai do caminho para deixá-lo passar. Mas não sinaliza com a seta. Bingo! Agora Encinia tem sua justificativa: Título 7, Subtítulo C, Seção 545.104, parte (a) do Código de Trânsito do Texas, que afirma que "um motorista deve usar o sinal autorizado pela Seção 545.106 para indicar a intenção de virar, mudar de pista ou partir de uma posição estacionada". (Caso Bland tivesse usado a seta no último momento, antes de mudar de pista, Encinia ainda tinha uma opção de reserva: a parte (b) da Seção 545.104 afirma que "um motorista que pretende dobrar com seu veículo à direita ou à esquerda deve sinalizar continuamente por não menos que os últimos 30 metros do movimento antes de o veículo dobrar". Ele poderia tê-la parado por não sinalizar e poderia tê-la parado por não sinalizar o suficiente.)*

Encinia salta do seu carro de patrulha e lentamente se aproxima do Hyundai de Bland pelo lado do carona, inclinando-se ligeiramente para ver se existe algo de interesse no veículo. Ele está fazendo a revista visual: algo de errado? Embalagens de fast-food no chão? Um "pinheirinho" pendendo do retrovisor? Ferramentas no banco de trás? Uma única chave no chaveiro? Bland tinha dirigido de Chicago até o Texas. É claro que havia embalagens de comida no assoalho. Em circunstâncias normais, a maioria de nós, ao olharmos por aquela janela, terá posto as dúvidas de lado. Mas Brian Encinia é a nova estirpe de policial. E nós decidimos que é melhor nossos líderes e guardiões se guiarem por suas dúvidas do que ignorá-las. Encinia inclina-se

---

* É por isso que Bland está tão irritada, obviamente. "Acho idiota a razão da minha multa. Eu estava apenas saindo da sua frente. Você estava acelerando, colado em mim, então mudei de pista e você me mandou parar", diz ela. Em outras palavras: um carro da polícia veio correndo atrás dela. Ela saiu do caminho, como deve fazer todo motorista, e agora aquele mesmo policial que a forçou a mudar de pista está dando uma multa por mudar inapropriadamente de pista. Encinia *causou* a infração.

sobre a janela, informa por que a parou e – imediatamente – suas suspeitas são despertadas.

3.

> **Renfro:** Depois de pedir a carteira de motorista de Bland, você perguntou para onde estava indo, e ela respondeu "Não importa". Você escreveu no seu relatório: "Eu soube naquele ponto, com base na conduta dela, que algo estava errado."

Em seu depoimento, Encinia está sendo agora interrogado pelo investigador do estado Cleve Renfro.

> **Renfro:** Explique, para constar, o que você achou que estava errado.
> **Encinia:** [...] Foi uma linguagem corporal e uma conduta agressivas. Parecia que ela não estava bem.

Brian Encinia acreditava na transparência – que a conduta de uma pessoa é um guia confiável para suas emoções e seu caráter. É algo que ensinamos uns aos outros. Mais precisamente, é algo que ensinamos aos *policiais*. O programa de treinamento mais influente do mundo para o combate ao crime, por exemplo, chama-se Técnica Reid. É usado em cerca de dois terços dos departamentos de polícia americanos – sem falar no FBI e em inúmeros outros órgãos de combate ao crime ao redor do mundo – e se baseia *diretamente* na ideia de transparência: instrui os policiais, ao lidarem com pessoas que não conhecem, a usarem a conduta como um guia para julgar a inocência ou a culpa.

Por exemplo, eis o que o manual de treinamento Reid diz sobre contato visual:

> Na cultura ocidental, o olhar mútuo (contato visual sustentado) representa abertura, franqueza e confiança. Suspeitos desonestos geralmente não olham direto para o investigador. Olham para o chão, para o lado ou para o teto como que suplicando alguma orientação divina ao responder às perguntas. [...]

Suspeitos honestos, por outro lado, não se mostram na defensiva em seus olhares e ações e conseguem facilmente manter contato visual com o investigador.

A cartilha pós-Kansas City, *Tactics for Criminal Patrol*, instrui os agentes nas abordagens a veículos a realizarem um "interrogatório disfarçado", baseado no que conseguem coletar de sua observação inicial do suspeito.

Ao analisar silenciosamente as histórias, os maneirismos verbais e a linguagem corporal deles em busca de pistas de dissimulação, você estará tentando convencê-los de que está longe de suspeitar deles. [...] Quanto mais você conseguir adiar a percepção de que está realmente fazendo uma avaliação deles, do veículo e do motivo de estarem em trânsito, maiores as chances de que forneçam involuntariamente indícios incriminadores.

Então é exatamente isso que Encinia faz. Ele observa que ela está batendo com os pés, movendo-os para lá e para cá. Então começa a estender a interação. Pergunta há quanto tempo ela está no Texas. Ela diz: "Cheguei aqui ontem." A sensação de inquietação dele aumenta. A placa dela é de Illinois. O que está fazendo no Texas?

Renfro: Você teve preocupações de segurança nesse momento?
Encinia: Eu sabia que algo estava errado, mas não sabia o quê. Não sabia se um crime estava sendo cometido, havia sido cometido ou sei lá o quê.

Ele retorna ao seu carro de patrulha para checar a carteira de motorista e o documento do carro dela e, quando olha para cima e observa Bland pelo vidro traseiro do carro, diz que a vê "fazendo vários movimentos furtivos, inclusive desaparecendo de vista por um intervalo de tempo". Este é um ponto crucial que explica um fato do vídeo que normalmente seria intrigante. Por que Encinia aborda o carro de Bland pelo lado do carona da primeira vez mas pelo lado do motorista da segunda vez? É porque está ficando preocupado. Como escreveu no seu relato: "O treinamento de segurança policial me ensinou que é bem mais fácil para um transgressor tentar atirar em mim do lado do carona do veículo."

Renfro: Então explique, para constar, por que você evoluiu de "esta é uma abordagem de trânsito rotineira com uma pessoa irritada que na sua opinião não está sendo colaborativa ou está agitada" para sua linha de raciocínio de que existe uma possibilidade de que você precise fazer uma abordagem pelo lado do motorista por conta do treinamento sobre policiais serem baleados.

Encinia: Foi porque, quando eu ainda estava no carro de patrulha, havia visto vários movimentos para a direita, para o painel, seu lado direito do corpo, aquela área também desaparecendo de vista.

Seu pensamento imediato foi: *Ela está pegando uma arma?* Então agora ele a aborda com cautela.

Encinia: A janela do carro dela não tem película, assim eu conseguiria ver se algo poderia estar em suas mãos, se ela teve que virar o ombro ou não. Por isso escolhi aquele caminho [...]

Na mente de Encinia, a conduta de Bland se enquadra no perfil de um criminoso potencialmente perigoso. Ela está agitada, irrequieta, irritável, confrontadora, volátil. Ele acha que ela está escondendo algo.

Trata-se de um pensamento perigosamente falho na melhor das hipóteses. Os seres humanos não são transparentes. Mas quando esse tipo de pensamento é mais perigoso? Quando as pessoas que observamos são incoerentes: quando não se comportam do jeito que esperamos. Amanda Knox era incoerente. Na cena do crime, ela calçou suas sapatilhas de proteção, girou os quadris e disse: *"Tchã-rã!"* Bernard Madoff era incoerente. Um sociopata disfarçado de pessoa íntegra.

E Sandra Bland? Ela também é *incoerente*. Aos olhos de Encinia, parece uma criminosa. Mas não é. Só está contrariada. Após sua morte, revelou-se que ela tivera 10 encontros anteriores com a polícia no decorrer de sua vida adulta, incluindo cinco abordagens de trânsito, deixando-a com quase 8 mil dólares em multas. Ela havia tentado se suicidar no ano anterior, depois de perder um bebê. Tinha várias marcas de cortes em um de seus braços. Em um de seus vídeos semanais "Sandy Speaks", poucos meses antes de partir para o Texas, Bland mencionou seus problemas:

Peço desculpas. Sinto muito, meus Reis e Rainhas. Foram duas longas semanas. Eu desapareci em combate. Mas tenho que ser honesta com vocês, gente. Estou sofrendo de algo com que alguns de vocês podem estar lidando neste momento. [...] Um pouco de depressão e também transtorno do estresse pós-traumático. Estive realmente mal nestas últimas semanas [...]

Então aqui temos uma pessoa atribulada com um histórico de problemas médicos e psiquiátricos, tentando recuperar o controle da própria vida. Ela se mudou para uma cidade nova. Está começando em um emprego novo. E justo quando ela chega para iniciar esse novo capítulo em sua jornada, é parada por um policial – repetindo um cenário que a deixara profundamente endividada. E por quê? Por não sinalizar uma mudança de pista quando um carro da polícia vinha dirigindo apressado atrás dela. De repente, seu frágil recomeço é posto em dúvida. Nos três dias que passou na prisão antes de se matar, Sandra Bland estava perturbada, chorando constantemente, fazendo uma ligação telefônica após a outra. Estava em crise.

Mas Encinia, com toda a falsa confiança que a crença na transparência nos fornece, interpreta sua emotividade e volatilidade como sinal de algo sinistro.

Renfro indaga sobre o momento crucial – quando Encinia pede que Bland apague seu cigarro. Por que não disse simplesmente: "Olha, as cinzas do seu cigarro estão caindo em mim"?

Encinia: Eu queria ter certeza de que ela ia apagá-lo sem jogá-lo em mim.

Renfro então pergunta por que, se aquele era o caso, ele não informou imediatamente o motivo da sua prisão.

Encinia: Porque eu estava tentando me defender e controlá-la.

Ele está morrendo de medo dela. E estar com medo de uma estranha perfeitamente inocente segurando um cigarro é o preço que você paga por não ter a verdade como pressuposto. Por isso Harry Markopolos entrincheirou-se em sua casa, armado até os dentes, aguardando que a SEC irrompesse porta adentro.

Renfro: Eu não lhe perguntei isso antes, mas vou perguntar agora. Quando ela lhe diz "Vamos fazer isso", você responde "Sim, vamos". O que você estava querendo dizer?

Encinia: Pude ver por suas ações de se inclinar e mostrar o punho para mim... mesmo eu sendo um policial rodoviário, se eu vejo alguém de punhos cerrados, penso que vai haver confronto ou um dano potencial para mim ou para a outra parte.

Renfro: Houve uma razão para você achar?

Encinia: Sim, senhor.

Renfro: Qual?

Encinia: Ela já havia tentado me golpear. Nada a impedia de potencialmente tentar me golpear de novo, potencialmente me incapacitando.

Outro investigador entra em cena.

Louis Sanchez: Você estava assustado?

Encinia: Minha segurança esteve em risco mais de uma vez.

E depois:

Sanchez: Não quero pôr palavras na sua boca, então, depois que isso ocorreu, por quanto tempo sua frequência cardíaca esteve acelerada e sua adrenalina nas alturas? Quando você se acalmou após aquilo?

Encinia: Provavelmente ao voltar de carro para casa, várias horas depois.

Foi comum, na análise retrospectiva do caso Bland, pintar Encinia como um policial sem empatia. Mas essa caracterização não é correta. Alguém sem empatia é indiferente aos sentimentos dos outros. Encinia não é indiferente aos sentimentos de Bland. Ao se aproximar do carro dela, uma das primeiras coisas que lhe diz é "O que há de errado?". Ao retornar ao carro dela após checar a carteira de motorista, ele pergunta de novo: "Está tudo bem?" Ele logo percebe o desconforto emocional dela. Só que interpreta de forma completamente errada o significado dos sentimentos dela. Ele se convence de que está resvalando para um confronto assustador com uma mulher perigosa.

E o que a cartilha da patrulha instrui que o policial faça sob tais circunstâncias? "Muitos policiais hoje em dia parecem temerosos de impor o controle, relutantes em informar a alguém o que fazer. Permite-se que as pessoas se movimentem à vontade, fiquem paradas onde quiserem, e aí os policiais tentam se adaptar ao que o suspeito faz." Encinia não vai deixar isso acontecer.

Encinia: Bem, você pode sair do carro agora [...] Saia ou vou tirar você. Estou dando uma ordem legal.

O objetivo de Brian Encinia era ir além da multa. Ele tinha atiçadores da curiosidade altamente sintonizados. Sabia tudo sobre a revista visual e o interrogatório disfarçado. E quando pareceu que a situação poderia fugir ao seu controle, ele interveio com firmeza. Se algo deu errado naquele dia na estrada com Sandra Bland, não foi porque Brian Encinia não fez o que foi treinado a fazer. Pelo contrário. Foi por fazer exatamente o que foi treinado a fazer.

4.

Em 9 de agosto de 2014, um ano antes de Sandra Bland morrer em sua cela em Prairie View, no Texas, um homem afro-americano de 18 anos chamado Michael Brown foi morto a tiros por um policial branco em Ferguson, no Missouri. Brown era suspeito de roubo a uma mercearia próxima. Quando Darren Wilson – o policial – o confrontou, os dois homens lutaram. Brown meteu a mão pela janela do motorista da viatura de Wilson e o esmurrou. Wilson acabou atirando seis vezes nele. Dezessete dias de protestos se seguiram. A promotoria recusou-se a processar o policial Wilson.

Ferguson foi o caso que iniciou o estranho período na vida americana em que a conduta dos policiais subitamente foi colocada no centro das discussões. E devia ter servido de advertência. O Departamento de Justiça dos Estados Unidos quase imediatamente enviou uma equipe de investigadores a Ferguson – e seu relatório, publicado seis meses depois, é um documento extraordinário. Um dos líderes da equipe do Departamento de Justiça, um advogado chamado Chiraag Bains, diz que o que o impressionou foi que a raiva em Ferguson não era pela morte de Brown, nem mesmo em grande parte por causa de Brown. Era, em vez disso, por um estilo de policiamento específico que vinha sendo praticado na cidade havia anos. O Departamento de Polícia de Ferguson era o padrão-ouro do policiamento no estilo Kansas City. Um lugar onde toda a filosofia do combate ao crime era parar o máximo de pessoas possível pelo máximo de motivos possível.

Bains recorda:

> Era bem perturbador. Um policial disse: "Tudo gira em torno dos tribunais." Outro disse: "Sim, a cada mês eles apresentam... nossos supervisores afixam nas paredes listas com os nomes dos policiais e quantas multas aplicaram naquele mês." Nós entendíamos que a produtividade era a meta.

Ferguson tinha todo um departamento de polícia repleto de Brians Encinia. Bains prossegue:

> Eles sabiam que seu papel era aplicar multas e prender pessoas que não haviam pagado suas multas e taxas, e que era por aquilo que seriam avaliados.

Bains disse que um incidente em particular o chocou. Envolveu um negro que estava jogando basquete numa quadra. Depois, estava sentado no seu carro descansando quando uma viatura da polícia parou atrás dele. O policial se aproximou da janela do motorista e pediu sua identidade, acusando o motorista de ser um pedófilo.

> Acho que [o policial] disse algo como: "Tem crianças aqui e você está no parque. O que você é, um pedófilo?" [...] O policial então ordena que ele saia do carro, e o sujeito diz: "Bem, não estou fazendo nada. Quer dizer, tenho direitos constitucionais. Estou apenas aqui sentado, apenas jogando bola."
>
> O policial então aponta sua arma para o sujeito, ameaçando-o e insistindo que saia do carro. Por fim, o policial o multa por oito infrações diferentes, inclusive não usar cinto de segurança, estar sentado em seu carro no parque, estar sem carteira de motorista e também ter tido sua carteira suspensa.

O homem chegou a receber uma multa por "fazer uma declaração falsa" porque informou seu nome como "Mike" quando na verdade era Michael.

> Ele acaba sendo acusado de oito infrações do Código Municipal de Ferguson e tenta se defender. É preso naquela ocasião. E termina perdendo o emprego de empreiteiro para o governo federal. Aquela prisão realmente o arruinou.

A prisão de Mike é uma cópia da de Sandra Bland, não é? Um policial aborda um civil por um pretexto insignificante, buscando uma agulha num palheiro – e o resultado disso é que tantas pessoas inocentes são pegas na onda de suspeitas, que a confiança entre polícia e comunidade é destruída. Foi contra isso que as pessoas nas ruas de Ferguson protestaram: anos e anos de policiais confundindo um jogador de basquete com um pedófilo.*

Esse tipo de coisa só ocorre em Ferguson, Missouri ou Prairie View, Texas? Claro que não. Pense no aumento substancial das abordagens a motoristas pela Patrulha Rodoviária do Estado da Carolina do Norte. Em sete anos, subiram de 400 mil para 800 mil. Ora, isso aconteceu porque naquele período os motoristas da Carolina do Norte subitamente começaram a avançar mais sinais, beber mais e ultrapassar o limite de velocidade com mais frequência? Claro que não. Foi porque a polícia do estado mudou de tática. Começou a fazer mais buscas de uma agulha no palheiro. Instruiu seus profissionais a não levarem em consideração sua inclinação natural ao pressuposto da verdade – e começarem a imaginar o pior: que mulheres jovens vindo de entrevistas de emprego poderiam estar armadas e ser perigosas, ou que homens jovens descansando após uma partida de basquete de rua poderiam ser pedófilos.

Quantas armas e drogas a mais a Patrulha Rodoviária da Carolina do Norte encontrou com aquelas 400 mil revistas? Dezessete. Será que vale a pena alienar e estigmatizar 399.983 Mikes e Sandras a fim de achar 17 maçãs podres?

Quando Larry Sherman concebeu o experimento das armas em Kansas City, estava bastante consciente desse problema. "Você não mandaria os médicos saírem por aí e começarem a retalhar as pessoas para ver se têm

---

* Existem fortes indícios de que afro-americanos são bem mais sujeitos a abordagens policiais de trânsito do que os brancos, o que significa que a afronta particular do falso positivo não está igualmente distribuída entre todos os cidadãos. Está concentrada naqueles cidadãos que já sofrem outras afrontas.

problema de vesícula", disse Sherman. "Você precisa fazer muitos diagnósticos antes de aplicar qualquer tipo de procedimento perigoso. E parar e revistar é um procedimento perigoso. Pode gerar hostilidade em relação à polícia." Para Sherman, o juramento hipocrático da medicina – "em primeiro lugar, não causar dano" – aplica-se igualmente ao combate ao crime. "Acabei de comprar um busto de Hipócrates para tentar enfatizar diariamente, ao olhar para ele, que precisamos minimizar o dano do policiamento", prosseguiu ele. "Temos que reconhecer que tudo que a polícia faz, de certo modo, interfere na liberdade de alguém. Então não se trata apenas de pôr a polícia nos pontos críticos. Trata-se também de ter um nível ideal da mínima interferência necessária sobre a liberdade, e nem um centímetro – nem um milímetro – a mais."

Foi por isso que os policiais envolvidos no experimento de Sherman em Kansas City passaram por um treinamento especial. "Sabíamos que o policiamento proativo era um risco para a legitimidade da polícia, e eu enfatizei isso repetidamente", afirmou Sherman.* Ainda mais crucial, foi por isso que o experimento das armas em Kansas City limitou-se ao Distrito 144. *Era lá que estava a criminalidade.* "Fizemos o esforço de tentar reconstituir onde estavam os focos do crime", disse Sherman. Na pior área da cidade, ele então deu um passo adiante, aplicando a mesma análise detalhada usada por ele e Weisburd em Minneapolis para localizarem os segmentos de rua específicos onde os crimes estavam mais concentrados. Os policiais foram então orientados a concentrarem suas energias naqueles locais. Sherman jamais buscaria agressivamente armas em zonas que não fossem de guerra.

No Distrito 144, o "problema de Mike e Sandra" não desapareceu. Mas o propósito de confinar o experimento das armas em Kansas City às piores partes das piores áreas foi tornar o palheiro um pouco menor, fazendo o inevitável dilema entre combater o crime e molestar pessoas inocentes ser um pouco mais administrável. Em uma comunidade normal, a polícia se mostrar tão agressiva como queria Sherman acabaria causando problemas. Por outro

---

* Em projetos posteriores com a Scotland Yard em Londres, quando a polícia estava tentando impedir uma onda de mortes a facada entre adolescentes, Sherman insistiu que os patrulheiros deixassem seus cartões com todos com quem conversassem.

"Às vezes eles faziam 500 abordagens por noite", disse Sherman, "e estavam entregando um comprovante a todos que eles paravam, que essencialmente dizia: 'Este é meu nome, este é o número do meu distintivo. Se você tiver quaisquer queixas ou dúvidas sobre qualquer coisa que eu tenha feito, pode seguir em frente com este comprovante.'"

lado, para pessoas sofrendo nos 3% ou 4% das ruas onde o crime é endêmico – onde pode haver até 100 ou mesmo 200 ligações para a polícia em um ano –, a teoria do acoplamento sugeria que o cômputo seria diferente.

"O que ocorre no policiamento dos pontos críticos? Você diz à polícia: 'Vá para as 10 ruas dentre as 100 daquela área, ou dentre as mil daquela área, e passe um tempo lá.' É onde as coisas estão acontecendo", contou Weisburd. "E se você fizer isso, tem boas chances de que os moradores digam: 'Sim, essa intromissão vale a pena porque não quero levar um tiro amanhã.'"

A primeira grande questão em relação a Brian Encinia é: ele fez a coisa certa? Mas a segunda questão é igualmente importante: ele estava no lugar certo?

5.

Prairie View, no Texas, onde Sandra Bland foi parada, às vezes é descrito como uma região "na periferia" de Houston, como se ficasse num subúrbio. Não é o caso. Houston fica a 80 quilômetros de distância. Prairie View está na zona rural.

A cidade é pequena: não mais do que alguns milhares de pessoas, ruas curtas ladeadas de casas modestas em estilo rancho. A universidade fica numa extremidade da rua principal, FM 1098, que então margeia o canto oeste do campus. Se você contorna a universidade pelo anel viário, existe uma pequena igreja episcopal à esquerda, o estádio de futebol americano da universidade à direita e depois muitos terrenos de pastagens, povoados por ocasionais cavalos ou vacas. O condado de Waller – onde se localiza Prairie View – é predominantemente republicano, branco, de classe média e classe operária.

Renfro: Ok, fale sobre aquela área. É uma área de alta criminalidade?
Encinia: Aquela parte da FM 1098 é uma área de alta criminalidade, alta incidência de drogas. É... com minha experiência naquela área, em situações semelhantes, eu... com o que eu vi, deparei com drogas, armas e desobediência.

Encinia então conta para Renfro que executou várias prisões por "mandados, drogas e numerosas armas, quase [todas] dentro daquela vizinhança".

O registro oficial de Encinia, porém, não mostra nada disso. Entre 1º de outubro de 2014 e o incidente com Sandra Bland em 10 de julho do ano seguinte, ele parou 27 motoristas naquele trecho de 1,6 quilômetro da rodovia. Seis foram multas por excesso de velocidade. Aquelas foram paradas compulsórias: podemos presumir que qualquer policial razoavelmente vigilante, mesmo na era pré-Kansas City, teria feito o mesmo. Mas quase todo o resto é apenas Encinia em suas investigações. Em março de 2015, ele intimou um negro por "cruzar as faixas de rolamento". Cinco vezes ele parou alguém por violar "FMVSS 571.108", a seção dos regulamentos federais de segurança de veículos envolvendo setas, iluminação da placa e luzes de freio. As piores coisas na lista são dois casos de embriaguez ao volante, mas lembremos que se trata de uma estrada que margeia um campus universitário.

É isso. A FM 1098 não é "uma área de alta criminalidade e alta incidência de drogas". Você teria que se afastar uns 5 quilômetros até Laurie Lane – um trecho de 800 metros ocupados por trailers – para achar algo na vizinhança que se assemelhe, ainda que remotamente, a um ponto crítico.

"Por que estão parando pessoas em locais onde não há crimes?", indaga Weisburd. "Isso não faz sentido para mim."

Sherman fica igualmente horrorizado. "Àquela hora do dia naquele local, parar [Sandra Bland] por mudar de faixa sem sinalizar não se justifica", diz ele. Mesmo durante o início do experimento das armas em Kansas City – numa zona umas 100 vezes pior do que Prairie View –, Sherman disse que os policiais especiais faziam suas abordagens a veículos somente à noite, único período em que a taxa de criminalidade era alta o suficiente para justificar um policiamento agressivo. Sandra Bland foi parada no meio da tarde.

Brian Encinia pode ter deliberadamente exagerado os perigos daquele trecho da estrada para justificar seu tratamento a Sandra Bland. Parece igualmente provável, porém, que simplesmente nunca lhe ocorreu *pensar* no crime como algo ligado de forma tão estreita ao lugar. Teóricos literários, engenheiros de pontes e chefes de polícia têm dificuldades com o acoplamento. Por que com patrulheiros seria diferente?

Então foi assim que Brian Encinia foi parar num lugar onde nunca deveria ter estado, parando alguém que nunca deveria ter sido parado, chegando a conclusões a que nunca deveria ter chegado. A morte de Sandra Bland é o que acontece quando uma sociedade não sabe como falar com estranhos.

6.

Este é um livro sobre um enigma. Não temos escolha a não ser falar com estranhos, especialmente em nosso mundo moderno sem fronteiras. Não estamos mais vivendo em aldeias. Policiais precisam abordar pessoas que não conhecem. Agentes secretos precisam lidar com dissimulação e incerteza. Jovens querem ir a festas justamente para conhecer estranhos: faz parte da sensação da descoberta romântica. No entanto, nessa tarefa tão necessária, somos ineptos. Achamos que podemos transformar o estranho no familiar e conhecido, sem custo nem sacrifício, só que não podemos. O que deveríamos fazer?

Poderíamos começar não nos penalizando uns aos outros por pressupormos a verdade. Se você é um pai ou uma mãe cujo filho foi abusado por um estranho – ainda que você estivesse no aposento –, isso não faz de você um péssimo pai ou uma péssima mãe. E se você é um reitor de universidade e não pressupõe o pior cenário possível ao receber uma denúncia nebulosa sobre um de seus funcionários, não significa que você é um criminoso. Pressupor o melhor em relação aos outros é o atributo que criou a sociedade moderna. Aquelas ocasiões em que nossa natureza confiante é violada são trágicas. Mas a alternativa– abandonar a confiança em defesa contra a predação e a dissimulação – é ainda pior.

Deveríamos também aceitar os limites de nossa capacidade de decifrar os estranhos. No interrogatório de KSM havia dois lados. James Mitchell e seu colega Bruce Jessen eram movidos pelo desejo de fazer KSM falar. Por outro lado, Charles Morgan estava preocupado com o custo de forçar as pessoas a falarem: e se na ação de coagir um prisioneiro a se abrir você danificasse suas lembranças e tornasse menos confiável o que ele tinha a dizer? As expectativas mais modestas de Morgan são um bom modelo para todos nós. Não existe mecanismo perfeito para a CIA descobrir espiões em seu meio, para investidores detectarem conspiradores e fraudes ou para qualquer um de nós penetrar com clarividência na mente daqueles que não conhecemos. Precisamos de comedimento e humildade. Podemos instalar barreiras em pontes para dificultar que aquele impulso momentâneo torne-se permanente. Podemos instruir os jovens de que o tipo de bebedeira que ocorre nas festas de fraternidade torna quase impossível a tarefa de interpretar os outros. Existem pistas para entender um estranho. Mas atentar para elas requer cuidado e atenção.

Eu disse no início deste livro que não estava disposto a pôr de lado a morte de Sandra Bland. Assisti ao vídeo de seu encontro com Brian Encinia incontáveis vezes – e a cada vez fico mais zangado com a forma como o caso foi "resolvido". Foi transformado em algo bem menor do que realmente se tratava: em um caso de um mau policial e uma jovem negra ressentida. Não foi isso. O que deu errado naquele dia na FM 1098 em Prairie View foi uma falha coletiva.

Alguém escreveu um manual de treinamento que estupidamente encorajou Brian Encinia a suspeitar de todo mundo, e ele levou aquilo a sério. Alguém mais acima na cadeia de comando da Patrulha Rodoviária do Texas interpretou mal os sinais e julgou uma boa ideia fazer com que ele e seus colegas fizessem abordagens a veículos no estilo Kansas City em uma área de baixa criminalidade. Todos no mundo dele agiram de acordo com a premissa de que motoristas percorrendo as estradas daquele canto do Texas poderiam ser identificados e categorizados com base em tom de voz, movimentos nervosos e embalagens de fast-food. E por trás de cada uma dessas ideias estão pressupostos que muitos de nós compartilhamos – e que poucos de nós se dão ao trabalho de repensar.

> **Renfro:** Se Bland fosse uma mulher branca, a mesma coisa teria ocorrido?

É o fim do depoimento. Encinia e seu interrogador ainda estão inutilmente tentando descobrir o que aconteceu naquele dia.

> **Encinia:** A cor não importa. [...] Paramos veículos e pessoas por infrações da lei, não baseados em qualquer tipo de raça ou gênero. Paramos por transgressões.

"Paramos por transgressões" pode ser a coisa mais honesta dita em todo o episódio. Mas em vez de fazer a pergunta subsequente óbvia – "*Por que paramos por transgressões?*" – , Renfro continua errando.

> **Renfro:** O que você acha que alguém que está irritada vai fazer depois que você pergunta se ela está bem? E então ela lhe dá aquele tipo de resposta, e você responde de volta com "Você terminou?". Quer dizer, como isso contribui para construir um relacionamento?

Renfro é firme mas compreensivo, como um pai repreendendo uma criança pequena por ser rude com os convidados do jantar. Os dois concordaram em enquadrar a trágica morte de Sandra Bland como um encontro cara a cara que deu errado e agora estão no estágio em que Renfro está criticando os modos de Encinia à mesa.

> **Encinia:** Em nenhum momento tentei ser descortês ou minimizar a importância de qualquer uma das respostas dela. Eu estava simplesmente perguntando se ela tinha terminado, para ter certeza de que ela havia botado para fora o que precisava e assim eu pudesse ir em frente completando a abordagem de trânsito e/ou identificando o que possivelmente poderia ou não existir na área.
> **Renfro:** É justo dizer que ela pode ter interpretado aquilo como sarcasmo?
> **Encinia:** É possível, sim, senhor. Mas não foi minha intenção.

Ah, então o erro foi *dela*, não foi? Aparentemente, Bland interpretou mal a entonação dele. Se você está cego para as ideias subjacentes aos nossos erros com os estranhos – e às instituições e práticas que construímos em torno dessas ideias –, tudo que lhe resta é o aspecto individual: o crédulo Alpinista, o negligente Graham Spanier, a sinistra Amanda Knox, a condenada Sylvia Plath. E agora Sandra Bland, que, ao final da longa análise retrospectiva daquela abordagem de trânsito fatídica na FM 1098, de algum modo torna-se a vilã da história.

> **Renfro:** Você chegou a refletir sobre seu treinamento naquele ponto e pensar que poderia ter parado uma pessoa que simplesmente não gostava de policiais? Isso chegou a lhe ocorrer?
> **Encinia:** Sim, senhor. [...] É uma possibilidade, que ela não gostava de policiais.

Por não sabermos como falar com estranhos, o que fazemos quando as coisas dão errado? Culpamos o estranho.

Agradecimentos

Falando com estranhos, como todos os livros, foi um esforço coletivo, e sou grato por meus colegas de equipe estarem entre os melhores. Foi um prazer trabalhar com o pessoal da Little, Brown: minha brilhante editora, Asya Muchnick, meu defensor Reagan Arthur e todos os que apoiaram este livro desde o princípio, como Elizabeth Garriga, Pamela Marshall, Allan Fallow e vários outros na melhor editora dos Estados Unidos. Helen Conford, da Penguin UK, disse: "Um montão de controvérsias! Adoro!"

Agradecimentos especiais a Eloise Lynton, minha incansável verificadora de fatos; Camille Baptista, que respondeu a um milhão de perguntas minhas; e minha agente, Tina Bennett, sem a qual eu estaria escrevendo à mão num pergaminho em algum sótão sem calefação.

Inúmeros amigos dedicaram tempo a ler os originais e dar seus conselhos: Adam Alter, Ann Banchoff, Tali Farhadian, Henry Finder, Mala Gaonkar, Emily Hunt, todos os Lyntons, Brit Marling, Kate Moore, Wesley Neff, Kate Taylor, Lily e Jacob Weisberg, e Dave Wirtshafter.

Espero não ter esquecido ninguém.

Agradecimentos especiais como sempre à minha mãe, que me ensinou a escrever com clareza e simplicidade. Infelizmente, meu pai faleceu antes que eu conseguisse terminar. Ele o teria lido cuidadosamente, refletido a respeito e depois dito algo ponderado ou engraçado. Ou possivelmente ambos. É um livro menor sem sua contribuição.

Notas

Falando com estranhos foi escrito no decorrer de três anos. Durante minha pesquisa, realizei inúmeras entrevistas e li centenas de livros e artigos. Salvo indicação contrária, as citações no texto são de entrevistas que eu mesmo conduzi.

O que se segue não pretende ser um relato definitivo de tudo que influenciou meu pensamento. É simplesmente uma lista do que considero as mais importantes dessas fontes. É quase certo que deixei coisas de fora. Se você achar algo que se enquadre nessa categoria ou casos onde estou claramente errado, por favor escreva um e-mail para lbpublicity.generic@hbgusa.com, e terei a satisfação de corrigir o registro.

INTRODUÇÃO
"SAIA DO CARRO!"

O caso de Sandra Bland foi tema de um documentário da HBO de 2018, *Say Her Name: The Life and Death of Sandra Bland*, dirigido e produzido por Kate Davis e David Heilbroner. A obra foi criada com a total cooperação da família de Bland e consegue descrever bem sua vida e captar seu espírito. No entanto, descamba para a especulação – comum em vários cantos da internet – de que havia algo suspeito sobre a morte de Bland. Eu não acho essas suspeitas persuasivas, e o documentário não apresenta nenhuma evidência real para sustentá-las. A aflição de Sandra Bland é, como você acabou de ler, mais complicada – e, tragicamente, mais sistêmica – do que isso.

"Estou acordada hoje simplesmente louvando a Deus...": "Sandy Speaks on her birthday! February 7th, 2015", YouTube, 7 de fevereiro de

2015, acessado em 10 de janeiro de 2019, https://www.youtube.com/watch?v=KfrZM2Qjvtc.

foi vista milhões de vezes: Ver vídeo do Departmento de Segurança Pública do Texas (963K acessos), vídeo do *The Wall Street Journal* (42K acessos), segundo vídeo do *The Wall Street Journal* (37K acessos), mais sites sem contagem de acesso aos vídeos como nytimes.com e nbc.com.

Trecho até **"porque não dei seta?"**: "*Sandra Bland Traffic Stop*", Departamento de Segurança Pública do Texas, YouTube, 2015, https://www.youtube.com/watch?v=CaW09Ymr2BA.

Michael Brown foi morto a tiros: Rachel Clarke e Christopher Lett, "What happened when Michael Brown met Officer Darren Wilson", CNN, 11 de novembro de 2014, https://www.cnn.com/interactive/2014/08/us/ferguson-brown-timeline/.

Em Baltimore, um jovem negro chamado Freddie Gray […] Scott foi morto em 4 de abril de 2015: Peter Herman e John Woodrow Cox, "A Freddie Gray primer: Who was he, how did he die, why is there so much anger?", *The Washington Post*, 28 de abril de 2015, https://www.washingtonpost.com/news/local/wp/2015/04/28/a-freddie-gray--primer-who-was-he-how-did-he-why-is-there-so-much-anger. Para Philando Castile, ver Mark Berman, "Minnesota officer charged with manslaughter for shooting Philando Castile during incident streamed on Facebook", *The Washington Post*, 16 de novembro de 2016, https://www.washingtonpost.com/news/post-nation/wp/2016/11/16/prosecutors-to-announce-update-on-investigation-into-shooting-of-philando-castile/?utm_term=.1e7914da2c3b. Para Eric Garner, ver Deborah Bloom e Jareen Imam, "New York man dies after chokehold by police", CNN, 8 de dezembro de 2014, https://www.cnn.com/2014/07/20/justice/ny-chokehold-death/index.html. Para Walter Scott, ver Michael Miller, Lindsey Bever e Sarah Kaplan, "How a cellphone video led to murder charges against a cop in North Charleston, S.C.," *The Washington Post*, 8 de abril de 2015, https://www.washingtonpost.com/news/morning-

-mix/wp/2015/04/08/how-a-cell-phone-video-led-to-murder-charges-
-against-a-cop-in-north-charleston-s-c/?utm_term=.476f73934c34.

"Bom dia [...] e ainda assim ser morto": "SandySpeaks – 8 de abril de 2015 (Black Lives Matter)", YouTube, 8 de abril de 2015, https://www.youtube.com/watch?v=CIKeZgC8lQ4.

Confronto entre Cortés e Montezuma: William Prescott, *History of the Conquest of Mexico* (Nova York: Modern Library, 1980).

"Quando vimos tantas cidades": Bernal Diaz del Castillo, *The Discovery and Conquest of Mexico* (Londres: George Routledge & Sons, 1928), p. 270, https://archive.org/details/in.ernet.dli.2015.152204/page/n295.

Descrição do primeiro encontro até **"Sim, sou ele"**: Hugh Thomas, *Conquest: Cortés, Montezuma, and the Fall of Old Mexico* (Nova York: Simon & Schuster, 1995), p. 279.

"inúmeros aposentos [...] e túnicas de peles brancas admiráveis": Thomas, *Conquest*, p. 280.

A ideia de que Montezuma considerou Cortés um deus (rodapé): Camilla Townsend, "Burying the White Gods: New Perspectives on the Conquest of Mexico", *American Historical Review* 108, nº 3 (2003), pp. 659–687.

"A impossibilidade de traduzir adequadamente [...] rendição dos espanhóis": Matthew Restall, *When Montezuma Met Cortés: The True Story of the Meeting That Changed History* (Nova York: Harper Collins: 2018), p. 345.

Se estiver interessado na **história de Cortés-Montezuma,** recomendo fortemente as duas últimas destas fontes. O livro de Restall é maravilhoso. E Townsend é aquela rara historiadora capaz de escrever história erudita em revistas acadêmicas de um jeito acessível para todos nós.

CAPÍTULO UM

A VINGANÇA DE FIDEL CASTRO

"Sou um oficial do Serviço Secreto Cubano. Sou *comandante* da inteligência": Este relato é extraído de Brian Latell, *Castro's Secrets: Cuban Intelligence, the CIA, and the Assassination of John F. Kennedy* (York: Palgrave Macmillan, 2013), p. 26.

um dos ex-chefes da unidade de Havana: Herald Staff, "Spy work celebrated at museum in Havana", *Miami Herald*, 16 de julho de 2001, http://www.latinamericanstudies.org/espionage/spy-museum.htm.

até ter listado dezenas de nomes: Benjamin B. Fischer, "Doubles Troubles: The CIA and Double Agents during the Cold War", *International Journal of Intelligence and Counterintelligence* 21, nº 1 (2016), pp. 48-74.

Havia explicações detalhadas de quais bancos de parque: I. C. Smith, *Inside: A Top G-Man Exposes Spies, Lies, and Bureaucratic Bungling Inside the FBI* (Nashville: Nelson Current, 2004), pp. 95-96.

um agente da CIA metendo dinheiro: Herald Staff, "Spy work celebrated at museum in Miami", *Miami Herald*, 16 de julho de 2001.

"estávamos na posição invejável [...] aos americanos": Aqui Fischer cita Markus Wolf com Anne McElvoy, *Man Without a Face: The Autobiography of Communism's Greatest Spymaster* (York: Times Books/Random House, 1997), p. 285. [Edição brasileira: *O homem sem rosto: a autobiografia do maior mestre de espionagem do comunismo*. Rio de Janeiro: Record, 1997.]

CAPÍTULO DOIS

CONHECENDO O FÜHRER

O relato do encontro entre Chamberlain e Hitler é extraído de várias fontes, mas principalmente do excelente livro *Munich, 1938: Appeasement and*

World War II, de David Faber (Nova York: Simon & Schuster, 2008), pp. 272-296; "tão anticonvencional... atônito", p. 229; que 70% do país achava a viagem algo "ótimo para a paz" e o brinde à saúde de Chamberlain, pp. 284-285; discurso de Chamberlain no Aeroporto de Heston e a reação a ele, p. 296; "quaisquer sinais de insanidade... além de certo ponto", p. 302; "uma reunião social e uma algazarra", p. 300; "um misto de espanto, repugnância e compaixão", p. 40. Faber está citando o relato do evento do diplomata britânico Ivone Kirkpatrick em suas memórias *The Inner Circle* (Londres: Macmillan & Company, 1959), p. 97; e "limite da insanidade", p. 257.

As pessoas que se enganaram sobre Hitler foram aquelas que conversaram com ele durante horas. Acho que isso faz certo sentido: você precisa ser exposto a uma fraude antes de se deixar seduzir por ela. Por outro lado, os enganados por Hitler eram todos homens inteligentes, experientes nos assuntos internacionais, chegando ao encontro cheios de suspeita. Por que nenhuma informação extra que puderam coletar de um encontro cara a cara com Hitler levou a uma melhoria na precisão de suas opiniões sobre ele? Ver também Faber, *Munich, 1938*, pp. 285, 302, 351; terceira e última visita de Chamberlain à Alemanha, p. 414; "o Sr. Hitler estava dizendo a verdade", p. 302; "Esta manhã... junto com o meu", p. 4; "durmam tranquilos em suas camas", pp. 6-7.

Para a admiração de King por Hitler (rodapé), ver *W. L. Mackenzie King's Diary*, 29 de junho de 1937, National Archives of Canada, MG26 J Series 13, https://www.junobeach.org/canada-in-wwii/articles/aggression-and-impunity/w-l-mackenzie-kings-diary-june-29-1937/.

"Quando estava de bom humor [...] comicidade maravilhosa": Diana Mosley, *A Life of Contrasts: The Autobiography of Diana Mosley* (Londres: Gibson Square, 2002), p. 124.

"No meio da escada [...] pelo pintor de paredes que ele era": Neville Chamberlain para Ida Chamberlain, 19 de setembro de 1938, em Robert Self, org., *The Neville Chamberlain Diary Letters: Volume Four: The Downing Street Years, 1934-1940* (Aldershot, Reino Unido: Ashgate, 2005),

p. 346; "Em suma... dada sua palavra", p. 348; "A aparência e os modos de Hitler... demonstrações especialmente amigáveis" e "Hitler várias vezes... eu levara comigo", Neville Chamberlain para Hilda Chamberlain, 2 de outubro de 1938, p. 350.

Um bom relato da visita de Halifax a Berlim está aqui: Lois G. Schwoerer, "Lord Halifax's Visit to Germany: November 1937", *The Historian* 32, nº 3 (maio de 1970), pp. 353–375.

Hitler tinha até um apelido para Henderson: Peter Neville, *Hitler and Appeasement: The British Attempt to Prevent the Second World War* (Londres e Nova York: Hambledon Continuum, 2006), p. 150.

Hitler, ele acreditava, "odeia a guerra tanto quanto qualquer um": Abraham Ascher, *Was Hitler a Riddle? Western Democracies and National Socialism* (Stanford: Stanford University Press, 2012), p. 73.

Göring "adorava animais e crianças [...] ensinar escrúpulos aos jovens" (rodapé): Sir Nevile Henderson, *Failure of a Mission: Berlin 1937–39* (Nova York: G. P. Putnam and Sons, 1940), p. 82.

Anthony Eden [...] viu a verdade sobre ele: Ver D. R. Thorpe, *The Life and Times of Anthony Eden, First Earl of Avon, 1897–1997* (Nova York: Random House, 2003).

Para o estudo de Sendhil Mullainathan, ver Jon Kleinberg *et al.*, "Human Decisions and Machine Predictions", NBER Working Paper 23.180, fevereiro de 2017; esta é uma versão preliminar de Kleinberg *et al.*, "Human Decisions and Machine Predictions", *The Quarterly Journal of Economics* 133, nº 1 (fevereiro de 2018), pp. 237–293.

Pronin pediu que completassem as lacunas: Emily Pronin *et al.*, "You Don't Know Me, But I Know You: The Illusion of Asymmetric Insight", *Journal of Personality and Social Psychology* 81, nº 4 (2001), pp. 639–656, APA PsychNET.

Citei parte da conclusão de Pronin. Mas vale a pena examinar o parágrafo inteiro:

> A convicção de que conhecemos os outros melhor do que eles nos conhecem – e de que podemos ter percepções sobre eles que nem eles próprios têm (mas não vice-versa) – leva-nos a falar quando faríamos bem em ouvir e a sermos menos pacientes do que deveríamos quando os outros expressam a convicção de que são eles que estão sendo mal interpretados ou julgados injustamente. As mesmas convicções podem nos fazer relutar em pedir conselhos de outros que não conseguem conhecer nossos pensamentos, sentimentos, interpretações dos acontecimentos ou motivações privados, mas nos deixar dispostos a dar conselhos aos outros com base em nossas visões de seus comportamentos passados, sem atenção adequada aos seus pensamentos, sentimentos, interpretações e motivações. De fato, as tendências aqui documentadas podem criar uma barreira ao tipo de trocas de informações, e especialmente ao tipo de escuta atenta e respeitosa, que pode ajudar muito a atenuar os sentimentos de frustração e ressentimento que acompanham o conflito interpessoal e intergrupo.

Sábias palavras.

CAPÍTULO TRÊS
A RAINHA DE CUBA

"**Pátria ou morte, filhos da puta**": Transcrição do documentário *Shoot Down*, dirigido por Cristina Khuly (Palisades Pictures, 2007). Também é nesse documentário que se sabe que Juan Roque era a fonte dos cubanos dentro do Hermanos al Rescate.

O governo americano estava ciente da **raiva crescente dos cubanos em relação às missões dos Hermanos al Rescate** por algum tempo antes da derrubada dos aviões e havia alertado a organização, principalmente comunicando-se direto com seu líder, José Basulto. Ao longo do verão e do outono de 1995, o Departamento de Estado e a Administração Federal da Aviação (FAA, na sigla em inglês) fizeram declarações públicas e advertiram a organização de que nenhum plano de voo para Cuba era aceitável. A certa altura, a FAA tentou revogar a licença de piloto de Basulto. Mas as advertências do governo diminuíram no outono de 1996, porque as autoridades sentiram que mais alertas "tendiam mais a provocar Basulto do que a acalmá-lo". Naquele período, o governo Clinton e os Hermanos al Rescate estavam em conflito por causa da "política de pés molhados, pés secos" de Clinton de 1995, que forçava o repatriamento de balseiros cubanos.

O Departamento de Estado soube da ameaça de derrubada de aviões após o encontro com o contra-almirante Eugene Carroll no dia 23, mas o governo não contactou os Hermanos al Rescate. Em vez disso, o Departamento de Estado alertou a FAA na noite antes do ataque de que "não seria improvável que os [Hermanos al Rescate iriam] tentar um voo não autorizado no espaço aéreo cubano amanhã". Em resposta, a FAA providenciou que os centros de radares prestassem atenção especial nos voos sobre o estreito da Flórida. No entanto, quando monitores de radar detectaram os MiGs no dia 24, ainda nenhum aviso fora emitido para os pilotos. Apesar do fato de que aviões de caça F-15 estavam prontos para a ação, o sinal verde para protegerem os aviões nunca foi dado. O governo norte-americano mais tarde culpou problemas de comunicação por não ter protegido os pilotos do Hermanos al Rescate. Basulto, que sobreviveu ao incidente, sugeriu que o ataque resultou de uma conspiração entre líderes cubanos e o governo norte-americano. Esse relato foi extraído de Marifeli Pérez-Stable, *The United States and Cuba: Intimate Enemies* (Nova York: Routledge, 2011), p. 52.

Tratava-se de uma revelação embaraçosa: Scott Carmichael, *True Believer: Inside the Investigation and Capture of Ana Montes, Cuba's Master Spy* (Annapolis: Naval Institute Press, 2007), p. 5.

Entrevista da CNN com **Eugene Carroll**, "CNN Interview with Admiral Eugene Carroll—U.S. Navy Rear Admiral (Ret.)", CNN, 25 de fevereiro de 1996, Transcrição #47-22, http://www.hermanos.org/CNN%20Interview%20with%20Admiral%20Eugene%20Carroll.htm.

O apelido de Montes era "Rainha de Cuba"; a DIA encontrou códigos em sua bolsa e um rádio em seu armário; citações da análise retrospectiva "Seus controladores... trabalhar para Havana" são todas de Jim Popkin, "'Queen of Cuba' Ana Montes did much harm as a spy. Chances are you haven't heard of her", *The Washington Post*, 8 de abril de 2013.

Para uma lista completa dos **experimentos com dissimulação de Tim Levine,** ver "Deception and Deception Detection", https://timothy-levine.squarespace.com/deception, acessado em 7 de março de 2019.

Para **vídeo de "Philip"** e outros entrevistados, ver T. R. Levine, *NSF funded cheating tape interviews* (East Lansing: Michigan State University, 2007–2011).

Levine fez com que pessoas assistissem a **22 mentirosos e 22 honestos.** Os espectadores identificaram corretamente os mentirosos 56% das vezes. Ver Experimento 27 no Capítulo 13 de Timothy R. Levine, *Duped: Truth-Default Theory and the Social Science of Lying and Deception* (Tuscaloosa: University of Alabama Press, 2019). A média para versões semelhantes do mesmo experimento por outros psicólogos é 54%. C. F. Bond, Jr. e B. M. DePaulo, "Accuracy of deception judgments", *Review of Personality and Social Psychology* 10 (2006), pp. 214–234.

A resposta de Tim Levine chama-se "Teoria da Verdade como Pressuposto": Timothy Levine, "Truth-Default Theory (TDT): A Theory of Human Deception and Deception Detection", *Journal of Language and Social Psychology* 33, nº 4 (2014), pp. 378–392.

experimento da obediência de Stanley Milgram: Stanley Milgram, "Behavioral Study of Obedience", *Journal of Abnormal and Social Psychology* 64, nº 4 (1963), pp. 371–378.

O relato da **segunda lição do experimento de Milgram** foi em grande parte extraído da obra definitiva de Gina Perry, *Behind the Shock Machine: The Untold Story of the Notorious Milgram Psychology Experiments* (Nova York:

The New Press, 2013); "brando e submisso", pp. 55–56; "... pudesse ter matado aquele homem na cadeira", p. 80; "talvez tenha sido verdade", pp. 127–129.

estatística completa do experimento de Milgram: Stanley Milgram, *Obedience to Authority: An Experimental View* (Nova York: Harper Torchbooks, 1969), p. 172. [Edição brasileira: *Obediência à autoridade: uma visão experimental.* Rio de Janeiro: Francisco Alves, 1983.]

CAPÍTULO QUATRO

O LOUCO SANTO

A fonte das seguintes citações é U.S. Securities and Exchange Commission, Office of Investigations, "Investigation of Failure of the SEC to Uncover Bernard Madoff's Ponzi Scheme – Public Version", 31 de agosto de 2009, www.sec.gov/news/studies/2009/oig-509.pdf: "contou-nos confidencialmente" e "Acrescente-se os fatos de que seu cunhado", p. 146; "Nada disso parece fazer sentido", p. 149; "Cheguei à conclusão... nenhum indício que pudéssemos achar", p. 153; "Eu nunca... realmente fraudulento", p. 158; "Sollazzo não achou...'ridícula'" p. 211.

"Eu embrulhei para presente [...] suas prioridades": "Opening Statement of Harry Markopolos", Public Resource Org, YouTube, vídeo fornecido por cortesia de C-SPAN, 4 de fevereiro de 2009, https://www.youtube.com/watch?v=AF-gzN3ppbE&feature=youtu.be, acessado em 8 de março de 2019.

Informações biográficas sobre Markopolos: Harry Markopolos, *No One Would Listen: A True Financial Thriller* (Hoboken, N.J.: John Wiley & Sons, 2010), p. 11; relato da tentativa de se aproximar de Spitzer com o envelope pardo, pp. 109–111.

"um grande negócio para nós [...] fazer negócios" e **"Sermos enganados... uma compensação de fato"** são ambas do Capítulo 11 de Timothy R.

Levine, *Duped: Truth-Default Theory and the Social Science of Lying and Deception* (University of Alabama Press, 2019).

Angleton estava certo de que havia um informante soviético infiltrado na agência: O relato na nota de rodapé sobre a busca de Angleton por um informante na CIA são de Tom Mangold, *Cold Warrior: James Jesus Angleton – The CIA's Master Spy Hunter* (York: Simon & Schuster, 1991), pp. 263-264.

CAPÍTULO CINCO
ESTUDO DE CASO: O MENINO NO CHUVEIRO

A fonte do material a seguir é *Commonwealth of Pennsylvania vs. Graham Basil Spanier* vol. 1 (21 de março de 2017): transcrição de McQueary até "Acusação: Barriga colada nas costas? McQueary: Sim", pp. 105-108; depoimento do pai de McQueary, pp. 141-142; transcrição de McQueary até "seus olhos ficaram tristes", pp. 115-116; declaração final da acusação, pp. 86-87; questionamento de Dranov pelo conselho de defesa, pp. 155, 163-165; depoimento de Wendell Courtney, pp. 174-175, 189; citações de Tim Curley e John Raykovitz (rodapé), pp. 381, 203; depoimento de Gary Schultz, p. 442.

Sandusky entrevistado por Costas: "Sandusky addresses sex abuse allegations in 2011 interview", NBC News, 21 de junho de 2012, https://www.nbcnews.com/video/sandusky-addresses-sex-abuse-allegations-in-2011-interview-44570179907, acessado em 12 de março de 2019.

"Papai envolvia cada uma das crianças [...] jogos com 40 crianças": Malcolm Gladwell, "In Plain View", *The New Yorker*, 24 de setembro de 2012, https://www.newyorker.com/magazine/2012/09/24/in-plain-view.

"Eles acolheram tantas crianças [...] parte de sua persona": Joe Posnanski, *Paterno* (Nova York: Simon & Schuster, 2012), p. 251.

"**Aonde quer que eu fosse [...] foi parte de mim**": Jerry Sandusky, *Touched: The Jerry Sandusky Story* (Champaign: Sports Publishing Inc., 2000), pp. 33, 210.

"**Se Sandusky [...] canonizá-lo**": Jack McCallum, "Last Call: Jerry Sandusky, the Dean of Linebacker U, is leaving Penn State after 32 years to devote himself to a different kind of coaching", *Sports Illustrated*, 20 de dezembro de 1999, https://www.si.com/vault/1999/12/20/271564/last-call-jerry-sandusky-the-dean-of-linebacker-u-is-leaving-penn-state-after-32-years-to-devote-himself-to-a-different-kind-of-coaching.

"**Em mais de um corredor de hotel [...] sem conhecimento público**": Bill Lyon, "Penn State defensive coordinator Jerry Sandusky is the Pied Piper of his time", *Philadelphia Inquirer*, 27 de dezembro de 1999.

Isso não era incomum para Sandusky (rodapé): *Commonwealth v. Gerald A. Sandusky*, 11 de junho de 2012, p. 53; depoimento de Brett Swisher Houtz, 11 de junho de 2012, p. 70; depoimento de Dorothy Sandusky, 19 de junho de 2012, p. 257.

A mãe contou à psicóloga do filho [...] "o menino mais sortudo do mundo": De acordo com uma das muitas análises retrospectivas do caso, "O menino disse que não queria causar 'problemas' para Sandusky e que este não deve ter tido nenhuma intenção com suas ações. O menino não queria que ninguém falasse com Sandusky porque este poderia não convidá-lo mais para os jogos." Freeh Sporkin & Sullivan, LLP, *Report of the Special Investigative Counsel Regarding the Actions of the Pennsylvania State University Related to the Child Sexual Abuse Committed by Gerald A. Sandusky*, 12 de julho de 2012, https://assets.documentcloud.org/documents/396512/report-final-071212.pdf, p. 42; "não havia nada de sexual naquilo" e "Juro por Deus, nada aconteceu", pp. 43-46.

Informações biográficas de Aaron Fisher e **se sentia desconfortável com algumas atitudes de Sandusky**: Aaron Fisher, Michael Gillum e Dawn

Daniels, *Silent No More: Victim 1's Fight for Justice Against Jerry Sandusky* (York: Ballantine Books, 2012).

Fisher encontrou-se com seu terapeuta repetidas vezes: Mark Pendergrast, *The Most Hated Man in America: Jerry Sandusky and the Rush to Judgment* (Mechanicsburg: Sunbury Press, 2017), pp. 90, 52, 55; Fisher muda a história, p. 59; "Myers disse... ganhar dinheiro", citado da entrevista da Polícia Estadual da Pensilvânia com Allan Myers, setembro de 2011, p. 147; nota de rodapé sobre o relatório da acusação sobre Allan Myers é de Anthony Sassano, Supplemental Report on Allan Myers, 11 de abril de 2012, Penn State Police, citado na p. 168 do livro de Pendergrast. A passagem completa em *The Most Hated Man in America* é a seguinte:

> "Corricelli mencionou que o advogado Shubin o avisou que Myers havia lhe relatado incidentes de penetração oral, anal e digital por Sandusky", escreveu Sassano em seu relatório. "Shubin mostrou a Corricelli um documento de três páginas que supostamente seria a lembrança de Myers de seu contato sexual com Sandusky. Corricelli examinou o documento e mencionou para mim que suspeitava que o documento tivesse sido escrito por Anthony Shubin. Eu avisei que não queria uma cópia de um documento de que se suspeitava ter sido escrito pelo advogado Shubin." Sassano concluiu: "A esta altura, não prevejo novas investigações relacionadas a Allan Myers."

Para mais sobre a controvérsia em relação a lembranças traumáticas reprimidas (rodapé) ver, por exemplo, C. J. Brainerd e V. F. Reyna, *The Science of False Memory* (Oxford: Oxford University Press, 2005); E. F. Loftus e K. Ketcham, *The Myth of Repressed Memory: False Memories and Allegations of Sexual Abuse* (York: St Martin's Press, 1994); R. J. McNally, *Remembering Trauma* (Cambridge: Harvard University Press, 2003); R. Ofshe e E. Watters, *Making Monsters: False Memories, Psychotherapy, and Sexual Hysteria* (York: Scribner, 1994); D. L. Schacter, *Os sete pecados da memória: como a mente esquece e lembra* (Rio de Janeiro: Rocco, 2003).

"Estou entrando em contato com vocês [...] Jerry Sandusky e uma criança": Geoffrey Moulton, Jr., *Report to the Attorney General of the Investigation of Gerald A. Sandusky*, 30 de maio de 2014, Apêndice J, http://filesource.abacast.com/commonwealthofpa/mp4_podcast/2014_06_23_REPORT_to_AG_ON_THE_SANDUSKY_INVESTIGATION.pdf.

Sejamos claros. O caso Sandusky é *esquisito*. Desde a prisão e a condenação de Sandusky, um pequeno grupo de pessoas tem insistido que ele é inocente. O mais expansivo é o apresentador de talk-show John Ziegler, um jornalista de tendência conservadora. Ziegler está associado com três outros no site www.framingpaterno.com, dedicado a achar furos na acusação da promotoria contra Sandusky.

Como menciono na minha discussão do caso Sandusky, Ziegler é aquele que persuasivamente argumenta que houve um intervalo de pelo menos cinco semanas entre McQueary avistando Sandusky no chuveiro e sua denúncia do fato à direção da Penn State. Ver John Ziegler, "New Proof that December 29, 2000, Not February 9, 2001, was the Real Date of the 'McQueary Episode'", *The Framing of Joe Paterno* (blog), 9 de fevereiro de 2018, http://www.framingpaterno.com/new-proof-december-29-2000-not-february-9th-2001-was-real-date-mcqueary-episode. Ziegler acredita que esta é uma prova de que McQueary não viu o que julgou ver. Acho que indica – no contexto do pressuposto da verdade – que McQueary teve *dúvidas* sobre o que viu. Desnecessário dizer que existe uma grande diferença entre estas duas interpretações.

Ziegler descobriu uma série de outros fatos, que por razões de espaço e foco não incluí no capítulo. (O caso Sandusky é bem profundo e complicado.) De acordo com o relato de Ziegler, ao menos algumas das vítimas de Sandusky não são confiáveis. Parecem ter sido atraídas pelas altas indenizações em dinheiro que a Penn State vinha oferecendo e os críticos relativamente complacentes usados pela universidade para decidir quem seria pago.

No decorrer da preparação deste capítulo, eu me correspondi em diversas ocasiões com Ziegler e conversei com ele pelo telefone. Ele generosamente compartilhou vários documentos comigo, inclusive o memorando escrito pelo investigador particular Curtis Everhart. Não estou convencido da conclusão final de Ziegler – de que Sandusky é inocente.

Mas concordo com ele sobre o caso ser bem mais ambíguo e incomum do que indicam os relatos da imprensa convencional. Se você quiser se aprofundar no caso Sandusky, talvez queira começar por Ziegler.

Um segundo cético sobre o caso Sandusky (e talvez mais popular) é o escritor Mark Pendergrast, que publicou *The Most Hated Man in America: Jerry Sandusky and the Rush to Judgment* em 2017. Pendergrast argumenta que o caso Sandusky foi um exemplo clássico de um "pânico moral" e da fragilidade da memória humana. Baseei-me fortemente no livro de Pendergrast no meu relato dos casos Aaron Fisher e Allan Myers. Uma das coisas dignas de nota no livro de Pendergrast, devo dizer, é a quarta capa, com citações de dois dos mais influentes e respeitados especialistas sobre memória do mundo: Richard Leo, da Universidade de São Francisco, e Elizabeth Loftus, da Universidade da Califórnia em Irvine.

Eis o que Loftus disse: "*The Most Hated Man in America* conta uma história realmente notável. Em toda a cobertura da mídia que o caso Sandusky recebeu, é incrível como ninguém mais observou ou escreveu sobre muitas dessas coisas, inclusive todas as 'lembranças' que foram resgatadas via terapia e processo judicial. É de se pensar que a simples loucura de tantas delas terá que acabar se revelando."

O que eu acho? Não tenho a menor ideia. Deixarei que outros decifrem o atoleiro de indícios conflitantes, especulação e ambiguidade que é o caso Sandusky. Meu interesse é simplesmente este: se o caso é tão confuso assim, como se pode colocar Spanier, Curley e Schultz atrás das grades?

o "assistente de pós-graduação [...] informou o que havia visto": Apresentação do Grande Júri de Sandusky, 5 de novembro de 2011, https://cbsboston.files.wordpress.com/2011/11/sandusky-grand-jury-presentment.pdf, pp. 6–7.

O e-mail de McQueary para Jonelle Eshbach foi obtido por Ray Blehar, um blogueiro da área da Penn State. Ray Blehar, "Correcting the Record: Part 1: McQueary's 2001 Eye-witness Report", *Second Mile – Sandusky Scandal (SMSS): Searching for the Truth through a Fog of Deception* (blog), 9 de outubro de 2017, https://notpsu.blogspot.com/2017/10/correcting-record-part-1-mcquearys-2001.html#more.

Declaração de Rachael Denhollander: "Rachael Denhollander delivers powerful final victim speech to Larry Nassar", YouTube, 24 de fevereiro de 2018, https://www.youtube.com/watch?v=7CjVOLToRJk&t=616s.

"E infelizmente eu estava certa [...] fundo e escuro buraco e me esconder": "Survivor reported sexual assault in 1997, MSU did nothing", YouTube, 19 de janeiro de 2018, https://www.youtube.com/watch?v=OYJIx_3hbRA.

"Isso apenas mostra [...] Pacientes mentem para pôr os médicos em apuros": Melissa Korn, "Larry Nassar's Boss at Michigan State Said in 2016 that He didn't Believe Sex Abuse Claims", *The Wall Street Journal*, 19 de março de 2018, https://www.wsj.com/articles/deans-comments-shed-light-on-culture-at-michigan-state-during-nassars-tenure-1521453600.

Citações do podcast *Believed*: Kate Wells e Lindsey Smith, "The Parents", *Believed*, NPR/Michigan Radio, 26 de novembro de 2018, https://www.npr.org/templates/transcript/transcript.php?storyId=669669746.

"Ele faz isso comigo o tempo todo!": Kerry Howley, "Everyone Believed Larry Nassar", *New York Magazine/The Cut*, 19 de novembro de 2018, https://www.thecut.com/2018/11/how-did-larry-nassar-deceive-so-many-for-so-long.html.

"Tive que fazer uma escolha extremamente difícil [...] sua alma sombria e dilacerada": "Lifelong friend, longtime defender speaks against Larry Nassar", YouTube, 19 de janeiro de 2018, https://www.youtube.com/watch?v=H8Aa2MQORd4.

"Fiz a pergunta específica [...] o máximo de distância dele": Allan Myers entrevistado por Curtis Everhart (investigador da defesa), 9 de novembro de 2011.

A única vez em que Myers chegou a aparecer [...] que não lembrava 34 vezes: *Commonwealth v. Gerald A Sandusky* (apelação), 4 de novembro de 2016, p. 10.

"Têm certeza... um relato assim" e "Cada um de vocês aqui [...] daria respaldo": Jeffrey Toobin, "Former Penn State President Graham Spanier Speaks", *The New Yorker*, 21 de agosto de 2012, https://www.newyorker.com/news/news-desk/former-penn-state-president-graham-spanier-speaks.

CAPÍTULO SEIS
A FALÁCIA DE *FRIENDS*

O diálogo é de *Friends*, "Aquele com a garota que bate no Joey" (episódio 15, temporada 5), dirigido por Kevin Bright, NBC, 1998.

foi desenvolvido pelo lendário psicólogo (rodapé): Paul Ekman e Wallace V. Friesen, *Facial Action Coding System, parts 1 and 2* (São Francisco: Human Interaction Laboratory, Departamento de Psiquiatria, Universidade da Califórnia, 1978).

No meu segundo livro, *Blink*, dediquei grande parte do Capítulo Seis, "Sete segundos no Bronx: a delicada arte de ler a mente", a uma discussão da obra de Paul Ekman, um dos psicólogos mais importantes do século passado. Ele é um dos inventores do FACS, que pedi que Jennifer Fugate usasse para analisar aquele episódio de *Friends*. O FACS tornou-se o padrão de excelência para se entender e catalogar como a emoção humana é exibida no rosto. A principal contribuição científica de Ekman foi demonstrar a ideia de "vazamento" – que as emoções que sentimos são muitas vezes involuntariamente exibidas em nossos rostos em certa configuração específica dos músculos faciais. E se você for treinado na "linguagem" facial e tiver a oportunidade de analisar o vídeo das expressões de alguém, milissegundo por milissegundo, conseguirá identificar tais configurações.

Eis o que escrevi no Capítulo 6 de *Blink*: "Quando experimentamos uma emoção básica, esta é expressada automaticamente pelos músculos faciais. Essa reação pode permanecer no rosto por apenas uma fração de segundo ou ser detectada somente por meio de sensores elétricos. Mas ela está sempre lá."

Ekman estava fazendo duas afirmações ousadas. Primeira, que a emoção necessariamente se expressa no rosto – que, se você sente algo, você demonstra. E segunda, que esses tipos de expressões emocionais são universais – que todos, em toda parte, usam o rosto para exibir os sentimentos da mesma forma.

Essas afirmações sempre deixaram alguns psicólogos inquietos. Mas desde que *Blink* foi escrito, tem havido uma reação crescente na comunidade da psicologia contra a posição de Ekman.

Por exemplo, por que Ekman acreditou que as emoções são universais? Na década de 1960, ele e dois colegas viajaram para Papua-Nova Guiné, munidos de uma pilha de 30 fotografias. As fotos eram do rosto de ocidentais com expressões faciais correspondentes às emoções básicas: raiva, tristeza, desprezo, repulsa, surpresa, felicidade e medo.

A tribo na Nova Guiné visitada pelo grupo de Ekman chamava-se Fore. Até recentes 12 anos antes, vivia efetivamente na Idade da Pedra, isolada do resto do mundo. A ideia de Ekman foi que, se os Fore conseguissem identificar raiva ou surpresa nos rostos fotografados tão prontamente como alguém de Nova York ou Londres, as emoções deviam ser universais. E conseguiram.

"Nossas descobertas respaldam a ideia de Darwin de que as expressões faciais da emoção são semelhantes entre os seres humanos, independentemente da cultura, por causa da origem evolucionária", Ekman e seus colegas escreveram num artigo publicado na *Science*, uma das revistas acadêmicas mais prestigiosas. (Ver P. Ekman *et al.*, "Pan-Cultural Elements in Facial Display of Emotions," *Science* 164 [1969], pp. 86–88.)

Essa ideia – de que existe um conjunto universal de reações emocionais humanas – é o princípio subjacente a toda uma categoria de ferramentas que usamos para entender os estranhos. Por isso temos detectores de mentiras. Por isso casais apaixonados fitam profundamente os olhos um do outro. Por isso Neville Chamberlain fez sua visita ousada para ver Hitler na Alemanha. E por isso Solomon olhou bem para o réu no caso de abuso infantil.

Mas existe um problema. Ekman estava se baseando fortemente no que viu entre os Fore. No entanto, o exercício de reconhecimento de emoções que fez com eles não foi tão conclusivo como afirmou.

Ekman foi para Nova Guiné com outro psicólogo, Wallace Friesen, e um antropólogo, Richard Sorenson. Nem Ekman nem Friesen falavam a língua dos Fore. Sorenson sabia apenas o suficiente para entender ou dizer as coisas mais simples. (Ver James Russell, "Is There Universal Recognition of Emotion from Facial Expression? A Review of the Cross Cultural Studies", *Psychological Bulletin* 115, nº 1 [1994], p. 124.) Então lá estão eles, mostrando para os nativos fotos de rostos de homens brancos fazendo caretas – e dependem totalmente de seu tradutor. Não podem deixar que cada nativo faça livres associações sobre o que acha que está ocorrendo em cada foto. Como compreenderiam aquilo? Precisam manter as coisas simples. Assim, Ekman e seu grupo usaram a denominada "escolha forçada". Mostraram a cada Fore as fotos, uma a uma, e para cada imagem pediram ao observador que escolhesse a resposta certa, de uma curta lista de emoções. O que você está vendo é raiva, tristeza, desprezo, repulsa, surpresa, felicidade ou medo? (Os Fore não tinham uma palavra para descrever *repulsa* ou *surpresa*, de modo que os três pesquisadores improvisaram: *repulsa* foi *algo que fede; surpresa* foi *algo novo*.)

Ora, a escolha forçada é um bom método? Por exemplo, suponha que eu queira descobrir se você sabe qual é a capital do Canadá. (Um número surpreendente de norte-americanos, pelo que pude constatar, não tem a menor ideia.) Eu poderia perguntar diretamente: qual é a capital do Canadá? Esta é uma pergunta de *livre escolha*. Para responder corretamente, você precisa realmente saber qual é a capital do Canadá. Agora eis a versão de escolha forçada da mesma pergunta:

A capital do Canadá é:
Washington
Kuala Lumpur
Ottawa
Nairobi
Toronto

Dá para adivinhar, não dá? Não é Washington. Mesmo alguém sem nenhum conhecimento de geografia provavelmente sabe que esta é a capital dos Estados Unidos. Provavelmente não é Kuala Lumpur nem Nairobi, já que estes nomes não *soam* canadenses. Então está entre Toronto e Ottawa. Ainda que você não tenha a menor ideia de qual é a capital do Canadá, tem 50% de chance de acertar a resposta. Então seria isto que aconteceu com a pesquisa de Ekman com os Fore?

Sergio Jarillo e Carlos Crivelli – os dois pesquisadores comentados no Capítulo Seis deste livro – começaram sua pesquisa tentando replicar as descobertas de Ekman. A ideia deles foi: vamos corrigir as falhas deste exercício e ver se ainda se sustenta. O primeiro passo foi escolher uma tribo isolada – os ilhéus de Trobriand – cuja língua e cultura ao menos um deles (Jarillo) conhecia bem. Aquela foi a primeira vantagem deles em relação a Ekman: sabiam muito mais sobre aqueles com quem estavam falando do que o grupo de Ekman. Também decidiram não usar a "escolha forçada". Usariam a metodologia bem mais rigorosa da livre escolha. Mostraram um conjunto de fotos de rostos (com pessoas parecendo felizes, tristes, zangadas, assustadas e enojadas) e perguntaram: "Qual destes é o rosto triste?" Depois perguntaram à próxima pessoa: "Qual destes é o rosto zangado?" E assim por diante. Finalmente, computaram todas as respostas.

E o que constataram? Que quando você refaz o experimento básico de Ekman – só que desta vez com cuidado e rigor – o argumento a favor do universalismo desaparece. Nos últimos anos as comportas se abriram, dando origem a grande parte das pesquisas que descrevi neste capítulo.

Alguns pontos adicionais:

O artigo original de Ekman na *Science* é, pensando bem, um tanto estranho. Ele argumentou que o que achou entre os Fore foram evidências de universalismo. Mas se você examina os dados dele, não parece que esteja descrevendo o universalismo.

Os Fore foram realmente exímios em identificar rostos felizes, mas somente cerca de metade identificou corretamente o rosto do "medo" como sendo uma expressão de medo. Quarenta e cinco por cento deles acharam que o rosto surpreso fosse um rosto temeroso. Cinquenta e seis por cento interpretaram a tristeza como raiva. Isso é universalismo?

Crivelli fez uma observação perspicaz quando estávamos conversando sobre as pessoas (como Ekman) que defenderam tanto a ideia do universalismo. Muitas delas pertenciam à geração que cresceu após a Segunda Guerra Mundial. Nasceram num mundo obcecado com a diferença humana – onde os negros eram considerados geneticamente inferiores e os judeus considerados deteriorados e malignos – e foram poderosamente atraídos por uma teoria que sustentava que somos todos iguais.

É importante observar, porém, que a obra dos antiuniversalistas *não* é uma refutação das contribuições de Ekman. Todos no campo da emoção humana devem algo crucial a ele. Pessoas como Jarillo e Crivelli estão simplesmente argumentando que não dá para entender a emoção sem levar em conta a cultura.

Citando a psicóloga Lisa Feldman Barrett – uma das líderes no desafio à visão de Ekman – "as emoções são [...] formadas e não desencadeadas". (Ver seu livro *How Emotions Are Made* [Nova York: Houghton Mifflin Harcourt, 2017], p. xiii.) Cada um de nós, no decorrer de nossa vida, desenvolve seu próprio conjunto de instruções operacionais para nosso rosto, baseados na cultura e no ambiente que habitamos. O rosto é um símbolo de quão diferentes os seres humanos são, não de quão similares somos, o que é um grande problema se sua sociedade criou uma regra para entender estranhos baseada na interpretação de rostos.

Para uma boa síntese dessa nova linha de pesquisa, ver L. F. Barrett *et al.*, "Emotional expressions reconsidered: Challenges to inferring emotion in human facial movements", *Psychological Science in the Public Interest* (no prelo), bem como *Emotions*, de Barrett (supracitado).

Fotos dos sorrisos Pan-Am e de Duchenne: Jason Vandeventer e Eric Patterson, "Differentiating Duchenne from non-Duchenne smiles using active appearance models", *2012 IEEE Fifth International Conference on Biometrics: Theory, Applications and Systems (BTAS)* (2012), pp. 319-324.

Unidades do Sistema de Codificação da Ação Facial (FACS) para Ross olhando pela porta: Paul Ekman e Erika L Rosenberg, orgs., *What the Face Reveals: Basic and Applied Studies of Spontaneous Expression Using the Facial Action Coding System (FACS)*, edição 2 (Oxford University Press: York, 2005), p.14.

numa espécie de painel para o coração: Charles Darwin, *A expressão das emoções nos homens e nos animais* (São Paulo: Companhia de Bolso, 2009). Ekman escreveu amplamente sobre as contribuições de Darwin para a compreensão da expressão emocional. Ver Paul Ekman, org., *Darwin and Facial Expression* (Los Altos: Malor Books, 2006).

A requerente era Ginnah Muhammad (rodapé): *Ginnah Muhammad v. Enterprise Rent-A-Car*, 3–4 (31º Distrito, 2006).

Para uma introdução ao estudo de Jarillo-Crivelli sobre os ilhéus de Trobriand, ver Carlos Crivelli *et al.*, "Reading Emotions from Faces in Two Indigenous Societies", *Journal of Experimental Psychology: General* 145, nº 7 (julho de 2016), pp. 830–843, doi:10.1037/xge0000172. Também desta fonte é a tabela comparando a taxa de acertos dos ilhéus de Trobriand com a dos estudantes de Madri.

dezenas de vídeos de judocas: Carlos Crivelli *et al.*, "Are smiles a sign of happiness? Spontaneous expressions of judo winners", *Evolution and Human Behavior* 2014, doi:10.1016/j.evolhumbehav.2014.08.009.

assistiu a vídeos de pessoas se masturbando: Carlos Crivelli *et al.*, "Facial Behavior While Experiencing Sexual Excitement", *Journal of Nonverbal Behavior* 35 (2011), pp. 63–71.

Foto da raiva: Job van der Schalk *et al.*, "Moving Faces, Looking Places: Validation of the Amsterdam Dynamic Facial Expression Set (ADFES)", *Emotion* 11, nº 4 (2011), p. 912. Researchgate.

Estudo da Namíbia: Maria Gendron *et al.*, "Perceptions of Emotion from Facial Expressions Are Not Culturally Universal: Evidence from a Remote Culture", *Emotion* 14, nº 2 (2014), pp. 251–262.

"O que não quer dizer [...] bem mais relevantes": Mary Beard, *Laughter in Ancient Rome: On Joking, Tickling, and Cracking Up* (Oakland: University of California Press, 2015), p. 73.

Dois psicólogos alemães [...] fizeram com que 60 pessoas o percorressem: Achim Schützwohl e Rainer Reisenzein, "Facial expressions in response to a highly surprising event exceeding the field of vision: A test of Darwin's theory of surprise", *Evolution and Human Behavior* 33, nº 6 (novembro de 2012), pp. 657-664.

"Os participantes [...] associações emoção-rosto.": Schützwohl está se baseando num estudo anterior: R. Reisenzein e M. Studtmann, "On the expression and experience of surprise: No evidence for facial feedback, but evidence for a reverse self-inference effect", *Emotion*, nº 7 (2007), pp. 612-627.

Walker encostou um revólver na cabeça de sua ex-namorada: Associated Press, "'Real Smart Kid' Jailed, This Time for Killing Friend", *Spokane (Wash.) Spokesman-Review*, 26 de maio de 1995, http://www.spokesman.com/stories/1995/may/26/real-smart-kid-jailed-this-time-for-killing-friend/.

"Quaisquer que sejam essas variáveis [...] criam ruído, não sinais.": Kleinberg *et al.*, "Human Decisions", *op. cit.*

CAPÍTULO SETE
UMA (BREVE) EXPLICAÇÃO DO CASO
AMANDA KNOX

"Um assassinato sempre atrai [...] você quer numa história?": *Amanda Knox*, dirigido por Rod Blackhurst e Brian McGinn (Netflix, 2016). São também deste documentário: lista dos namorados de Knox (rodapé); "Ela começou a bater [...] suspeitar de Amanda" (rodapé); "Todas as provas [...] dúvidas quanto a isso"; e "Não há vestígios [...] provas objetivas".

"O produto de DNA ampliado [...] fronteiriça para interpretações": Peter Gill, "Analysis and Implications of the Miscarriages of Justice of

Amanda Knox and Raffaele Sollecito", *Forensic Science International: Genetics* 23 (julho de 2016), pp. 9–18. *Elsevier,* doi:10.1016/j.fsigen.2016.02.015.

Juízes conseguem identificar mentirosos: Levine, *Duped*, Capítulo 13.

Levine encontrou este padrão: refere-se ao experimento 27 no livro de Levine, *Duped,* Capítulo 13. Ver também Timothy Levine, Kim Serota, Hillary Shulman, David Clare, Hee Sun Park, Allison Shaw, Jae Chul Shim e Jung Hyon Lee, "Sender Demeanor: Individual Differences in Sender Believability Have a Powerful Impact on Deception Detection Judgments", *Human Communication Research* 37 (2011), pp. 377–403. Também desta fonte é o desempenho de interrogadores treinados em emissores coerentes e incoerentes.

Numa pesquisa de sinais corporais relacionados à trapaça: The Global Deception Research Team, "A World of Lies", *Journal of Cross-Cultural Psychology* 37, nº 1 (janeiro de 2006), pp. 60–74.

"Não foram tanto [...] se importem com isso": Markopolos, *No One Would Listen,* p. 82.

"E embora seja arriscado [...] Tsarnaev sorriu" (rodapé): Seth Stevenson, "Tsarnaev's Smirk", *Slate,* 21 de abril de 2015, https://slate.com/news-and-politics/2015/04/tsarnaev-trial-sentencing-phase-prosecutor-makes-case-that-dzhokhar-tsarnaev-shows-no-remorse.html.

"No caso do atentado a bomba da Maratona de Boston [...] permanecido impassivo": Barrett, *How Emotions Are Made,* p. 231.

"Eu fazia coisas... achava hilárias": Amanda Knox, *Waiting to Be Heard: A Memoir* (York: Harper, 2013), pp. 11–12; "'Você parece bastante flexível' [...] cheia de desdém", p. 109; "Mas o que extraía gargalhadas [...] menos abertas às diferenças" (rodapé), p. 26; momento do "Tchã-rã!", p. 91.

Leiam algumas citações: John Follain, *Death in Perugia: The Definitive Account of the Meredith Kercher Case from Her Murder to the Acquittal of Raffaele Sollecito and Amanda Knox* (Londres: Hodder and Stoughton, 2011), pp. 90–91, 93, 94.

Entrevista de Diane Sawyer: "Amanda Knox Speaks: A Diane Sawyer Exclusive", ABC News, 2013, https://abcnews.go.com/2020/video/amanda-knox-speaks-diane-sawyer-exclusive-19079012.

"O que me fascina [...] escolhemos manter distância" (rodapé): Tom Dibblee, "On Being Off: The Case of Amanda Knox", *Los Angeles Review of Books*, 12 de agosto de 2013, https://lareviewofbooks.org/article/on-being-off-the-case-of-amanda-knox.

"Nós conseguimos [...] outros tipos de investigação": Ian Leslie, "Amanda Knox: What's in a face?", *The Guardian*, 7 de outubro de 2011, https://www.theguardian.com/world/2011/oct/08/amanda-knox-facial-expressions.

"Os olhos dela [...] se ela poderia estar envolvida": Nathaniel Rich, "The Neverending Nightmare of Amanda Knox", *Rolling Stone*, 27 de junho de 2011, https://www.rollingstone.com/culture/culture-news/the-neverending-nightmare-of-amanda-knox-244620/?print=true.

CAPÍTULO OITO

ESTUDO DE CASO: A FESTA DA FRATERNIDADE

O depoimento de Jonsson e a descrição do incidente são de *People v. Turner*, vol. 6 (18 de março de 2016), pp. 274–319. Depoimento de Emily Doe sobre acordar no hospital, vol. 6, p. 445; depoimento de Brock Turner sobre a quantidade que bebeu, vol. 9 (23 de março de 2016), pp. 836, 838; estimativa da polícia sobre a concentração de álcool no sangue de Turner, vol. 7 (21 de março de 2016), p. 554; depoimento de Julia sobre a quantidade que bebeu, vol. 5 (17 de março de 2016), pp. 208-209, 213; concentração de álcool no sangue de Doe e Turner (rodapé), vol. 7, pp. 553-554; depoimento de Doe sobre a quantidade que bebeu, vol. 6, pp. 429, 433-434, 439; depoimento de Turner sobre a escalada sexual, vol. 9, pp. 846-847, 850-851, 851-853; argumentos finais da acusação, vol. 11, 28 de março de 2016, pp. 1.072-1.073; depoimento de Turner sobre ralação, vol. 9, pp. 831-832; depoimento de Doe sobre apagão de memória, vol. 6, pp. 439-440; depoimento de Turner sobre apagão de memória, vol. 11, pp. 1.099-1.100; depoimento de Turner sobre a mensagem de voz de Doe, vol. 9, p. 897.

Estima-se que uma em cada cinco [...] vítima de abuso sexual: Esta cifra tem sido respaldada por dezenas de estudos desde 1987, inclusive a pesquisa de 2015 do *The Washington Post*/Fundação Kaiser Family. Um estudo de 2015 da Associação de Universidades Americanas descobriu que 23% das mulheres estudantes de graduação são sexualmente abusadas durante a faculdade. Um estudo de 2016 divulgado pelo Departamento de Justiça chegou a um número ainda maior, 25,1%, ou uma em cada quatro. Ver David Cantor *et al.*, "Report on the AAU campus climate survey on sexual assault and sexual misconduct", Westat; 2015, https://www.aau.edu/sites/default/files/%40%20Files/Climate%20Survey/AAU_Campus_Climate_Survey_12_14_15.pdf; Christopher Krebs *et al.*, "Campus Climate Survey Validation Study Final Technical Reports", U. S. Department of Justice, 2016, http://www.bjs.gov/content/pub/pdf/ccsvsftr.pdf.

Pesquisa sobre criação de consentimento e definição de violência sexual: Bianca DiJulio *et al.*, "Survey of Current and Recent College Students on Sexual Assault", *The Washington Post*/Fundação Kaiser Family, 12 de junho de 2015, pp. 15-17, http://files.kff.org/attachment/Survey%20Of%20Current%20And%20Recent%20College%20Students%20On%20Sexual%20Assault%20-%20Topline.

"Como podemos esperar que estudantes [...] quais são esses limites?": Lori E. Shaw, "Title IX, Sexual Assault, and the Issue of Effective Consent:

Blurred Lines–When Should 'Yes' Mean 'No'?", *Indiana Law Journal* 91, nº 4, Artigo 7 (2016), p. 1.412. "Não basta que a vítima [...] 'bebeu demais'", p. 1.416. Citações de Shaw de *People v. Giardino* 98, Cal. Rptr. 2d 315, 324 (Cal. Ct. App. 2000) e Valerie M. Ryan, "Intoxicating Encounters: Allocating Responsibility in the Law of Rape", 40 CAL.W.L. REV. 407, 416 (2004).

A história de Dwight Heath na Bolívia foi contada por mim pela primeira vez em "Drinking Games", *The New Yorker*, 15 de fevereiro de 2010, https://www.newyorker.com/magazine/2010/02/15/drinking-games.

Heath expôs suas descobertas num artigo agora famoso: Dwight B. Heath, "Drinking patterns of the Bolivian Camba", *Quarterly Journal of Studies on Alcohol* 19 (1958), pp. 491–508.

"Embora eu provavelmente [...] eles se abraçam": Ralph Beals, *Ethnology of the Western Mixe* (York: Cooper Square Publishers Inc., 1973), p. 29.

A teoria da miopia foi sugerida pela primeira vez: Claude Steele e Robert A. Josephs, "Alcohol Myopia: Its Prized and Dangerous Effects", *American Psychologist* 45, nº 8 (1990), pp. 921–933.

Um grupo de psicólogos canadenses [...] seu colega sóbrio (rodapé): Tara K. MacDonald *et al.*, "Alcohol Myopia and Condom Use: Can Alcohol Intoxication Be Associated With More Prudent Behavior?", *Journal of Personality and Social Psychology* 78, nº 4 (2000), pp. 605–619.

"Eu não estava querendo [...] que ela estava gostando": Helen Weathers, "I'm No Rapist... Just a Fool", *Daily Mail*, 30 de março de 2007, www.dailymail.co.uk/femail/article-445750/Im-rapist-just-fool.html.

"Ele insistiu [...] ela a retirou por completo.": *R v Bree* [2007] EWCA Crim 804 [16]–[17]; "Ela não fazia ideia [...] por quanto tempo", [8]; "Ambos eram adultos [...] estruturas legislativas detalhadas", [25]–[35]; outras citações da decisão judicial (rodapé), [32], [35], [36].

Teste de memória com três camundongos mortos: Donald Goodwin, "Alcohol Amnesia", *Addiction* (1995), pp. 90, 315-317. (Nenhuma comissão de ética aprovaria esse experimento hoje em dia.) A história do vendedor que experimentou um apagão de memória de cinco dias também é desta fonte.

Blitzes da lei seca (rodapé): Joann Wells *et al.*, "Drinking Drivers Missed at Sobriety Checkpoints", *Journal of Studies on Alcohol* (1997), pp. 58, 513-517.

uma das primeiras pesquisas abrangentes sobre os hábitos de bebida nas universidades: Robert Straus e Selden Bacon, *Drinking in College* (New Haven: Yale University Press, 1953), p. 103.

Aaron White recentemente pesquisou mais de 700 estudantes da Universidade Duke: Aaron M. White *et al.*, "Prevalence and Correlates of Alcohol-Induced Blackouts Among College Students: Results of an E-Mail Survey", *Journal of American College Health* 51, nº 3 (2002), pp. 117-131, doi:10.1080/07448480209596339.

Num ensaio notável (rodapé): Ashton Katherine Carrick, "Drinking to Blackout", *The New York Times*, 19 de setembro de 2016, www.nytimes.com/2016/09/19/opinion/drinking-to-blackout.html.

a diferença de consumo entre homens e mulheres [...] reduziu-se consideravelmente: William Corbin *et al.*, "Ethnic differences and the closing of the sex gap in alcohol use among college-bound students", *Psychology of Addictive Behaviors* 22, nº 2 (2008), pp. 240-248, http://dx.doi.org/10.1037/0893-164X.22.2.240.

Tampouco se trata de uma questão de peso (rodapé): "Body Measurements", National Center for Health Statistics, Centers for Disease Control and Prevention, U. S. Department of Health & Human Services, 3 de maio de 2017, https://www.cdc.gov/nchs/fastats/body-measurements.htm.

Existem também diferenças importantes (rodapé): Números encontrados usando a calculadora on-line de álcool no sangue em http://www.alcoholhelpcenter.net/program/bac_standalone.aspx.

"Sejamos bem claros [...] evitar mais vítimas": Emily Yoffe, "College Women: Stop Getting Drunk", *Slate*, 16 de outubro de 2013, slate.com/human-interest/2013/10/sexual-assault-and-drinking-teach-women-the-connection.html.

O sentimento dos adultos é bem diferente (rodapé): Estatísticas da pesquisa do *The Washington Post/* Fundação Kaiser Family.

"As pessoas aprendem sobre a embriaguez [...] elas merecem o que obtêm": Craig MacAndrew e Robert B. Edgerton, *Drunken Comportment: A Social Explanation* (Chicago: Aldine Publishing Company 1969), pp.172–173.

"Minha independência, alegria natural [...] como beber menos": Emily Doe's Victim Impact Statement, pp. 7–9, https://www.sccgov.org/sites/da/newsroom/newsreleases/Documents/B-Turner%20VIS.pdf.

CAPÍTULO NOVE
KSM: O QUE ACONTECE QUANDO O ESTRANHO É UM TERRORISTA?

"Me chama de Mukhtar [...] dos ataques do 11 de Setembro": James Mitchell, *Enhanced Interrogation: Inside the Minds and Motives of the Islamic Terrorists Trying to Destroy América* (York: Crown Forum, 2016), p. 7.

trechos de um depoimento filmado em vídeo: Sheri Fink e James Risen, "Psychologists Open a Window on Brutal CIA Interrogations", *The New York Times*, 21 de junho de 2017, https://www.nytimes.com/interactive/2017/06/20/us/cia-torture.html.

Da Wikipedia em inglês: "Intoxicação por água, também conhecida como envenenamento por água, hiper-hidratação, super-hidratação ou toxemia aquática é um distúrbio potencialmente fatal nas funções cerebrais que resulta quando o equilíbrio normal dos eletrólitos no corpo ultrapassa os limites seguros por causa da ingestão excessiva de água."

"O estresse realista do [...] combate real": Charles A. Morgan *et al.*, "Hormone Profiles in Humans Experiencing Military Survival Training", *Biological Psychiatry* 47, nº 10 (2000), pp. 891–901, doi:10.1016/s0006-3223(99)00307-8.

Figuras Rey-Osterrieth desenhadas antes e depois do interrogatório: Charles A. Morgan III *et al.*, "Stress-Induced Deficits in Working Memory and Visuo-Constructive Abilities in Special Operations Soldiers", *Biological Psychiatry* 60, nº 7 (2006), pp. 722–729, doi:10.1016/j.biopsych.2006.04.021. A figura Rey-Osterrieth foi desenvolvida por Andre Rey e publicada no artigo "L'examen psychologique dans les cas d'encephalopathie traumatique (Les problemes)", *Archives de Psychologie* 28, (1941): pp. 215-285.

Em outro estudo maior (rodapé): Charles Morgan *et al.*, "Accuracy of eyewitness memory for persons encountered during exposure to highly intense stress", *International Journal of Law and Psychiatry* 27 (2004), pp. 264–265.

KSM fez sua primeira confissão pública: *Verbatim Transcript of Combatant Status Review Tribunal Hearing for ISN 10024,* 10 de março de 2007, http://i.a.cnn.net/cnn/2007/images/03/14/transcript_ISN10024.pdf.

"pode induzir certa forma [...] deseja ter acesso": Shane O'Mara, *Why Torture Doesn't Work: The Neuroscience of Interrogation* (Cambridge: Harvard University Press, 2015), p. 167.

KSM estava "inventando coisas": Robert Baer, "Why KSM's Confession Rings False", *Time,* 15 de março de 2007, http://content.time.com/time/world/article/0,8599,1599861,00.html.

"Ele não tem mais nada [...] desde que foi capturado": Adam Zagorin, "Can KSM's Confession Be Believed?", *Time*, 15 de março de 2007, http://content.time.com/time/nation/article/0,8599,1599423,00.html.

CAPÍTULO DEZ
SYLVIA PLATH

"Estou escrevendo de Londres [...] ele morou aqui!": Sylvia Plath para Aurelia Plath, 7 de novembro de 1962, em Peter K. Steinberg e Karen V. Kukil, orgs., *The Letters of Sylvia Plath Volume II: 1956–1963* (York: Harper Collins, 2018), p. 897.

"Ela parecia diferente [...] nunca a tinha visto tão tensa": Alfred Alvarez, *The Savage God: A Study of Suicide* (York: Random House, 1971), pp. 30–31; "Falava sobre [...] saber esquiar", pp. 18–19; "a poetisa como uma vítima sacrificial [...] em prol de sua arte", p. 40.

Poemas de Plath: "A mulher está perfeita [...] é o fim" de "Edge", em *The Collected Poems of Sylvia Plath*, Ted Hughes, org. (Nova York: Harper Perennial Modern Classics, 2008), p. 272; "E como o gato [...] Número Três", de "Lady Lazarus", pp. 244–245; e "Se ao menos você soubesse [...] minhas veias com invisíveis..." de "A Birthday Present", p. 207.

os poetas apresentam de longe as maiores taxas de suicídio: Mark Runco, "Suicide and Creativity", *Death Studies* 22 (1998), pp. 637–654.

"Um poeta precisa se adaptar" (rodapé): Stephen Spender, *The Making of a Poem* (York: Norton Library, 1961), p. 45.

"Ela nunca mais poderia [...] foi, em última análise, sua ruína" (rodapé): Ernest Shulman, "Vulnerability Factors in Sylvia Plath's Suicide", *Death Studies* 22, nº 7 (1988), pp. 598–613. ("Quando se matou [...] de um lar desfeito" [rodapé] também é desta fonte.)

"Será que ela achou [...] apoiou sua bochecha nele": Jillian Becker, *Giving Up: The Last Days of Sylvia Plath* (York: St Martin's Press, 2003), pp. 80, 291.

"As vítimas [...] no alto do abafador": Douglas J. A. Kerr, "Carbon Monoxide Poisoning: Its Increasing Medico-Legal Importance", *British Medical Journal* 1, nº 3.452 (5 de março de 1927), p. 416.

Taxa de suicídios no Reino Unido em 1962: Ronald V. Clarke e Pat Mayhew, "The British Gas Suicide Story and Its Criminological Implications", *Crime and Justice* 10 (1988), p. 88, doi:10.1086/449144; gráfico "Relation between gas suicides in England and Wales and CO content of domestic gas, 1960-77", p. 89; gráfico "Crude suicide rates (per 1 million population) for England and Wales and the United States, 1900–84", p. 84; "O gás [de cidade] tinha vantagens únicas [...] na frente de trens ou de ônibus", p. 99; gráfico "Suicides in England and Wales by domestic gas and other methods for females twenty-five to forty-four years old", p. 91.

"a maior operação em tempo de paz da história desta nação": Malcolm E. Falkus, *Always under Pressure: A History of North Thames Gas Since 1949* (Londres: Macmillan, 1988), p. 107.

Conversão do gás de cidade para o gás natural, 1965–1977: Trevor Williams, *A History of the British Gas Industry* (Oxford: Oxford University Press, 1981), p. 190.

nossa incapacidade de entender o suicídio custa vidas (rodapé): Ver, por exemplo, Kim Soffen, "To Reduce Suicides, Look at Gun Violence", *The Washington Post,* 13 de julho de 2016, https://www.washingtonpost.com/graphics/business/wonkblog/suicide-rates/.

a inexplicável saga da ponte Golden Gate: John Bateson, *The Final Leap: Suicide on the Golden Gate Bridge* (Berkeley: University of California Press, 2012), p. 8; história da barreira antissuicídio (ou da falta dela) na ponte, pp. 33, 189, 196.

acabou filmando 22 suicídios (rodapé): O documentário do diretor Eric Steel tem o título incisivo *The Bridge* (More4, 2006).

Seiden acompanhou 515 indivíduos: Richard H. Seiden, "Where are they now? A follow-up study of suicide attempters from the Golden Gate Bridge", *Suicide and Life-Threatening Behavior* 8, nº 4 (1978), pp. 203–216.

"Se uma barreira física [...] substituída por outra": Essas cinco citações são de um conjunto de comentários públicos sobre a proposta do Transportation District de instalar uma rede antissuicídios: http://goldengatebridge.org/projects/documents/sds_letters-emails-individuals.pdf.

Em uma pesquisa nacional [...] o faria de outra maneira: Matthew Miller *et al.*, "Belief in the Inevitability of Suicide: Results from a National Survey", *Suicide and Life-Threatening Behavior* 36, nº 1 (2006).

Weisburd passou um ano percorrendo: David Weisburd *et al.*, "Challenges to Supervision in Community Policing: Observations on a Pilot Project", *American Journal of Police* 7 (1988), pp. 29–50.

Sherman vinha pensando dentro daqueles moldes também: Larry Sherman *et al.*, *Evidence-Based Crime Prevention* (Londres: Routledge, 2002). (Sherman e Weisburd são enormemente prolíficos. Incluí uma pequena amostra do trabalho deles aqui; caso lhe interesse, há muito mais para ler.)

"Escolhemos Minneapolis": L. W. Sherman *et al.*, "Hot spots of predatory crime: Routine activities and the criminology of place", *Criminology* (1989), pp. 27–56.

Metade dos crimes na cidade [de Boston]: Glenn Pierce *et al.*, "The character of police work: strategic and tactical implications", *Center for Applied Social Research Northeastern University*, novembro de 1988. Embora os autores do estudo não soubessem que seus dados respaldavam a Lei da Concentração dos Crimes, Weisburd percebeu o fato ao examinar as conclusões deles.

Mapa de Weisburd dos padrões de criminalidade em Seattle:

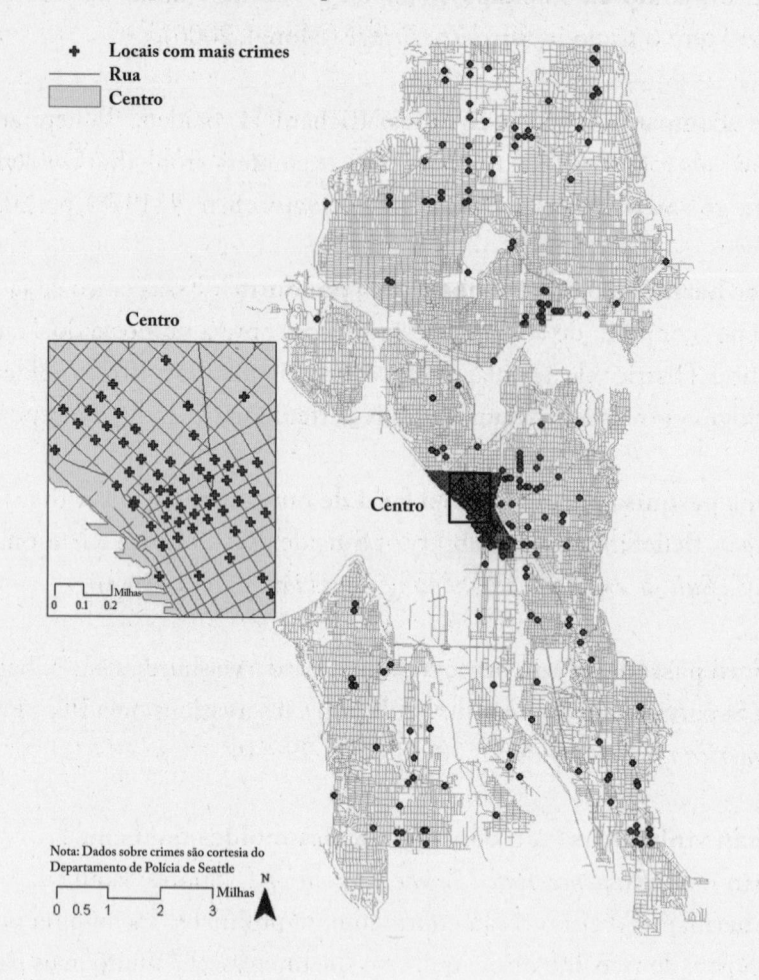

Ver Figura 2 em David Weisburd *et al.*, "Understanding and Controlling Hot Spots of Crime: The Importance of Formal and Informal Social Controls", *Prevention Science* 15, nº 1 (2014), pp. 31–43. doi:10.1007/s11121-012-0351-9. O mapa mostra a criminalidade no período de 1989 a 2004. Para mais sobre a pesquisa de Weisburd sobre criminalidade e lugar, ver David Weisburd *et al.*, *The Criminology of Place: Street Segments and Our Understanding of the Crime Problem* (Oxford: Oxford University Press, 2012) e David Weisburd *et al.*, *Place Matters: Criminology for the Twenty-First Century* (York: Cambridge University Press, 2016).

Não muito depois que conheci Weisburd em 2018, ele providenciou que eu passasse um dia com sua colega Claire White. Os dois vêm realizando um projeto multimilionário de pesquisa de "pontos críticos" em Baltimore desde 2012 – estudando 450 segmentos de rua por toda a cidade. "Está sendo provado que a criminalidade está fortemente concentrada", explicou White. "[Weisburd] nos mostrou isso em numerosas cidades com diferentes tipos de dados. A grande pergunta é: por quê? O que faz com que esses lugares tenham tanta concentração dos crimes?"

White e Weisburd contrataram 40 entrevistadores estudantes. Mandaram-nos às ruas diariamente para documentarem a condição daqueles 450 segmentos, coletando o máximo de informações possível sobre seus moradores. "Indagamos sobre o que denominamos eficácia coletiva, a disposição em intervir", disse White. "Se crianças estão subindo num carro estacionado, quão dispostos estão seus vizinhos a dizerem algo? Se o corpo de bombeiros local vai ser fechado, quão dispostos estão seus vizinhos a tomarem uma providência? A disposição em se envolver, bem como confiar. Você confia nos seus vizinhos? Compartilha os mesmos valores de seus vizinhos? [...] Temos questões sobre a polícia: vocês acham que a polícia trata vocês com justiça? Acham que os policiais tratam as pessoas com respeito?"

Para fins de comparação, alguns desses segmentos de rua são pontos "calmos", definidos como quarteirões com menos de quatro ligações por ano para a polícia. Um ponto crítico é algo com mais de 18 ligações por ano para a polícia. Lembre-se de que Baltimore é uma cidade do século XVIII – os quarteirões são bem curtos. Portanto, trata-se de um mínimo de 18 ligações para a polícia ao longo de um segmento de rua que você consegue percorrer a pé em menos de um minuto. White disse que algumas das ruas no estudo tiveram mais de *600* ligações para a polícia em um ano. É o que Weisburd entende por Lei da Concentração dos Crimes. A maioria das ruas não tem nenhuma ligação. Um pequeno número de ruas abriga praticamente toda a criminalidade da área.

White e eu começamos nosso percurso pela zona oeste de Baltimore, não longe do centro da cidade.

"Ela é notória por ser uma das áreas de alta criminalidade. É onde Freddie Gray foi preso e onde os distúrbios ocorreram", disse ela, referindo-se ao caso de 2015 de um jovem afro-americano que morreu sob custódia da polícia, em circunstâncias suspeitas, levando a protestos revoltados. "Se você viu *The Wire*, eles sempre falam sobre a zona oeste de Baltimore." A área era típica de uma cidade do nordeste mais antiga: ruas estreitas, casas de tijolos vermelhos. Alguns quarteirões sofreram gentrificação, outros não. "Definitivamente existem muitas áreas onde você anda e sente que está num bairro agradável, certo? Você se sente à vontade", comentou White, ao dirigir pelo coração da zona. "Aí você dobra a esquina e está numa rua onde as janelas e as portas das casas estão todas cobertas com tábuas. Uma cidade fantasma. Você se pergunta se alguém mora naquela rua."

Ela me levou ao primeiro segmento de rua sendo estudado e estacionou ali. Quis que eu adivinhasse se era um ponto crítico ou calmo. Na esquina havia uma refinada igreja do século XIX e atrás um pequeno estacionamento. O quarteirão tinha elegantes proporções europeias. O sol estava brilhando. Eu disse que achava que devia ser um ponto calmo. Ela fez um sinal de não com a cabeça. "Esta é uma rua violenta."

Ela continuou dirigindo.

Às vezes a identidade de uma rua era óbvia: um quarteirão maltratado, com um bar numa extremidade e um agente de fianças na outra, era exatamente o que parecia – um duplo ponto crítico, ruim pelo crime e pelas drogas. "Alguns pontos são bem fáceis de identificar, não é?", White me perguntou. "Você salta do carro e as pessoas na rua começam a gritar seus códigos para policiais chegando." Certa vez, em plena luz do dia, os trabalhadores de campo de White viram-se em meio a um tiroteio. Não houve dúvida sobre aquele segmento.

Mas algumas ruas maltratadas estavam perfeitamente normais. Certa vez, no meio de uma rua particularmente deplorável, deparamos com um pequeno oásis: dois segmentos de rua consecutivos de gramados bem tratados e casas recém-pintadas. Um grande prédio abandonado tinha um letreiro em uma janela, uma referência a João 14: 2: "Na casa de meu pai há muitas moradas." Aquele lampejo de ironia seria sinal de função ou disfunção?

Eu pedia a White que explicasse o que fazia um segmento de rua seguir em uma ou noutra direção. Às vezes ela conseguia. Geralmente não. "O ambiente nem sempre reflete o que está ocorrendo", disse ela. "Em nosso estudo piloto, uma das ruas que selecionamos era um ponto crítico violento. O policial e o médico falaram: 'De jeito nenhum este é um ponto crítico.' Todas as casas estão bem cuidadas. É uma rua bonita. Fui checar para me certificar. Pensei que talvez houvesse algo de errado com nossos dados. Tenho este policial dizendo que de jeito nenhum é um ponto crítico violento, e é. Nem sempre dá para saber."

A lição de uma tarde dirigindo por Baltimore com Claire White é que é realmente fácil cometer erros sobre estranhos. Baltimore é uma cidade cuja taxa de homicídios supera em várias vezes a média nacional. A coisa mais simples do mundo é olhar para os prédios abandonados, a pobreza e os traficantes de drogas gritando seus códigos e depois depreciar aquelas áreas e tudo nelas. Mas a lógica da Lei da Concentração dos Crimes é que a maioria das ruas "naquelas áreas" estão ótimas. O ponto crítico é um *ponto*, não uma região. "Nós nos concentramos em todas as pessoas ruins", afirmou White sobre a reputação de Baltimore, "mas na realidade existe, na maior parte, gente boa". Nossa ignorância do não familiar é o que alimenta nosso medo.

"Cal pareceu satisfeito [...] Retornei": Sylvia Plath, *The Bell Jar* (Londres: Faber and Faber, 1966), pp. 175, 179, 181. [Edição brasileira: *A redoma de vidro*. São Paulo: Biblioteca Azul, 2019.]

a taxa de suicídio para mulheres [...] de todos os tempos: Ver Figura 3 em Kyla Thomas e David Gunnell, "Suicide in England and Wales 1861– 2007: A time-trends analysis", *International Journal of Epidemiology* 39, edição 6 (2010), pp. 1.464–1.475, https://doi.org/10.1093/ije/dyq094.

Mapa de Weisburd de Jersey City: Ver Figura 2 em David Weisburd *et al.*, "Does Crime Just Move Around the Corner? A Controlled Study of Spacial Displacement and Diffusion of Crime Control Benefits". *Criminology* 44, nº 3 (08, 2006): pp. 549-592. doi: http://dx.doi.org.i.ezproxy.nypl.org/10.1111/j.1745-9125.2006.00057.x.

"**Eu estacionava ilegalmente [...] qual mariposas para uma lâmpada acesa**": Anne Sexton, "The Barfly Ought to Sing", *TriQuarterly* nº 7 (1996), pp. 174-175, citado em Diane Wood Middlebrook, *Anne Sexton: A Biography* (York: Houghton Mifflin, 1991), p. 107. [Edição brasileira: *Anne Sexton: A morte não é a vida, uma biografia*. São Paulo: Siciliano, 1995.] Também da biografia de Middlebrook: "estar preparada para se matar", p. 165; "Ela retirou [...] adormecer em braços familiares" e "surpreendeu-se com seu suicídio", p. 397; "Para Ernest Hemingway [...] daquele medo", "saída feminina", "Estou tão fascinada [...] morrer perfeita" e "uma Bela Adormecida", tudo da p. 216.

Gráfico dos **métodos de suicídio por taxa de letalidade**: "Lethality of Suicide Methods", Harvard T. H. Chan School of Public Health, 6 de janeiro de 2017, https://www.hsph.harvard.edu/means-matter/means-matter/case-fatality, acessado em 17 de março de 2019.

"**Mascate do sono [...] Estou num regime da morte**": Anne Sexton, "Addict", em *The Complete Poems* (Nova York: Open Road Media, 2016), p. 165.

Veja como o **número de suicídios por intoxicação com monóxido de carbono** diminuiu nos anos após 1975. É como o gráfico dos suicídios britânicos no final da era do gás de cidade. Ver Figura 4 em Neil B. Hampson e James R. Holm, "Suicidal carbon monoxide poisoning has decreased with controls on automobile emissions", Undersea and Hyperbaric Medical Society, Inc. 42 (2), pp. 159-164, março de 2015.

CAPÍTULO ONZE
ESTUDO DE CASO OS EXPERIMENTOS DE KANSAS CITY

"**Muitos de nós [...] conhecia bem**": George Kelling *et al.*, "The Kansas City Preventive Patrol Experiment: A Summary Report" (Washington: Police Foundation, 1974), p. v, https://www.policefoundation.org/wp-content/uploads/2015/07/Kelling-et-al.-1974-THE-KANSAS-CITY-PREVENTIVE-PATROL-EXPERIMENT.pdf.

"Os problemas sociais deste país [...] são baixíssimas": Alan M. Webber, "Crime and Management: An Interview with New York City Police Commissioner Lee P. Brown", *Harvard Business Review* 63, edição 3 (maio–junho de 1991), p. 100, https://hbr.org/1991/05/crime-and-management-an-interview-with-new-york-city-police-commissioner-lee-p-brown.

"Um menino de 4 anos [...] repugnantes, revoltantes": George Bush, "Remarks to the Law Enforcement Community in Kansas City, Missouri", 23 de janeiro de 1990 em *George Bush: Public Papers of the Presidents of the United States*, 1º de janeiro–30 de junho de 1990, p. 74.

A descrição do Distrito de Patrulha 144 de Kansas City é de Lawrence Sherman *et al.*, "The Kansas City Gun Experiment", National Institute of Justice, janeiro de 1995, https://www.ncjrs.gov/pdffiles/kang.pdf; nova estratégia reduz à metade os crimes por armas de fogo no Distrito 144, Evidência 4, p. 6; estatística dos 200 dias do experimento das armas, p. 6.

"A polícia foi [...] 'que vocês viriam'": James Shaw, "Community Policing Against Crime: Violence and Firearms" (dissertação de Ph.D., University of Maryland College Park, 1994), p. 118; "Não diferente de moradores [...] não conseguem ver nada", pp. 122–123; estatísticas dos sete meses do experimento das armas de Kansas City, p. 136; "Policiais que apreendiam [...] 'nesta noite!'", pp. 155–156.

"Quando você para um homem [...] de fazer uma revista" (rodapé): Erik Eckholm, "Who's Got a Gun? Clues Are in the Body Language", *The New York Times*, 26 de maio de 1992, https://www.nytimes.com/1992/05/26/nyregion/who-s-got-a-gun-clues-are-in-the-body-language.html.

"Existem infrações em movimento [...] incontestável do policial": David A. Harris, "Driving While Black and All Other Traffic Offenses: The Supreme Court and Pretextual Traffic Stops", *Journal of Criminal Law and Criminology* 87, edição 2 (1997), p. 558, https://scholarlycommons.law.northwestern.edu/cgi/viewcontent.cgi?article=6913&context=jclc.

A Suprema Corte deliberou a favor do policial: *Heien v. North Carolina*, 135 S. Ct. 534 (2014), https://www.leagle.com/decision/insco20141215960.

"Não sei por que [...] simplista demais para nós": Fox Butterfield, "A Way to Get the Gunmen: Get the Guns", *The New York Times*, 20 de novembro de 1994, https://www.nytimes.com/1994/11/20/us/a-way-to-get-the-gunmen-get-the-guns.html.

Em 1991, o *The New York Times*: Don Terry, "Kansas City Police Go After Own 'Bad Boys'", 10 de setembro de 1991, https://www.nytimes.com/1991/09/10/us/kansas-city-police-go-after-own-bad-boys.html.

Para o aumento das abordagens a veículos na Carolina do Norte no início da década de 2000, ver Deborah L. Weisel, "Racial and Ethnic Disparity in Traffic Stops in North Carolina, 2000–2001: Examining the Evidence", North Carolina Association of Chiefs of Police, 2014, http://www.ncacp.org/images/stories/documents/RacialProfilingStudyReport.pdf.

Um dos ex-alunos de Weisburd (rodapé): E. Macbeth e B. Ariel, "Place-based Statistical Versus Clinical Predictions of Crime Hot Spots and Harm Locations in Northern Ireland", *Justice Quarterly* (agosto de 2017), p. 22, http://dx.doi.org/10.1080/07418825.2017.1360379.

CAPÍTULO DOZE

SANDRA BLAND

"Cara, dá a porra da advertência [...] tirá-la do carro?": Nick Wing e Matt Ferner, "Here's What Cops and Their Supporters Are Saying about the Sandra Bland Arrest Video", *HuffPost,* 22 de julho de 2015. https://www.huffingtonpost.com/entry/cops-sandra-bland-video_us_55afd6d3e4b07af29d57291d.

"Um funcionário do Departamento [...] provocação extrema": Manual Geral do Departamento de Segurança Pública do Texas, Capítulo 5, Seção 05.17.00, https://www.documentcloud.org/documents/3146604-
-DPSGeneralManual.html.

Revistas de bagagens pela TSA: DHS Press Office, "DHS Releases 2014 Travel and Trade Statistics", 23 de janeiro de 2015, https://www.dhs.gov/news/2015/01/23/dhs-releases-2014-travel-and-trade-statistics, acessado em março de 2019.

"ir além da multa" e outras citações de Remsberg: Charles Remsberg, *Tactics for Criminal Patrol: Vehicle Stops, Drug Discovery, and Officer Survival* (Northbrook, Ill.: Calibre Press, 1995), pp. 27, 50, 68. Também desta fonte: "Se você é acusado [...] no caso do réu", p. 70; "interrogatório disfarçado" e "Ao analisar silenciosamente [...] indícios incriminadores," p. 166; e "Muitos policiais... ao que o suspeito faz", pp. 83–84.

o motorista estar "rígido e nervoso": *Heien v. North Carolina*, 135 S. Ct. 534 (2014), https://www.leagle.com/decision/insco20141215960.

Ao se aproximar do carro parado: Gary Webb, "DWB: Driving While Black", *Esquire* 131, edição 4 (abril de 1999), pp. 118–127. O artigo de Webb foi realmente o primeiro a documentar o uso crescente das técnicas de Kansas City. É esplêndido – e alarmante. A certa altura, ele conversa com um policial da Flórida chamado Vogel que era um defensor particularmente agressivo das revistas proativas. Vogel orgulhava-se de seu sexto sentido em detectar criminosos potenciais. Webb escreveu: "Outros indicadores, [Vogel] disse, são adornos como 'brincos para orelha, nariz, sobrancelhas. Essas coisas são denominadores comuns de pessoas envolvidas com crimes. Tatuagens também', em particular tatuagens de 'folhas de maconha'. Adesivos no para-choque também dão uma ideia da alma do motorista. 'Adesivos de caveiras são coisas que quase... pessoas nesses tipos de veículo quase sempre estão associadas com drogas.'"

Fala sério.

um dia na carreira de Brian Encinia: Equipe do *Los Angeles Times*, "Citations by Trooper Brian Encinia", *Los Angeles Times*, 9 de agosto de 2015, http://spreadsheets.latimes.com/citations-trooper-brian-encinia/.

"Eu estava checando [...] Sim, senhor" (e todas as citações de perguntas & respostas Encinia/Renfro): Entrevista com Cleve Renfro (tenente do Departamento de Segurança Pública do Texas), 8 de outubro de 2015. Áudio obtido pela KXAN-TV de Austin, https://www.kxan.com/news/investigations/trooper-fired-for-sandra-bland-arrest-my-safety-was-in-jeopardy/1052813612, acessado em abril de 2019.

"um motorista deve usar o sinal...": Código de Trânsito do Texas, Título 7: Veículos e Tráfego, Subtítulo C: Regras da Estrada, Capítulo 545: Operação e Movimento de Veículos, Seções 104, 105, p. 16, https://statutes.capitol.texas.gov/?link=TN.

"Na cultura ocidental [...] com o investigador": John E. Reid *et al.*, *Essentials of the Reid Technique: Criminal Investigation and Confessions* (Sudbury: Jones and Bartlett Publishers, 2005), p. 98.
O Manual Reid está cheio de afirmações sobre detecção de mentiras que são, no mínimo, absurdas. O "sistema" Reid ensina interrogadores a, por exemplo, ficarem alertas para pistas não verbais, que têm o efeito de "ampliar" o que um suspeito diz. Por pistas não verbais entendem postura, gestos das mãos e coisas do tipo. Como afirma o manual, na página 93, "daí as expressões corriqueiras 'ações falam mais alto do que palavras' e 'olhe bem nos meus olhos se estiver dizendo a verdade'."

Se você empilhasse todos os artigos científicos refutando essa afirmação, um em cima do outro, eles alcançariam a Lua. Eis uma de minhas críticas favoritas, de Richard R. Johnson, um criminologista da Universidade de Toledo. (A pesquisa de Johnson pode ser encontrada aqui: "Race and Police Reliance on Suspicious Non-Verbal Cues", *Policing: An International Journal of Police Strategies and Management* 30, nº 2 [junho de 2007], pp. 277-290.)

Johnson examinou antigos episódios do documentário de televisão *Cops*, que começou em 1989 e é transmitido até hoje, sendo um dos programas mais duradouros da televisão americana. Uma equipe de cinegrafistas acompanha um policial e filma – estilo cinema-verdade, sem narração – tudo que acontece naquele turno específico. (É estranhamente arrebatador, embora seja fácil esquecer que o que você vê num típico episódio de *Cops* é fortemente editado; policiais não são tão ocupados assim.) Johnson assistiu a 480 episódios antigos de *Cops*. Estava em busca de interações entre um policial e um cidadão onde este último fosse filmado, da cintura para cima, por ao menos 60 segundos. Achou 452 segmentos assim. Depois dividiu os segmentos em "inocente" e "suspeito", com base nas informações fornecidas no programa. Depois subdividiu outra vez sua coletânea por etnia: branca, negra e hispânica.

Cabe observar que existe certo volume de pesquisas sobre as denominadas pistas de conduta. Mas o estudo de Johnson é especial porque não foi feito num laboratório de psicologia universitário. Trata-se da vida real.

Comecemos pelo que muitos policiais acreditam ser a mais importante pista de conduta: o contato visual. O manual de treinamento da Técnica Reid – o guia de combate ao crime mais amplamente utilizado – é claro a respeito: pessoas que estão mentindo desviam o olhar. Suspeitos honestos mantêm o contato visual.

Então o que Johnson encontra ao examinar essa ideia à luz das interações do mundo real vistas em *Cops*? Os inocentes tendem mais a olhar um policial no olho do que os culpados?

Johnson calculou o número total de segundos de contato visual por minuto de filmagem.

Pessoas negras que são perfeitamente inocentes são na verdade *menos* propensas a olharem o policial no olho do que pessoas negras culpadas de um crime. Agora vejamos as pessoas brancas:

A primeira coisa a observarmos aqui é que os caucasianos em *Cops*, como um grupo, olham os policiais no olho bem mais do que os negros. Na verdade, brancos culpados de um crime passam mais tempo, dentre todos os quatro grupos, olhando o policial no olho. Se você utiliza a aversão ao olhar como pista para interpretar a credibilidade de alguém, vai suspeitar de pessoas negras bem mais do que de pessoas brancas. Ainda pior, você vai suspeitar mais ainda de afro-americanos *perfeitamente inocentes*.

Vejamos então as expressões faciais. A Técnica Reid ensina aos policiais que as expressões faciais podem fornecer pistas importantes sobre o estado interior de um suspeito. Terei sido descoberto? Estou prestes a ser descoberto? Como afirma o manual:

"A mera variação de expressões pode ser um indicativo de insinceridade, enquanto a falta de uma tal variação pode ser indicativo de veracidade" (Reid *et al.*, *Essentials of the Reid Technique*, p. 99).

Esta é uma versão da ideia comum de que quando alguém é culpado ou está sendo evasivo sorri muito. Pesquisas de policiais mostram que o pessoal no combate ao crime está bem sintonizado no "sorriso frequente" como um sinal de que algo está errado. Aqui está a análise de *Cops* que Johnson fez sobre o sorriso. Desta vez incluí os dados de Johnson sobre hispânicos também.

De novo, a regra prática em que se baseiam muitos policiais entende tudo ao contrário. As pessoas que mais sorriem são afro-americanos inocentes. As pessoas que menos sorriem são suspeitos hispânicos. A única conclusão razoável dessa estatística é que os negros, quando estão em *Cops*, sorriem à beça, os brancos sorriem um pouco menos e os hispânicos quase não sorriem.

Vamos ver mais um traço: fala hesitante. Se alguém está tentando se explicar e fica nervosamente parando e recomeçando, consideramos isso um sinal de evasão e dissimulação. Certo? Então o que os dados de *Cops* dizem?

Os suspeitos afro-americanos falam naturalmente. Os hispânicos inocentes ficam hesitando nervosamente. Se você faz o que o manual Reid manda, vai prender hispânicos inocentes e ser enganado por afro-americanos culpados.

Isso significa que precisamos de um conjunto melhor, mais específico de regras de interpretação para os policiais? *Cuidado com o sujeito negro de fala mansa. Gente branca que não sorri não presta.* Não! Isso tampouco funciona, por conta da enorme variabilidade descoberta por Johnson.

Analise, por exemplo, a variedade de respostas que constituem tais médias. O contato visual para afro-americanos inocentes variou de 7 a 49,41 segundos. Existem pessoas negras inocentes que quase nunca fazem contato visual e pessoas negras inocentes que fazem muito contato visual. A faixa de sorriso para pessoas negras inocentes é de 0 a 13,34.

Existem pessoas negras inocentes que sorriem *muito* – 13,34 vezes por minuto. Mas existem também pessoas negras inocentes que nunca sorriem. A faixa de "distúrbios de fala" para caucasianos inocentes é de 0,64 a 9,68. Existem pessoas brancas que hesitam como adolescentes nervosos e pessoas brancas que têm problemas reais de fala. A única lição é que o comportamento das pessoas varia fortemente quando se trata de quando e como sorriem ou olham você no olho, ou com que fluidez se expressam. E tentar achar qualquer tipo de padrão nesse comportamento é impossível.

Espere! Esqueci uma das grandes pistas da Técnica Reid: observar as mãos.

> Durante uma reação, as mãos da pessoa podem fazer uma destas três coisas. Podem permanecer paradas, sem envolvimento, o que pode ser um sinal de que a pessoa não tem confiança em sua resposta verbal ou simplesmente não está falando de algo percebido como muito importante. As mãos podem se afastar do corpo e gesticular, o que é chamado de ilustração. Finalmente, as mãos podem entrar em contato com alguma parte do corpo, o que é denominado comportamento adaptativo. (Reid *et al.*, p. 96).

O que se segue é uma explicação de como os movimentos das mãos contribuem ou não para nossa compreensão da veracidade. A Técnica Reid supõe que existe um padrão nos movimentos das mãos. Será? Eis os dados de Johnson sobre esse assunto. Desta vez incluí a faixa de reações – a reação mais curta registrada na segunda coluna, e a mais longa, na terceira.

Gestos de mão por minuto

	Tempo médio (em segundos)	Tempo mais curto (em segundos)	Tempo mais longo (em segundos)
Afro-americano/inocente	28,39	0	58,46
Afro-americano/suspeito	23,98	0	56,00
Caucasiano/inocente	7,89	0	58,00
Caucasiano/suspeito	17,43	31,00	56,00
Hispânico/inocente	22,14	23,00	57,00
Hispânico/suspeito	31,41	13,43	53,33
Amostra total	23,68	0	58,46

Se você consegue encontrar sentido nesses números, é mais inteligente do que eu.

Por sinal, a mais estranha das obsessões de Reid é esta: "Mudanças no comportamento do balanço [dos pés] – seja um súbito início ou parada – que ocorrem em conjunção com uma reação verbal podem ser um indicador importante de dissimulação. [...] Os pés também estão envolvidos em importantes mudanças de postura chamadas 'mudanças na cadeira'. Com esse comportamento, a pessoa firma seus pés e literalmente empurra o corpo para cima, ligeiramente fora da cadeira, para assumir uma postura nova. Grandes mudanças na cadeira dessa natureza são boas indicações de dissimulação quando precedem imediatamente ou ocorrem conjuntamente com uma reação verbal da pessoa." (Reid *et al.*, *Essentials of the Reid Technique*, p. 98).

O quê? Acontece que sou alguém que está constantemente, nervosamente mexendo com os pés. Faço isso quando estou empolgado, ou numa maré de sorte ou quando estou um pouco agitado após exagerar no café. O que isso tem a ver com estar ou não dizendo a verdade?

Mais um golpe na Técnica Reid. Vou incluir uma citação do artigo devastador de análise jurídica de Brian Gallini "Police 'Science' in the Interrogation Room: Seventy Years of Pseudo-Psychological Interrogation Methods to Obtain Inadmissible Confessions", *Hastings Law Journal* 61 (2010), p. 529. A passagem é uma descrição de um estudo realizado por Saul Kassin e Christina Fong: "'I'm Innocent!': Effects of Training on Judgments of Truth and Deception in the Interrogation Room", *Law and Human Behavior* 23, nº 5 (outubro de 1999), pp. 499-516.

> Mais substantivamente, os professores Kassin e Fong filmaram um grupo de participantes interrogados de acordo com o método Reid para descobrir se haviam cometido um crime simulado. Um segundo grupo de participantes, alguns dos quais treinados no método Reid, assistiram aos vídeos e opinaram sobre (1) a culpa ou inocência de cada voluntário e (2) sua confiança na avaliação de culpa ou inocência. Os resultados foram tão previsíveis quanto perturbadores: primeiro, as taxas de exatidão dos julgamentos se assemelhavam ao

acaso. Segundo, o "treinamento no uso de pistas verbais e não verbais não melhorou a exatidão do julgamento". Num esforço por explicar por que o treinamento não contribuiu para melhorar a exatidão do julgamento, os autores afirmaram enfaticamente: "Inexiste base empírica sólida para a afirmação de que essas mesmas pistas distinguem confiavelmente criminosos de pessoas inocentes acusadas de crimes que não cometeram."

Finalmente, os autores informaram, os participantes estavam superconfiantes em suas avaliações de culpa ou inocência. Nas palavras dos autores:

> Descobrimos tanto entre participantes treinados quanto entre ingênuos que não havia uma forte correlação entre a exatidão do julgamento e a confiança, independentemente se a medição da confiança foi realizada antes, após ou durante a tarefa. Demonstrando ainda mais os problemas metacognitivos nesse domínio, as avaliações da confiança estavam positivamente correlacionadas com o número de razões (inclusive razões baseadas em Reid) enunciadas como base para julgamentos, outro indicador dependente não previsor da exatidão. *O treinamento teve um efeito particularmente adverso a esse respeito. Especificamente, aqueles que foram treinados, comparados com aqueles na condição ingênua, foram menos exatos em seus julgamentos da verdade e da dissimulação. No entanto, foram mais autoconfiantes e eloquentes sobre as razões de seus julgamentos muitas vezes errôneos.*

"Peço desculpas [...] nestas últimas semanas...": "Sandy Speaks–1º de março de 2015", YouTube, postado em 24 de julho de 2015, https://www.youtube.com/watch?v=WJw3_cvrcwE, acessado em 22 de março de 2019.

Relatório do Departamento de Justiça sobre Ferguson, Missouri: United States Department of Justice Civil Rights Division, "Investigation of the Ferguson Police Department", 4 de março de 2015, https://www.justice.gov/sites/default/files/opa/press-releases/attachments/2015/03/04/ferguson_police_department_report.pdf.

afro-americanos são bem mais sujeitos a abordagens policiais de trânsito (rodapé): Charles R. Epp, Steven Maynard-Moody e Donald Haider-Markel, *How Police Stops Define Race and Citizenship* (Chicago: University of Chicago Press, 2004).

Estatísticas da Patrulha Rodoviária do Estado da Carolina do Norte: "Open Data Policing: North Carolina", https://opendatapolicing.com/nc/, acessado em março de 2019.

A FM 1098 não é "uma área de alta criminalidade e alta incidência de drogas": Este mapa do crime reflete os dados do condado de Waller de 2013 a 2017 coletados pelo agregador de dados de criminalidade SpotCrime de Baltimore, que obtém dados de departamentos de polícia locais.

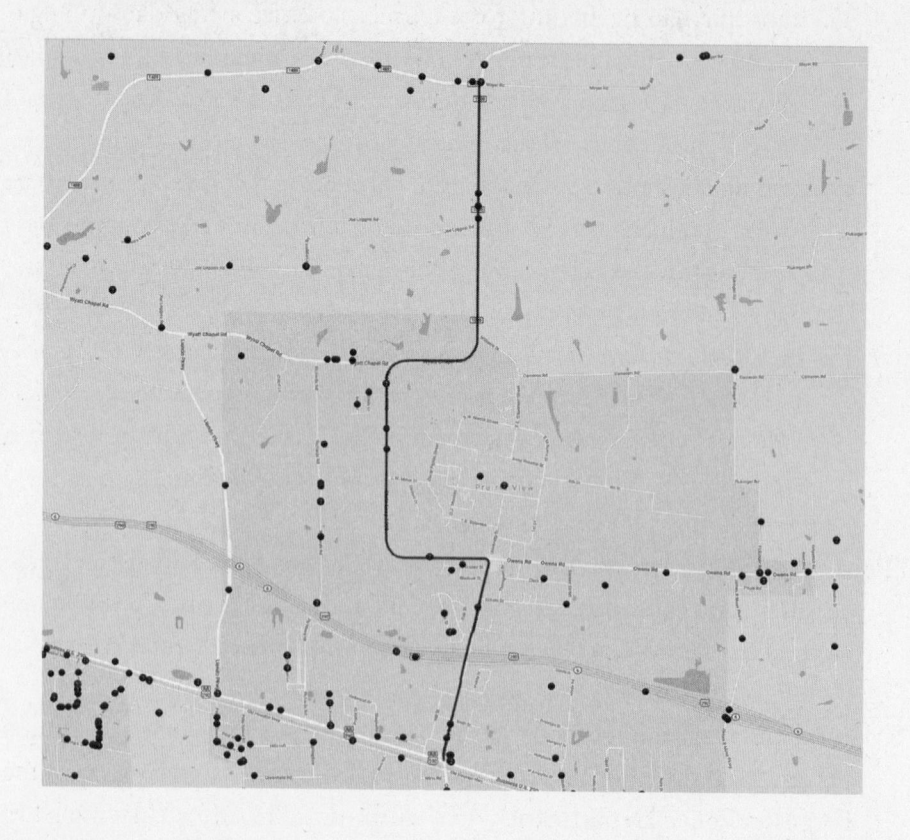

Mais sobre os dilemas causados por buscas de uma agulha no palheiro: mulheres de meia-idade, na maioria dos países, são encorajadas a fazerem mamografias regulares. No entanto, menos de 0,5% das mulheres que fazem mamografia de fato possuem a doença. A busca de câncer de mama é, portanto, uma busca de agulha em palheiro.

A epidemiologista Joann Elmore recentemente calculou o que isso significa. Imagine, ela disse, que um grupo de radiologistas fez mamografias em 100 mil mulheres. Estatisticamente, deveria haver 480 cânceres naquelas 100 mil. Quantos os radiologistas acharão? Cerca de 398. Acredite, para uma tarefa tão difícil quanto interpretar uma mamografia, é um bom resultado.

Entretanto, no decorrer desses diagnósticos corretos, os radiologistas também vão deparar com 8.957 falsos positivos. É assim que funcionam as buscas de agulha no palheiro: se você quer achar aquela arma rara na bagagem de alguém, vai acabar detectando um monte de secadores de cabelos.

Agora suponha que você queira se sair melhor na detecção de cânceres. Talvez obter 398 dentre 480 casos não seja suficiente. Elmore fez um segundo cálculo, dessa vez usando um grupo de radiologistas com um nível extra de treinamento de elite. Aqueles médicos eram bem alertas e bem desconfiados – o equivalente médico a Brian Encinia. Eles identificaram corretamente 422 dos 480 casos – bem melhor! Mas quantos falsos positivos aquela suspeita extra rendeu? 10.947. Duas mil mulheres extras perfeitamente saudáveis foram diagnosticadas com uma doença que não tinham, sendo potencialmente expostas a um tratamento de que não precisavam. Os radiologistas bem treinados foram melhores em detectar tumores não porque fossem mais exatos. Foram melhores porque desconfiaram mais. Viram cânceres por toda parte.

Se você é mulher, qual grupo de radiologistas preferiria para avaliar sua mamografia? Está preocupada com a chance minúscula de ter um câncer que não será detectado ou com a probabilidade bem maior de ser diagnosticada com um câncer que não possui? Não existe uma resposta certa ou errada a essa pergunta. Pessoas diferentes têm atitudes diferentes em relação à própria saúde e ao risco. O crucial, porém, é a lição que esses números dão sobre buscas de agulha no palheiro. Procurar algo raro tem um preço.

O autor agradece pela permissão para usar os seguintes materiais protegidos por direitos autorais:

Fotos: sorrisos Duchenne e não Duchenne. Reproduzidas com permissão de Paul Ekman, Ph.D./Paul Ekman Group, LLC.

Foto: "Anger" de Job van der Schalk *et al.*, "Moving Faces, Looking Places: Validation of the Amsterdam Dynamic Facial Expression Set (ADFES)", *Emotion* 11, nº 4 (2011), p. 912. Reproduzida com permissão do autor.

Imagens: "Rey-Osterrieth Complex Figure", "Sample ROCF immediate recall drawings from the Pre/Post-stress groups", "Sample ROCF immediate recall drawings from the Stress Group", de Charles A. Morgan *et al.*, "Stress-Induced Deficits in Working Memory and Visuo-Constructive Abilities in Special Operations Soldiers", *Biological Psychiatry* 60, nº 7 (2006), pp. 722-729. Reproduzidas com permissão do Dr. Charles A. Morgan e da Elsevier.

Trechos de "Edge", "Lady Lazarus", "A Birthday Present" (Um presente de aniversário), de *The Collected Poems of Sylvia Plath*, organizado por Ted Hughes. Copyright © 1960, 1965, 1971, 1981 do espólio de Sylvia Plath. Copyright do material editorial © 1981 de Ted Hughes. Reproduzidos com permissão da Harper Collins.

Trecho de "The Addict" (A viciada), de Anne Sexton, de *Live or Die* (Boston: Houghton Mifflin, 1966). Reproduzido com permissão de SLL/Sterling Lord Literistic, Inc. Copyright © Anne Sexton.

Gráficos: "Relation between gas suicides in England and Wales and CO content of domestic gas, 1960-77"; "Crude suicide rates (per 1 million population) for England and Wales and the United States, 1900-84"; "Suicides in England and Wales by domestic gas and other methods for females twenty-five to forty-four years old" de Ronald V. Clarke e Pat Mayhew, "The British Gas Suicide Story and Its Criminololgical Implications", *Crime and Justice* 10 (1988), pp. 79-116. Reproduzidos com permissão de Ronald V. Clarke, Pat Mayhew e University of Chicago Press.

Mapa: mapa de Jersey City de David Weisburd *et al.*, "Does Crime Just Move Around the Corner? A Controlled Study of Spatial Displacement and Diffusion of Crime Control Benefits", *Criminology* 44, nº 3 (2006), pp. 549-591. Reproduzido com permissão de David Weisburd e da Sociedade Americana de Criminologia.

CONHEÇA OS LIVROS DE MALCOLM GLADWELL

Fora de série – Outliers

O ponto da virada

Davi e Golias

O que se passa na cabeça dos cachorros

Blink

Falando com estranhos

Para saber mais sobre os títulos e autores da Editora Sextante, visite o nosso site. Além de informações sobre os próximos lançamentos, você terá acesso a conteúdos exclusivos e poderá participar de promoções e sorteios.

sextante.com.br